RICHAR

Die

Buch

Deutschland im Jahr nach der Wiedervereinigung: Die Geschichte ist
gerade zu Ende gegangen, mit ihrem Ende aber fängt eine andere, kleinere
Geschichte an. Gerade sind sich Georg & Rosalie in der Kölner Straßenbahn begegnet, schon beschließen sie, dass sie den selben Weg haben,
ziehen nach Berlin; um der Allgemeinheit zu entkommen und ihre Liebe
und Freiheit zu leben – am richtigen Ort, zur richtigen Zeit. Die zur Flüch-
tigkeit der Boheme-Existenz passende Altbauwohnung in Mitte ist schnell
gefunden. Während hoch über ihnen im Weltraum der letzte sowjetische
Kosmonaut einsam seine Runden dreht, erkunden Georg und Rosalie die
Stadt wie einen fremden Planeten, drücken schwere Haustore auf, bestau-
nen die abgeblätterten Altanstriche der Treppenhäuser im Halbdunkel.
Doch als nach Monaten des Provisoriums das Gesparte aufgebraucht ist,
sind sie gezwungen, der Wirklichkeit einen gewissen Ernst beizumengen.
Der sich allen Karriereansprüchen verweigernde Georg nimmt einen Job
als Hilfstierpfleger im Tierpark Ost an. Rosalie dagegen entscheidet sich
für die Arbeit in einer Werbeagentur, die Berlin als innovatives Produkt
vermarktet. Die Zeit der Schwerelosigkeit scheint für die beiden ein für
alle Mal vorbei.
Überaus zärtlich und sprachlich originell verknüpft Precht das Schicksal
eines Liebespaares mit einer Liebeserklärung an eine Stadt im Wandel.

Weitere Informationen zu Richard David Precht
sowie zu lieferbaren Titeln des Autors
finden Sie am Ende des Buches.

Richard David Precht

Die
Kosmonauten

Roman

GOLDMANN

Die Originalausgabe erschien 2003
unter dem Titel »Die Kosmonauten«
bei Kiepenheuer&Witsch, Köln.

 Dieses Buch ist auch als E-Book erhältlich.

MIX
Papier aus verantwor-
tungsvollen Quellen
FSC   www.fsc.org   FSC® C014496

Verlagsgruppe Random House FSC® N001967

3. Auflage
Taschenbuchausgabe Oktober 2009
Wilhelm Goldmann Verlag, München
in der Verlagsgruppe Random House GmbH
Copyright © 2009 by Richard David Precht
Copyright © dieser Ausgabe 2009
by Wilhelm Goldmann Verlag, München,
in der Verlagsgruppe Random House GmbH,
Neumarkter Str. 28, 81673 München
Umschlaggestaltung: UNO Werbeagentur, München
Umschlagmotiv: Artkey/Corbis
mb · Herstellung: Str.
Druck und Bindung: GGP Media GmbH, Pößneck
Made in Germany
ISBN: 978-3-442-47221-5
www.goldmann-verlag.de

Besuchen Sie den Goldmann Verlag im Netz

Für Uwe und Jens

Erster Teil

Der Weg in den Kosmos

1

Östlich des Aralsees, am westlichen Rand der Hungersteppe, etwa vierhundert Kilometer südwestlich von Baikonur, liegt Tjuratam. Die Sommer sind heiß und trocken, die Winter kalt und trocken und stürmisch. Hier, inmitten der endlosen Einöde Kasachstans, befindet sich das Kosmodrom Baikonur, das größte Forschungs-, Entwicklungs- und Startzentrum der Welt. Dieser Standort des Weltraumbahnhofs der Sowjetunion war lange Zeit ein wohlgehütetes Geheimnis.

Das Städtchen Tjuratam war einst eine Eisenbahnstation auf der Strecke Taschkent-Aralsk-Orenburg, doch dann kamen die Ingenieure und ihre Arbeiter und sperrten das Gebiet mit einem vierfachen Gürtel ab, errichteten Industriekombinate und Montagehallen und eine eigene Fabrik für die Herstellung von flüssigem Sauerstoff. Die alte Eisenbahnstation ist nun eine riesige Verschiebestelle und zugleich Hauptbahnhof der Stadt Leninsk. Etwa zehn bis zwölf lange Güterzüge versorgen Tag für Tag zehntausende Menschen in den kleinen verfallenenen Baracken der 50er Jahre, den stolzen graublauen Silos der 60er und 70er. Hochgeschossige Wohngebäude, Schulen und Verwaltungsbauten; irdische Zeichen himmlischen Strebens, ragen die Termitenbauten des Sowjetmenschen in die kalte kasachische Wüstennacht.

Im elften Stock wälzt sich Sergej Krikaljow in seiner blasskarierten Bettwäsche. Es geht ihm gut, weil er schon mal im All war und noch am Leben ist und weil er heute wieder in den Kosmos fliegen wird, auch wenn er die Nacht zuvor ein bisschen unregelmäßig atmet in seiner kleinen Wohnung, was Elena, seine Frau, ein wenig stört, aber sie versteht es.

Scharren. Kratzen.

Krikaljow schnauft, und Elena im rosa Nachthemd geht zum Fenster und macht es auf.

Kurze Ruhe.

Dann wieder das Kratzen: Sandflughühner, die nichts in den Kosmos zieht. Immer wieder kommen sie in der Morgendämmerung auf das Blechdach zurück und lassen sich von der schräg stehenden Sonne wärmen.

Sie schließt das Fenster und öffnet den Mund:

»Es ist Zeit, Serjoscha.«

Im Sommer bewachen violettblaue Stiefmütterchen die Beete. »Studentinnen der Arbeiterfakultät«, wie Genosse Ilja gesagt hat, aber jetzt ist Winter, und Krikaljow hat nicht einmal einen Blick für den Park, wo kalt und riesig ein Mann steht, breitbeinig auf der grünen Wiese vor den Hochhäusern, als wolle er den vielen Wassersprinklern ringsum zeigen, wie man einen Rasen nässt. Darunter steht: *Jurij Gagarin. Sowjetbürger und Kommunist.* Krikaljow fragt sich nicht, ob irgendwo viele tausend Meilen entfernt ein anderer kalter Riese mit einer Unterschrift steht: *Neil Armstrong. US-Bürger und Kapitalist.* Er denkt an Elena, dass sie sich eine neue Küche wünscht und dass er sie fast ein halbes Jahr nicht sehen wird, weshalb es ein schwerer Abschied war, so wie schon beim letzten Mal. Aber er diskutiert nicht über seinen Beruf, auch nicht mit Elena. Es ist ein langer Weg zu den Startanlagen in der Mitte des Geländes, achtunddreißig Kilometer nördlich des Hauptbahnhofs. Es ist ein längerer Weg durch die Schleusen und Kammern, durch Umkleidekabinen und anderes bis an Bord der Rakete. Und es ist ein noch viel längerer Weg der Mission SOJUS TM 12 zur Raumstation MIR, die alte Stammbesatzung abzulösen. Kollege Arzebarskij steht schon da, müde und blass, man könnte ihn unmöglich mit einem der Kosmonauten verwechseln, die in den Schulbüchern lächeln. Auch diese Engländerin ist da, die heute das erste Mal mitkommt, selbst wenn Elena tobt. Als wenn sie sich dadurch abhalten ließen, die bleibt sowieso nur eine Woche. Nicht mal an derselben Tube würde sie lutschen, und auch die Außenbordarbeiten zur Reparatur der Antenne oder des Annäherungssystems KURS am QUANT-Modul blieben streng einsam.

Stunden später sitzen sie zu dritt in der Sojus-Kapsel, erst nebeln die dichten Atmosphärenschichten, dann überfliegen sie einen der breiten sibirischen Ströme. Krikaljow unterscheidet deutlich die kleinen, von der Morgensonne beschienenen waldigen Inseln und die Ufer, und der Brechreiz ist nahezu unerträglich, wie schon beim letzten Mal. Nur nicht in die Kapsel kotzen. Auch der Druck auf die Augen wächst weiter, Arzebarskijs Gesicht ist nur noch Teig. In zwei Tagen, vier Myriaden Kilometer über der freien Erde, werden sie es eingeholt haben, dieses winzige schnelle Licht im Sternenmeer. Krikaljow trinkt kalten Tee, wartet ab, wartet weiter, bis Arzebarskij nicht mehr hinter seinem Rücken in das winzige Klo pinkelt, denkt nicht an Arzebarskij, denkt auch nicht an die Engländerin, lieber an Elena, an ihr rosa Nachthemd, und blickt, sein Gesicht ist bleich wie Kreide, in die unendliche Freiheit.

2

Mit dem Himmel fängt es an, dem hellen Grau, das über der Straße liegt. Zu erwähnen sind: die herkömmliche Nässe des Herbstes, der dichte vierspurige Verkehr zwischen den verchromten Häusern der Banken und Versicherungen, die große Betonbrücke über die Straße mit den Bahngleisen in der Mitte und schließlich vereinzelt dunkle Punkte, die gefrorene, stillgestellte Unruhe der Menschen an einer Straßenbahnhaltestelle.

Es war nichts Feierliches in diesem Tag, eher etwas Schwermütiges, der dritte Oktober hatte kein gutes Wetter beschert. Georg war früh aufgestanden an diesem Morgen, so wie jeden Morgen, aber ein Morgen wie jeder andere war das nicht. Er hatte soeben seine Arbeit gekündigt.

Nun stand er in schwarzen Jeans und schwarzem Wollpullover an der Haltestelle in die Stadt, lehnte an einer Tafel mit Leuchtreklame, die Arme verschränkt, und fragte sich, wie es ist, wenn man ein altes Leben beendet und ein neues anfängt. Leicht zu sagen war es nicht. Auf der Leuchtreklame zogen Rentiere durch glitzerndes Wasser. Benzindunst lag in der Luft, und die Straßen sahen aus, als wenn sie sich langweilten. Auf den Amseln perlten Tropfen; nass wie Regenschirme hockten sie auf der Laterne, bevor sie fortfahren würden zu singen oder zu sterben. Unentwegt zischten die Autos durch die Pfützen, in gleichem Abstand, wie auf einem Rollband.

Er dachte: immerhin hat diese Strömung mich vorwärts gespült, also war es nicht nur vertane Zeit. Wie gut, dass es vorbei ist, dass es tatsächlich vorbei ist. Er dachte an die Passfotogesichter seiner Kollegen im Büro, wie sie jetzt ihre Rechner anstellten, ihre Kaffeetassen füllten, in Telefonhörer redeten, bis die graue Straße wieder zurückkam, die Autos, die Leuchtreklame, die Menschen und diese junge Frau wenige Schritte entfernt; ihr rotbraunes Haar flatterte ein bisschen. Die große Zeichenmappe unter ihrem Arm hielt sie fest und zusammen, der Oktoberwind konnte ihr wenig anhaben, sie war ernst und ruhig.

Sie sah ihn nicht an, blickte stumm in die Richtung, aus der in wenigen Minuten die Straßenbahn kommen musste. Sie sah sicher aus, unbeirrbar durch den Niesel, die Autos, so als wenn sie in Gedanken gar nicht hier war an dieser Haltestelle.

Georg ging zwei Schritte nach vorn, rückte ein Stück näher an sie heran, stellte den linken Fuß vor; die Leuchtreklame verschwand aus seinem Rücken, er rieb sich das Gesicht, es gab Leichteres, als jetzt beiläufig zu wirken, unbeteiligt an seinem eigenen Blick.

Sie hatte sich geschminkt, sehr dezent, und der Mantel sah teuer aus, ebenso die Schuhe mit den schlanken Absätzen; ihr dichtes Haar aber war wild, als würde es nur vom Wind gekämmt, so als konnte es vielleicht gar nicht gekämmt werden, außer vom Wind.

Er ging jetzt ein paar weitere Schritte, nicht zu ihr hin, sondern gerade nach vorn zum Gleis, um nach der Bahn zu schauen. Erst dann drehte er sich kurz um.

Sah sie an.

In ihr Gesicht.

Sie hatte ihn bemerkt. Sie mochte noch so versunken auf die Straße geschaut haben, sie hatte ihn bemerkt.

Das flüchtige Lächeln, das ihn streifte, war warm.

Rosalie hatte soeben gelächelt.

Sie hatte den Kopf schräg gelegt, ihre grünen Augen leuchteten im Regen. Sie hätte ein schwindsüchtiges expressionistisches Mädchen im Pariser Herbst sein mögen, aber sie stand sicher und fest hier an der Haltestelle in Köln. Von draußen drangen Rauschen und Autohupen, drang der Lärm der Straße in ihren Kopf. Sie stand schon länger als zehn Minuten in diesem dichten Nebel aus kalter Nässe, die Straßenbahn wollte nicht kommen.

Sie hatte gelächelt, einen Fremden angelächelt, der sich nach ihr umgedreht hatte. Er war groß, und er war schlank, er hatte kurzes dunkles Haar, etwas Jungenhaftes.

Sie hatte ihn schon vorher bemerkt, wie er an seinen Rentieren vorbei in die Unendlichkeit geschaut hatte.

Sie drehte den Kopf weg und blickte zurück auf die Straße. Es war einer dieser Männer, die sie nie ansprachen, die irgendwelche anderen Frauen ansprachen, warum auch immer.

Na ja, auf jeden Fall, er hatte gelächelt.

Rosalie fröstelte.

Wenn die Wolken so tief hängen, ist der Weltraum sehr fern. Die Straßenbahn tauchte aus dem Nebel auf wie ein Raumschiff; die Falttüren pufften auf, sie stieg ein, ihre Absätze schabten auf den Trittstufen, sie setzte sich auf eine Bank ans Fenster; auf dem Sitz neben ihr war Platz.

Sie hatte sich nicht umgedreht, sie brauchte sich nicht umzudrehen.

Er war ihr gefolgt und mühte sich vor ihr am Fahrkartenautomaten. Er schien viel Kleingeld zu haben, das er ausgerechnet jetzt loswerden wollte. Kleines Geld in engen Jeanstaschen und dann auch noch den Pulli darüber.

Er hatte sie vorhin beobachtet.

Rosalie blickte durch die Scheibe. Büsche und Bäume, abgewischt am Fenster.

Er hatte seinen Fahrschein.

Fünf Schritte zu ihr.

Er kam.

Setzte sich neben sie.

Er setzte sich *tatsächlich* neben sie. Rosalie drehte flüchtig den Kopf.

Er lächelte. Ein wirklich schöner Mann. Ganz eigene Augen, hellblau mit etwas Schiefergrau darin. Das gefiel ihr. Und dann gefiel ihr, was er sagte:

»Ich glaube fast, wir haben denselben Weg.«

Sie hatten denselben Weg. Aus der Vorstadt in die Straßenbahn, aus der Straßenbahn in die Stadt. Die Stadt huschte an den Fenstern vorbei, überall erste Stockwerke. Schienengerumpel. Straßenbahngeklingel. Die Häuser verschwanden hinter Rosalies Gesicht. Er sprach sehr vorsichtig hinein, sehr langsam, als habe er Angst, sie zu verletzen. Rosalie lächelte, sie fing seine Worte auf, leicht und sicher und fragte:

»Wann musst du aussteigen?«

Es war ein ungewöhnlicher Tag, und das verlangte ungewöhnliche Entscheidungen. Georg war fest entschlossen, überhaupt nicht auszusteigen, wenn Rosalie es so wollte.

»Ich steige am Dom aus«, sagte sie.

»Steigen wir am Dom aus.«

»Und dann?«

»Ich weiß nicht. Was schlägst du vor?«

Rosalie schlug nichts vor. Sie stiegen am Dom aus und standen anschließend eine ganze Zeit lang auf der Domplatte, aufgeregt und unschlüssig. Sie kannten sich eine Viertelstunde, und Rosalie wusste, dass sie jetzt wohl nicht gleich in die Galerie gehen würde an diesem Morgen. Es war das Einzige, dessen sie sich sicher war, und da ihr nichts anderes einfiel, kommentierte sie beiläufig die Arbeit der Pflastermaler. Sie war Kunsthistorikerin, und sie wusste viel zu sagen. Georg wollte ihr länger zuhören, er sah ihre schlanken braunen Hände, die auf das Pflaster zeigten, und schlug das Museum vor.

Das Museum war neu, ein Backsteinbau mit silbernen Stahlhauben. Es musste sehr schön ausgesehen haben, als es noch ein Modell war; jetzt versperrte es ein bisschen den Blick auf den Dom. Gleich hinter dem Eingang lag eine Verkaufsstelle für Kunstpostkarten und Bücher; ein Anziehungspunkt, der alle anderen des Museums übertraf. Schon oft war Georg aufgefallen, dass die Menschen ganz offensichtlich lieber Kopien betrachteten als Originale. Von sich selbst kannte er immerhin die unstillbare Sehnsucht nach genau den Bildern, die es in diesem Museum nicht gab. Kaum hatte man einen der ausgestellten Maler des sechzehnten Jahrhunderts im Museumsshop nachgeschlagen, fand man auf einmal die dunklen Spanier des siebzehnten viel interessanter, die in Amsterdam hingen oder in London. Und hatte man eben noch die feine pastellene Pinselführung in Aristokratengesichtern bewundert, so entbrannte ganz unvermittelt eine geradezu leidenschaftliche Faszination für die großgemalten brennenden Farbtafeln irgendwelcher Amerikaner in New York, deren Katalog man kaufte, mit nach Hause nahm und nie wieder darin blätterte.

Rosalie lächelte, als Georg so wortreich davon erzählte. Sie lösten ihre Eintrittskarten und gingen die breite Treppe hinunter und durch große weiße Räume. Rosalie hatte gezögert, als sie im ersten Raum gestanden hatten, aber schon im zweiten deutete sie auf einige ausgewählte Bilder, die Georg nie aufgefallen wären, wenn sie ihn nicht darauf hingewiesen hätte.

»Die sind ungeheuer.«

Das Bild vor ihnen zeigte einen Mann, war aber auf dem Kopf gemalt, oder verkehrt herum aufgehängt worden.

Georg staunte.

Rosalie mochte am liebsten Bilder mit Menschen, Portraits mit allen Drehungen und Ausschnitten. Er bewunderte ihre Urteile. Bislang hatte er gemeint, dass es schon außerhalb der Bilder genug Menschen gab, und dass er eigentlich viel lieber Stillleben mochte. Jetzt aber sah er am liebsten in Rosalies Gesicht, viel lieber als in jedes andere Gesicht im ganzen Museum.

Im zweiten Stock wurden Georgs Beine schwer; erstaunlich, wie anstrengend es war, durch ein Museum zu gehen. Auch seine Konzentration hatte nachgelassen, wahrscheinlich waren Beine und Geist durch irgendeinen schlecht erforschten Nerv miteinander verbunden. Rosalie hingegen bewegte sich leicht und geschmeidig, trotz ihrer Absätze, betrachtete Bilder mit Händen in den Hüften, rustikal wie ein Sportlehrer, ein anderes Mal ging sie vor und zurück, wobei sie mal die rechte und mal die linke Hand in die Hüfte legte, was unbeschreiblich elegant aussah.

»Was bedeutet das?«, fragte Georg, als sie vor einem Bild standen, das eine amerikanische Fahne darstellte oder eine war.

»Warum sollte es etwas bedeuten?«

»Ich meine, ist es ein Bild, oder ist es eine Fahne?«

»Genau das bedeutet es.«

»Ein Bild oder eine Fahne?«

»Die Frage«, sagte Rosalie. »Es bedeutet, wenn man das so sagen kann, dass man sich diese Frage stellt.«

»Und dann?«

»Nichts dann. Das ist die Erfahrung.«

»Das heißt, wann immer ich Lust dazu habe, mir diese Frage zu stellen, gehe ich hier ins Museum und schaue mir dieses Bild an?«

»So ungefähr. Noch Fragen?« lächelte sie.

»Tausend Fragen«, sagte Georg. »Was denkst du, jetzt zum Beispiel und ansonsten, wo bist du aufgewachsen, bist du ein mittleres Kind, wie roch es in deinem Kinderzimmer, welches ist dein Sternzeichen, deine Lieblingsfarbe, die Lieblingsfarbe deiner Eltern, was denkst du, wenn du beim Zahnarzt sitzt…«

»Trinken wir einen Kaffee?«

Sie kannten sich vier Stunden, als sie in der Cafeteria des Museums saßen und einen Kaffee nach dem anderen tranken, obwohl jeder Kaffee ganz bestimmt der letzte hatte sein sollen.

Es gab keinen letzten Kaffee. Sie sahen sich an, redeten, sahen sich wieder an. Sie redeten über Filme und Bücher, die sie mochten, was sie an den Menschen liebten und was nicht. Rosalie liebte Margaret Atwood und T.C. Boyle und warmen Rotwein im Winter in kalten Ateliers. Sie lachte in den unmöglichsten Situationen, vor allem dann, wenn es allen Umstehenden peinlich war. Und sie hatte einen Hund, der Rüdiger hieß.

Georg liebte die Filme von Cocteau und die Super-8-Filme aus seiner Kindheit. Im Sommer saß er gern auf der heißen Teerpappe vor seinem Dachfenster, philosophierte über die Tauben und das Leben und plante kleinere Abenteuer im Dickicht der Häuser. Rosalie beobachtete sein Gesicht, während er sprach. Sie blickte sanft und sah ihn lange an.

»Du hattest Trotz in den Augen.«

»Trotz?«

»Ja, vorhin. An der Haltstelle. Als ich das erste Mal zu dir rübergeschaut habe, hast du finster geblickt, irgendwie abwesend, aber auch trotzig.«

»Du hast zu mir rübergeschaut?«

»Na ja, nur kurz. Wie deutlich hätte ich denn gucken sollen?« Rosalie lächelte. »Also, wie war das mit dem Trotz? Ich dachte, das hätte etwas bedeutet, irgend etwas, das dich sehr beschäftigt hat.«

»Es bedeutete, dass mit klar war, in welcher Situation ich mich befunden hatte. Es bedeutete, dass vieles schiefgelaufen war in meinem Leben und dass es richtig ist, alles zu ändern.«

»Dein Leben ändern?«

»Das Leben, das ich bisher gelebt habe. Das Leben eines Verrückten. Jeden Tag halb sieben, jeden Tag Anzug oder Sakko, jeden Tag Rasierwasser. Weißt du, ich habe meinen Job geschmissen heute Morgen. Ein Tag länger in diesem Leben, und es wäre mein Ende gewesen. In zwei Monaten werde ich achtundzwanzig.«

»Und das heißt?«

»Dass ich ein anderes Leben führen werde.« Seine Stimme war heiser und etwas rau, eine seltsame Traurigkeit lag darin, die Rosalie erfasste wie eine schöne schwermütige Musik. Bislang hatte sie Georg sehr lustig gefunden, locker und leicht, aber diese heisere und raue Stimme spielte eine andere Melodie.

»Weißt du schon, wo du hingehen willst?«

»Nach Berlin, glaube ich.«

»Berlin? Hm.«

»Ist doch ein gutes Ziel. Findest du nicht?«

»Doch, doch.« Rosalie nickte. Berlin. Mit der Schulklasse war sie dort gewesen, hatte die Linden gesehen, die Kirche am Zoo, die Mauer, Nofretete natürlich und das Schloss Charlottenburg. An ihrem einzigen unbewachten Tag war Rosalie mit Freundinnen über Flohmärkte gegangen; in Kreuzberg hatte sie sich ein violettes PLO-Tuch gekauft, es hatte hübsch ausgesehen zu ihren dunklen Haaren und all den besetzten Häusern ringsum. Und in der Nacht waren sie gemeinsam im *Sound* gewesen. Acht Jahre war das jetzt her. Es sollte wieder viel los sein in Berlin, jetzt.

Georg hatte andere Gründe. Er mochte die Stadt, weil sie so einen schönen Fernsehturm hatte, und den Fernsehturm, weil er ihn an einen anderen erinnerte, einen kleinen Plastik-fernsehturm, den er an regnerischen Sonntagnachmittagen auf dem Filzfliesenteppich seines Zimmers aufgebaut hatte, um von hier aus fremden Galaxien geheime Botschaften zuzufunken.

Rosalie legte den Kopf schräg.

Georg als kleiner Junge; sie hätte ihn gerne gesehen mit seinem Fernsehturm. »Aber das ist nicht alles?«

»Nein, natürlich nicht. Es passiert jetzt so viel in der Stadt.« Rosalie seufzte.

Die Stadt, in der sie lebte, war nicht schlecht, aber als sie an Georg dachte und an Berlin, wurde sie ihr schnell gleichgültig. Sie kannte ihn nicht, konnte ihn nicht kennen, und doch ertappte sie sich dabei, daran zu denken, wie es wohl war, ein Teil von Georgs neuem Leben zu sein, seinem Leben in Berlin; eine schöne Vorstellung, wahrscheinlich fürchterlich unrealistisch, aber trotzdem sehr schön. Vielleicht sollte sie sich davor schützen. Vielleicht auch nicht.

Es war früher Abend, das Museum würde gleich schließen, sie stellten die Kaffeetassen auf den Tabletthalter. Sie waren die letzten.

Der dünne Regen hielt sie nicht davon ab, zum Rhein zu gehen. Als sie die gepflasterten Stufen hinuntergingen, nahm sie das erste Mal seine Hand.

Er griff sofort zu, fasste die ihre wie eine wunderschöne am Strand gefundene Muschel. Er würde sie von nun an gegen nichts eintauschen. Hand in Hand tauschten sie stattdessen Meinungen über ihr Leben. Sie gingen sehr dicht nebeneinander und spazierten die ganze öde Promenade hinauf und herunter, ohne sich ein einziges Mal loszulassen.

»Weißt du, dass ich das wirklich klasse finde?«, sagte Rosalie.

»Was?«

»Na, sein Leben zu ändern. Von heute auf morgen, einfach so. Manchmal denke ich, ich müsste das vielleicht genauso machen, manchmal ist alles, was man so tut, einfach so zufällig.«

Georg sah sie an. Es fiel nicht schwer, ihr zuzustimmen, an so einem Tag. Er hatte seinen Job geschmissen, und er hatte die wunderbarste Frau der Welt kennen gelernt. Wenn das kein Zeichen war.

Eine Weile sagten sie nichts. Sie gingen eng nebeneinander, Hand in Hand, aber sie sahen sich nicht an.

Warum sagte sie jetzt nichts mehr? Georg blickte hoch in den Schwarm von Möwen, Lachmöwen mit braunen Fliegerkappen.

Rosalie dachte hin und her. Er interessierte sich jetzt mehr für Vögel. Sie wich den Pfützen aus und achtete auf ihre Schritte. Es wurde Zeit, dass sie jetzt wieder realistischer wurde, dass sie nicht weiter fortfuhr, Träume für wahr zu halten, nur weil sie es war, die sie im Augenblick hatte, und weil sie vielleicht schön waren.

Sehr schön.

Er ließ ihre Hand los und deutete tatsächlich auf die Möwen. »Im Winter werden die Köpfe hellgrau, dann sehe ich sie in Berlin, wie sie wieder über mich hinwegkreischen.« Er blickte sie an. Dann legte er den Arm um ihre Schulter. »Hast du Lust, sie zu sehen?«

»In Berlin?« Rosalie lächelte.

Er wünschte sich, dass sie nicht damit aufhörte. Fand es faszinierend, wie sie dastehen und lächeln konnte und dass sie ihn meinte damit.

Der Regen wurde stärker, sie gingen jetzt schneller. An der Bastei stiegen sie die Treppen zur Straße hoch, und wenig später standen sie geschützt in einem Hauseingang. Rosalie fühlte sich mit einem Mal schuldig. Sie hatte einen Freund, an den sie nicht denken durfte, damit es schön blieb.

»Ich glaube, wir sollten jetzt nach Hause gehen.«

»Und wohin?«

Rosalie wusste nicht wohin, sie wollte auch gar nicht weggehen, jedenfalls nicht von Georg. Sie wollte einfach nur gehen, und sie gingen zusammen durch die Straßen, und der Regen lief ihnen übers Gesicht. Sie war glücklich, dass sie hilflos sein konnte, hilflos gegenüber ihren eigenen Gefühlen.

Rosalies Freund war nicht zu Hause, er war für einige Tage mit Rüdiger bei den Eltern auf dem Land; auch ihre Wohnung war Georg somit schutzlos ausgeliefert. Der Regen hatte Rosalie völlig durchnässt, er kräuselte ihre Haare, und sie dachte noch eine kleine Weile hin und her, aber nicht wirklich.

Auch Georg hatte eine Freundin, Isabell, an die er jetzt nicht gern dachte, lieber dachte er an Rosalie, die es gut fand, wenn er den Rest der Nacht mit ihr verbrachte.

Sie klimperte lange mit dem Schlüssel vor dem Haus, sah Georg an, suchte das Schloss und blickte wieder zu Georg. Ich gehe mit einem wildfremden Mann nach Hause, dachte Rosalie, aber Georg war nicht wildfremd, und wenn, dann jedenfalls nur die schöne Seite von wildfremd.

Ein winzige Sekunde zögerte sie. Dann öffnete sie sehr energisch die schwere Haustür. Vom Treppenhaus sah Georg nur ihr bezauberndes wohliges Lächeln, das ihn in irgendeinen Stock zog, in dem sich eine andere Tür hinter ihm schloss. Er war heillos erregt und verzichtete darauf, die Spuren von Rosalies Freund von den ihren zu unterscheiden. Die Wohnung war Neuschnee, jedenfalls für ihn; die silber-schwarzen Stahlrohrmöbel, das dicht gefüllte Ikea-Regal, die Fotos an der Wand, die großen sehr grünen Pflanzen. Sie führte ihn ins Schlafzimmer, orangefarbene Wände, in der Mitte der Futon.

Georg, der auch im Raum stand.

Rosalie wechselte die Bettwäsche und lächelte ihn komplizenhaft an. Sie hockte sich vor die Stereoanlage; aus den Boxen sang Prince *Purple Rain*. Im Kühlschrank fand sich eine angebrochene Flasche Sekt. Sie klirrten mit ihren Gläsern, fanden aber kaum Zeit zu trinken.

»Es ist unglaublich, was uns passiert ist. Einfach unglaublich«, sagte Rosalie und sah Georg lange an.

Kurz bevor sie übereinander herfielen, kam sie noch einmal auf ihren Freund.

»Immerhin, er war zuerst da.«

»Nicht die Reihenfolge entscheidet«, sagte Georg. »Liebe ist kein Zieleinlauf. Was zählt, ist allein das Gefühl.«

»Solange man keine Verpflichtungen hat«, sagte Rosalie.

»Solange man keine Verpflichtungen hat«, sagte Georg.

3

Es war eine große, eine heroische Nacht. Sie verbrachten sie, ohne zu schlafen, jedenfalls nicht ohne miteinander.

In dieser Nacht vereinigte sich zugleich das ganze Land, vereinigte sich im Blitzlichtgewitter und im Leuchten der vielen hundert in ihm aufgestellten Scheinwerfer.

Rosalie sah das erst am nächsten Tag im Fernsehen, ohne Ton, in der Auslage eines Hifi-Ladens; da war es schon eine Wiederholung, aber die helle Aufregung war noch ganz deutlich zu sehen. Es war bestimmt alles anders von nun an, und es fing auch schon gleich anders an. Das Brandenburger Tor war ganz blau, und auf einer Würstchenbude zappelte eine schwarzweißrote Fahne, die sie nicht kannte. Das sah sehr aggressiv aus, aber ein so wichtiges Ende wie das Ende der Geschichte konnte ja auch nicht einfach so vor sich hin plätschern, es gehörten schon Menschen dazu, wahrscheinlich sogar gerade solche, die Fahnen schwenkten und sich trunken in den Armen lagen.

Auf jeden Fall war alles sorgsam gefilmt worden, und Rosalie hatte nichts verpasst. Trotzdem brauchte es schon einige weitere Tage, bis sie begriff, was in dieser Nacht passiert war. Es war etwas Großes geschehen. Die Geschichte war tatsächlich Geschichte geworden. Bis dahin hatte es nur Geschichten gegeben. Nun aber waren sie zu einer einzigen großen Erzählung vereint.

Rosalie ging nicht wieder zurück an ihre Arbeit. Den ganzen Tag über spazierte sie durch die Parks, zählte Fixer und Berber, die herabfallenden Kastanien, die auffliegenden grünen Papageien. Noch am späten Abend schlenderte sie durch die Stadt. Das Verbundpflaster unter ihren Schuhen, die grell erleuchteten Schaufenster: Sie nahm sie nicht wahr. Zum Wasser ging sie zurück. Der Rhein schimmerte im Licht der Straßenlaterne; es war eine lange, eine kalte Nacht.

Sie hatte Georg kennen gelernt, und sie wusste nicht, ob sie jemals einen Mann getroffen hatte, der ihr so gefallen hatte wie er. Er war groß, er hatte schöne Augen, eine sanfte heisere Stimme; aber das war es nicht, nicht allein. Er war zielstrebig gewesen, er hatte sie angesprochen, einfach so in der Straßenbahn. Rosalie konnte sich nicht erinnern, je auf vergleichbare Weise angesprochen worden zu sein, von unscheinbaren, unangenehmen Männern vielleicht, die nichts zu verlieren gehabt hatten, aber sie waren nicht einmal Erinnerungen geblieben. Georg war anders, er war ohnehin anders als die Männer, die sie kannte; anders auch als ihr Freund, der zuverlässig war und auffiel, wenn er im Oberseminar nahezu druckreif formulierte, und der sie studiert hatte und noch immer studierte, mit seinem beharrlichen Blick und Worten voll Klugheit und ohne Überraschungen. Übrig geblieben in ihrer Beziehung war nur seine Sprache, die Fremdwörter und Abstraktionen, die er wie einen Dialekt sprach, den man auch in den zarten Momenten nicht los wird, und der alles färbt, was man gemeinsam erlebt und denkt; er hatte ihre Reisen gefärbt, die Ausflüge ins Gebirge in Korsika und die heißen Stunden am Strand. Sie hatte seine Stimme im Ohr, wenn sie an ihn dachte, seine Redewendungen, aber nicht seinen Geruch in der Nase, nicht einmal sein Gesicht vor Augen. Er hatte sie ausgesucht, das junge Ding, das sie vor drei Jahren noch war, und es hatte ihr geschmeichelt, dass ein viele Jahre älterer Mann, der so klug war, sich für sie interessierte. Sie hatte sich nicht lange gefragt, ob er ihr gefiel; er hatte Rosalie ausgesucht, die nicht einmal eine Stelle an der Uni gehabt hatte. Nun aber wurde ihr flau, wenn sie daran dachte, wie er in ein paar Jahren sein würde, wenn das letzte Jungenhafte aus seinen Gesichtszügen verschwunden war, herausgedacht in langen Abhandlungen und abgeheftet in den Ordnern seines Assistentenzimmers. Vielleicht würde er dann tatsächlich sein wie jene Professoren, die Grabnelken, über die sie sich so oft gemeinsam lustig gemacht hatten. Vielleicht würde es dann gar nicht mehr auffallen, dass er beim Sex erst die Hose und dann das Hemd auszog.

Merkwürdig, dass es darauf ankam.

Es kam darauf an. Georg hatte erst das Hemd ausgezogen, dann die Hose. Er hatte nicht lange gedacht, nicht geredet. Aber Georg würde weggehen, nach Berlin; er würde in jedem Fall gehen, mit ihr oder ohne sie.

Eine Katze huschte vor ihr über die Steine, unter den Bauwagen hindurch ins Gebüsch. Aus den Wagen kam Licht, leises Gekicher, aber keinem fiel die junge Frau auf, die gerade vorbeiging, den Zettel mit der Telefonnummer in der Hand. Die Bauwagen verschwanden.

Georg. Georg.

Sie sagte sich den Namen, murmelte ihn hörbar. Er hatte eine Bedeutung, ein Zeichen, das sie noch nicht enträtselt hatte, das sie vielleicht nie enträtseln würde. Es konnte kein Zufall sein, oder es sollte keiner sein. Man hat mehr vom Leben, wenn man nicht an Zufälle glaubt. Rosalie war zu klug, um an Vorsehung zu glauben, die geheimen Verbindungen der Esoteriker oder Gottesurteile in der Größenordnung von vier Richtigen im Lotto, aber sie erkannte ein Zeichen, wenn sie es sah, und Georg war ein solches Zeichen, ohne Frage.

Georg.

Es war da. Nicht wegzudenken. Entweder sie würde ihre Hoffnungen fahren lassen oder ihren Freund. Und während sie darüber nachdachte und sich die Frage so stellte, wie sie sie stellte, wusste sie bereits, dass sie ihr bisheriges Leben der Illusion einer gemeinsamen Ordnung unterworfen hatte, ermuntert durch das allmähliche Anwachsen des Geldes, der Möbel und der Erinnerungen.

Die leeren Ausflugsschiffe wiegten sich mühevoll, schwanger vom Regen und auch sonst zu schwer. Sie ging gerade daran vorbei; sie hörte das Ächzen nicht, noch sah sie die Möwen. Aber selbst wenn sie sie gesehen hätte, ihre Schnäbel ins Gefieder geschoben wie Joghurtlöffel: Sie wäre nicht stehen geblieben, nicht in dieser Nacht, die die Rheinbrücken leuchten ließ, undeutlich in unbestimmter Ferne.

Sie war viel zu glücklich.

Den Zettel in ihrer Hand hielt sie sehr fest.

4

Die Geschichte war zu Ende gegangen. Mit ihrem Ende aber fing eine andere, eine kleinere Geschichte an: die Geschichte von Georg & Rosalie.

Er war zeitig aufgestanden an diesem Morgen, hatte das Deckbett aufgeschüttelt, war ins Badezimmer getreten und hatte rot-weiß gestreifte Zahnpaste ordentlich auf die Zahnbürste gelegt. Die Bürste im Mund, blickte er auf den Zeitungsausschnitt über dem Spiegel; er brauchte ihn nicht zu lesen, er war immer da, immer derselbe Text, der Nachruf auf seinen Vater. Vier Monate war das her, die Zeitung war gelblich und wellig, kein Foto, nur eine Notiz. Der Krieg hatte dem Vater schon in der Jugend ein Bein genommen, es war besser ohne Foto. Die haltlose Begeisterung für Sport hatte dem Vater den Artikel eingebracht, er war Schiedsrichter gewesen, Vereinsvize und Mitorganisator von Kleinwettkämpfen, aber seine größte Leidenschaft waren die Laufdisziplinen, wo er sich allerorten unentbehrlich gemacht hatte durch ein selbstentwickeltes Windmessgerät. So stand es im Nachruf: Seine besondere Aufgabe war die Betätigung des Windmessgeräts.

Der Satz würde also bleiben.

Der Vater war es gewesen, der ihn nach Mutters Tod allein erzogen hatte. Er hatte wenige Bilder von ihr, eine schöne junge Frau war sie in seiner Erinnerung geblieben, eine schöne junge Frau mit traurigen Augen. Sie war siebenundzwanzig, als sie starb, so alt wie er jetzt, und es war nicht leicht zu sagen, was er in ihr sah, seine Mutter oder eine junge Frau, in die er sich, würde er sie heute treffen, womöglich verliebte. Niemals hatte sie mit ihm über ihre Krankheit gesprochen, sie war eines Morgens nicht in der Küche gewesen, der Vater hatte geweint und getrunken, er war bereits völlig hinüber, als Georg in die Küche kam, um seine Haferflocken zu löffeln. Es gab keine Haferflocken, es gab überhaupt nie mehr Haferflocken.

Von nun an hatte sein Vater jeden Tag getrunken, bis auf die Sonntage, an denen die Turniere waren. An diesen Tagen war er so nüchtern wie ein normaler Mensch; schon in aller Frühe baute er das Windmessgerät auf dem Balkon auf und sah nach, ob es funktionierte. Mit Krücken und im Trainingsanzug war er mit dem Gerät im Gepäck aus dem Haus gegangen, um erst am Abend mit einer Fahne zurückzukommen. Der Vater taugte nicht zum Vater, hin und wieder sah er es selbst so, wenn er mit glasigen Augen am Küchentisch saß und auf seinen Sohn einredete, süßlich und einfältig wie auf ein schläfriges Haustier.

Manchmal hatte Georg sich gewünscht, sein Vater würde sterben oder eines Sonntags einfach nicht mehr wiederkommen, der Vater und das Messgerät; vielleicht fing dann ein neues Leben an, ein ganz anderes Leben. Aber auf eine gewisse Weise hatte er ihn zugleich stark gemacht, der unvollständige Vater, der nur dazu da war, zu trinken und Wind zu messen; er hatte seine Sehnsucht genährt, ein ordentlicher Bestandteil der Gesellschaft zu sein, nicht außen vor, wie ein Kind vor einem Spielzeuggeschäft. Georg hatte beschlossen, sich nicht länger die Nase platt zu drücken, und er war gut gewesen in der Schule und im Studium. Sofort danach hatte er in dem Konzern angefangen und gut gearbeitet, vor allem im Einkauf, Aluminium, aber seine Vorgesetzten hatten ihm misstraut, seine Kollegen mochten ihn kaum, er war ihnen oft fremd vorgekommen, und alle hatten mit ihrer Vorsicht recht gehabt. Georg hatte gefühlt, dass er nicht wirklich in die Firma gehörte, und doch war er geblieben, wo gehörte man schon hin, bis sein Vater gestorben war.

Drei Monate später hatte er seinen Entschluss gefasst.

»Haben Sie sich das wirklich gut überlegt?«, hatte der Geschäftsführer zum Abschied gesagt. »Sie waren ein interessanter Mann für uns. Sehen Sie das nicht auch so?«

Georg hatte das nicht so gesehen. Er wusste überhaupt nicht, ob er in diesem Augenblick etwas anderes gesehen hatte als das abgestorbene Gesicht des Geschäftsführers, und schon gar nicht *so;* jedenfalls nicht dieses *so,* das der Geschäftsführer gemeint hatte.

»Nicht eigentlich interessant, wenn Sie verstehen, was ich meine«, hatte der Geschäftsführer verbessert. »Sie waren ja schon ein wenig anders.«

Georg hatte nicht verstanden, was der Geschäftsführer meinte. Er hatte so abfällig über sein eigenes Bedauern geredet, dass Georg sich freute, auf diese Weise in seiner Ansicht bestärkt zu werden, sich am falschen Ort befunden zu haben, falls Freude hier das richtige Wort war. Auch Georg bedauerte ein wenig, vornehmlich die netteren seiner Kollegen, die vielleicht nie vergleichbar eindrucksvoll erfahren sollten, wie unwichtig sie der Firma waren.

Drei Wochen war das jetzt her; er stellte die Zahnbürste zurück ins Glas. Erst drei Wochen, dass er sich nicht weiterhin damit abgefunden hatte, sein Leben fortzusetzen wie bisher, drei Wochen, dass er Rosalie getroffen hatte.

Rosalie.

Es war undenkbar, dass er sich nicht in sie verliebt hätte, unmöglich, ihr zu widerstehen, ihrem lauten Lachen, der Begeisterung in ihren Augen, unmöglich, nicht glücklich zu sein, so glücklich wie noch nie in seinem Leben.

Er trank Kaffee, frühstückte und lief seine sechs Kilometer, das erste Mal seit zwei Jahren nicht am frühen Abend, sondern morgens. Er duschte kalt und kurz, trank ein großes Glas Vitaminsaft, von dem alle früheren Freundinnen immer gemeint hatten, dass er weniger tauge als frisches Gemüse und Obst; sicher war es nur die Abkürzung zu den Vitaminen, die sie ihm nicht verziehen. Als er die leere Sporttasche zurück in den Schrank gestellt hatte, sah er ein letztes Mal auf seine aufgereihten Anzüge, hübsch nebeneinander, zum Erbrechen ordentlich.

Er legte die Anzüge sorgfältig übereinander in einen Karton.

Es klingelte, lang und bestimmt; so klingelte nur Rosalie.

Sie war sehr lebhaft, sehr beschwingt, und schon beim Hereinkommen fuhr sie sich ständig durchs klatschnasse Haar. Sie hatte nichts davon gesagt, dass sie heute kommen würde; es war ihre Art, einfach so vorbeizukommen. Ab und zu rief sie vorher an, meistens nicht.

»Bin mit dem Fahrrad da.«

Georg wollte ihr einen Kaffee anbieten, fand aber keinen. Sie war schon aus der Küche. Der Regen vor dem Küchenfenster verschwand, ein bisschen Sonne erschien. Georg kam ins Zimmer, die Teedose in der Hand.

Rosalie hatte den Mantel angelassen. Sie ging durch die Wohnung und verweilte vor dem Karton mit den Anzügen.

»Was ist mit denen? Wo kommen die hin?«

»Ich brauche sie nicht mehr«, lächelte Georg.

Rosalie hatte sich hingehockt. »Ziemlich gute Stoffe. Sieht alles aus wie neu.« Sie prüfte die Anzüge mit den Fingern.

»Sie kommen weg.«

»In den Keller?« Rosalie sah ihn an, sein entschlossenes Gesicht, die gekrauste Stirn.

»Ganz weg.«

Rosalie hob die Brauen. Doch schon wenig später auf dem Weg zur Heilsarmee dachte sie, wie schön es war, dass Georg sich so einfach von seinem früheren Leben trennen konnte. Auch sein Auto hatte er verkauft; sie stiegen in die U-Bahn, alles voller Menschen, die Sitze besetzt, die Gänge gefüllt, Verkäuferinnen, Angestellte, den Arm hochgereckt, die Hand in der Deckenschlaufe: Freiheitsstatuen auf dem Weg zur Arbeit. Als sie zehn Minuten darauf in den kleinen dunklen Laden traten, fand Rosalie Georgs Entschluss großartig.

»Die sind wirklich für uns?« Das Fräulein, adrett und gescheitelt, bestaunte den Inhalt des Kartons.

Rosalie lachte, griff die Anzüge vom Tisch und hängte einen nach dem anderen auf schmale Metallbügel.

Georg beobachtete sie in ihrem enggeschnittenen Kleid, wie sie sich geschmeidig streckte und in der langen Reihe aus Altmänneranzügen energisch Platz für seine Klamotten schaffte. Ihr Lachen und ihre Solidarität waren überwältigend.

Kurze Zeit darauf saßen sie in einem Café in der Südstadt. Der Trotz in Georgs Augen war geschmolzen, sie waren jetzt weich und völlig offen. Rosalie erzählte ihren Morgen; mit einem Mal legte sie ihre Kuchengabel aus der Hand und schwieg. Sie hatte nicht nach Isabell gefragt, und Georg nicht nach Rosalies Freund.

Sie waren trotzdem da. Irgendwo. Freund und Freundin saßen im Büro, in der Mensa oder der Kantine, gingen gedankenverloren durch Straßen, spielten abends mit der Fernbedienung, tranken Bier oder Wein, riefen an und lagen nachts schlaflos in Betten; sie dachten nach, sicher rätselten sie und sorgten sich.

Georg & Rosalie sahen sich fast jeden Abend, täglich fieberten sie den Momenten ihres Wiedersehens entgegen. Sie spazierten durch Parks und raschelten mit dem Laub, saßen auf Brückengeländern, auf den Schottersteinen am Rhein und in den langen lauten Nächten der Kneipen. Manchmal warf Rosalie das Deckbett zur Seite und ging spät in der Nacht nach Hause; manchmal auch nicht.

»Du musst dich entscheiden«, sagte Rosalie, die Kuchengabel wieder in der Hand.

»Ich habe mich entschieden«, sagte Georg. »Längst und sofort. Du bist es, die sich entscheiden muss.«

»Ich habe mich entschieden. Wie war das, das da gerade?«

»Was?«

»Was du gesagt hast. Längst…«

»Längst und sofort.«

»Längst und sofort«, sagte Rosalie.

Zwei Tage später verließ Rosalie ihren Freund, ohne daran zu denken, dass sie ihn nicht wiedersehen würde. Er würde nicht fehlen. Sie hatte jetzt verstanden, woraus ihr Leben bestand. Ihr Leben war das, was ihr passiert war, während sie darüber nachdachte, ihre Zukunftspläne zu verwirklichen.

Rosalie wusste, dass ihr Freund wusste, dass sie ihn betrogen hatte, und Rosalies Freund wusste, dass sie wusste, dass er es wusste. Man brauchte das nicht zu vertiefen; sie überließ ihn dem Hund.

»Es ist sicher besser, wenn wir uns eine lange Zeit nicht sehen.«

Diese lange Zeit, sie wusste es zu gut, würde wie im Flug vergehen.

Mit Georg.

Rosalie lachte, weinte ein wenig und dachte nach. In dieser Reihenfolge. Am Ende lachte sie wieder. Es war das erste Mal, dass sie einen Traum hatte, in dem sie selber vorkam.

Georg hatte in derselben Firma gearbeitet wie Isabell. Er hatte ihre ruhige unaufdringliche Art gemocht, bis er Rosalie getroffen hatte. Bis dahin hatte Georg geglaubt, dass es nicht wirklich schadete, dass sie auf ihren Spaziergängen in der Heide am Stadtrand wenig miteinander sprachen, dass sie schwiegen, wenn sie gemeinsam im Café saßen, dass Isabell keine Fragen nach der Zukunft stellte und dass sie sich vielleicht tatsächlich keine Gedanken darüber machte. Sie hatten sich im Büro gesehen, in der Kantine, und nur an den Wochenenden verabredet; er hatte sie trotz allem geschätzt.

Die Trennung von Isabell war beschlossen, gleichwohl fiel sie ihm schwer. Sie durfte nicht zu beiläufig geschehen und nicht unvollständig.

Er hatte Rosalie nie genau erzählt, wie es gewesen war. Es musste reichen, dass er sich trennte.

Vielleicht verschiebt er das Erzählen auf einen richtigen Zeitpunkt, dachte Rosalie. Aber es gab keinen richtigen Zeitpunkt, und sie fragte nicht nach. Sie dachte daran, dass Menschen sich nur deswegen ihre Vergangenheit erzählen, weil ihnen zu ihrer Gegenwart nichts einfällt. Liebesgeschichten sind oft voll von unerledigten Angelegenheiten.

5

In der Ecke des alten Schlafzimmers standen die Umzugskartons. Ein paar Kinderbücher waren darin gestapelt, unendlich weit entfernt: *Das Rätsel der Sternenfahrer* und *Peterchens Mondfahrt*. Dann die Bücher aus dem Studium, eines davon lag obenauf: *Die postmoderne Konstellation*. Rosalie nahm es heraus; auf die erste Seite hatte sie mit weicher runder Schrift einen Satz aus dem Inhalt geschrieben: »Wir müssen nicht entdecken, wer wir sind, sondern die uns zugeschriebene Identität verweigern.«

Das war erst drei Jahre her, sie erinnerte sich daran; sie

hatte gerade ihre erste Hauptseminararbeit geschrieben. Nun aber kam es ihr vor, als legte ihr das Leben ganz unvermittelt eine Hand aufs Knie. Sie wusste nicht, ob sie sich dagegen wehren oder stillhalten sollte, im nachtweichen Unterhemd, das Buch der Erinnerungen in der Hand. Sie mochte im fünften oder sechsten Semester gewesen sein, und ein Gespenst war umgegangen, das sich das neue französische Denken nannte. Es war gar nicht mehr leicht zu sagen, was das gewesen war. Zu Anfang ihres Studiums hatte sie geglaubt, dass Bilder und Bücher einen Sinn hatten, und wer malte oder schrieb, tat das mit einer Absicht; doch sie lernte schnell, dass es auf diese Absicht gar nicht ankam, sondern auf etwas Unbestimmtes und Vieldeutiges, das sehr kompliziert beschrieben werden musste. Sinn und Wahrheit waren dadurch viel schwieriger geworden, aber immerhin gab es sie noch.

Dann jedoch kamen auf einmal die ganz neuen französischen Theorien, eine ungewöhnliche und faszinierende Erotik. Nicht auf den Sinn kam es an, sondern auf die Sprache selbst. Die starre Abfolge der Geschehnisse schien aufgebrochen, das Lebendige freigesetzt. Wenn es keine Wahrheit mehr gab und keinen Sinn, nur noch gleitende Bedeutungen, so war alles Denken unbeschwert und aufregend. Selbst die Träume wurden wach; gespiegelt im Labyrinth schillernder Bedeutungen taumelten sie als neue Zauberzeichen hervor. Besonders schön daran war, dass, wer auf diese Weise zeitgemäß dachte, allen anderen Menschen immer einen Schritt voraus war. »Ich träume von dem Intellektuellen als dem Zerstörer, der in den Trägheitsmomenten und Zwängen der Gegenwart die Schwachstellen, Öffnungen und Kraftlinien kenntlich macht, der fortwährend seinen Ort wechselt, nicht sicher weiß, wo er morgen sein noch was er denken wird, weil seine Aufmerksamkeit allein der Gegenwart gilt.« Dieses Bekenntnis hatte ein großer französischer Denker abgelegt, und Rosalie folgte ihm wie alle anderen Studenten im Seminar, die begriffen hatten. Und obwohl sie nicht wussten, wo sie am nächsten Tag sein würden, geschweige denn, was sie dort denken würden, trafen sie sich schon am Tag darauf, wie an allen nächsten Tagen, auf dem Campus wieder und dachten nicht selten das Immergleiche. Es waren auch wirklich sehr schöne Gedanken. Der Frühling ergoss sich über die Landschaft, die Schlagschatten des großen Universitätsbaus spendeten schwarze Wiesen. Als es wärmer wurde, zogen sie sich dorthin zurück, dachten freizügig im Dunklen, verloren sich ein bisschen in einem unsichtbaren Paris. Der Hauch eines tatenlosen Mai lag in der Luft, eines gedachten schwebenden Mai, eines Tumultes innerer Freiheit: Man verliebte sich beim Fahrradschieben, traf sich im Biergarten am See und schaute dem stillen Wachsen und Vergehen des Sinns zu, wie dem leise knackenden Atem der Schilfrohre.

Am nächsten Morgen wanderten sie wieder in die fensterlosen Seminarräume, die Trägheit der frühen Katerstunden verflüchtigte sich. Rosalie erinnerte sich kaum, jemals so lebhaft gedacht und geredet zu haben. Sie diskutierten die Gleitmittel der Sprache mit Professoren in blauen Busfahreranzügen, die sich erstaunlich dankbar am zweiten Frühling der Gedanken beteiligten. Und sie diskutierten über Revolutionen, ob sie der Mühe wert waren und vor allem – welche?

Das Eigentümliche daran war nur: Irgendwann hatte dann tatsächlich eine Revolution stattgefunden, jedenfalls eine Mühe, die man für eine solche halten sollte. Während Rosalie in der Bibliothek saß, ihr Examen vorbereitete und dabei sehr geschmeidig nachdachte, für welche Revolution sich das Leben aufs Spiel setzen ließe, waren in Berlin die

Grenzübergänge geöffnet und bald darauf die Mauer erklettert worden. Und die Revolution wurde bereits von Leuten beurteilt und gewonnen, die nichts aufs Spiel gesetzt hatten.

Für Rosalie war das sehr unbefriedigend; es war kaum eine echte Revolution gewesen, sie hatte nicht einmal eine eigene Mode hervorgebracht, nichts als Jeansjacken und Schnäuzer, besonders verführerisch war das nicht. Hatte man einen äußeren Zusammenhang gewonnen, so hatte man den inneren verloren. Was sollte man nun denken und tun?

Sie war hilflos. Nicht nur das Dafür war ihr verloren gegangen, das hatte sie klug und biegsam gemacht, sondern auch das Dagegen. Noch in den ersten beiden Semestern hatte sie ihr verhasstes Jurastudium in löchrigen Jeans abgesessen, den trotzigen schwarzen Rollkragenpullover darüber. Und dann, nach dem Wechsel, hatte sie nicht wenig Gefallen daran gefunden, im Kostüm vor Philosophen und hinter kunsthistorischen Holzbänken zu sitzen, die Haare hochgesteckt. Erst das neue französische Denken hatte sie gelehrt, dass die wahre Rebellion in Verschiebungen bestand, dem Blick hinter die Kulissen der Sprache, und das hatte sie befreit von allem vordergründigen Protest. Nicht einmal für den Erhalt der Professorenstellen hatte sie sich noch stark gemacht, die sich, einem Ministerbeschluss folgend, langsam ausdünnten.

Bedauerlicherweise gab es nun auch im Alltag kein Argument mehr für oder gegen etwas, und das verunsicherte Rosalie nach ihrem Studium, als sie ein paar sehr wichtige Entscheidungen treffen musste. Sie fühlte sich ein wenig betrogen, wie früher vom Buddhismus, bei dem auch nicht das herausgekommen war, was sie gesucht hatte. Zu ihrer großen Überraschung freilich schien niemand außer ihr sich daran zu stören. Ihre Professoren machten jetzt Kulturwissenschaft, die neuen Theorien verschwanden aus den Lehrveranstaltungen. Wohin hatte sich der Morgentau verflüchtigt, zu was war er kondensiert: sich bereit zu halten, ohne etwas zu wollen, auf alles vorbereitet zu sein, ohne einzugreifen, alles zu können, um dann gelassen darauf zu verzichten, es zu tun?

Für viele ihrer begeisterten Mitstreiter hingegen schien das Ende geradezu eine Erlösung zu sein, von der sie bei der ersten Berührung mit der Wirklichkeit Gebrauch gemacht hatten. Das neue Denken ging fast über Nacht an Selbstermüdung zugrunde. Die Nomaden des Geistes rasteten jetzt in den Karawansereien, arbeiteten in Werbefirmen und PR-Agenturen. Auf diese Weise versorgt und genährt, bedachten sie nun ausgerechnet das neue Denken mit jenem wissenden Lächeln, zu dem es ihnen einst verholfen hatte.

Rosalie hätte sich über diesen Verrat empören können. Empören darüber, wie alles Gleiten zu längst bekannter fertiger Grammatik geworden war. Jeder unstete Geist war verflogen, Moral und Analyse wieder für Sonntagsfragen reserviert, nicht anders als schon in der Generation ihrer Eltern.

Sie stand vor ihren Büchern, betrachtete nachdenklich die beriebenen Einbände, die vielen Zettel in den Seiten und dachte, dass sie eigentlich überhaupt nichts mehr verstand. Die französischen Theorien waren untergegangen, und Rosalie war noch übrig. Und so hatte sie nach ihrem Studium etwas ideenlos in der Galerie gejobbt, und nach einer Weile war sie schon fast selbst auf dem Weg in die Allgemeinheit gewesen, bis Georg sich in der Straßenbahn neben sie setzte.

Georg.

Sie stand da, noch immer in ihrem Unterhemd, rieb sich in den erwachenden Morgenstrahlen die Füße und kehrte zurück in die Welt, wo sie sechsundzwanzig Jahre alt war und sehen musste, wie es weiterging.

Während sie den Kaffee aufsetzte, wusste sie, wie viel

Kraft es ihr gab, in ihrem Gefühl zu Georg zu ankern. Ein einziger Haltepunkt im Meeresgrund würde ihr genügen, den Wellen zu trotzen.

Piratin des Augenblicks – das gefiel ihr.

6

Wenige Tage später kamen Georg & Rosalie in Berlin an. Man hatte aufgegeben, die Welt an die Wirklichkeit anzupassen. Die Zeitungen schrieben von einer Aufbruchstimmung. Es war schon viel passiert mit der Stadt, was man ihr ansah, und es würde nun wieder viel Neues geschehen.

Für zwei Nächte bot ihnen Georgs Großtante in Wilmersdorf Quartier. Sie verließen die Wohnung nach dem Frühstück und nahmen die S-Bahn zum Marx-Engels-Platz. Die Straßen in Mitte lagen wie ausgestorben da, es fehlten die Autos. Das Leben zeigte seine Licht- und Schattenseiten, besonders jetzt im Winter. Es roch nach Dorf. Die Häuser waren nicht sehr hoch, das Kopfsteinpflaster abgetreten wie die Bürgersteige; aus einer Wohnung ragten Äste.

»Weißt du, ich glaube wirklich, es ist der richtige Ort zur richtigen Zeit«, sagte Rosalie, als sie zwischen dem Graupputz und den Glasbausteinen des Bezirksamtes hindurch ins Freie traten. Sie hatte dem Sachbearbeiter getrotzt, der lange die Achseln gezuckt hatte, sie hatte die Wohnberechtigungsscheine unübersehbar auf dem Tisch ausgelegt, sie hatte auf der Wohnung bestanden mit klarer und fester Stimme. Unbeirrbar.

Der Sachbearbeiter hatte zwei Tassen Kaffee getrunken und mit seinem Kugelschreiber gespielt.

Georg war nach Aufstehen gewesen, vielleicht nach Gehen. Rosalie war sitzen geblieben.

Der Sachbearbeiter war in den Nebenraum verschwunden, gedämpfte Töne durch die geschlossene Tür, kaum zu verorten, wie aus einer anderen Welt.

Stille.

Rosalie hatte Georg angelächelt; Georg die Brauen gehoben.

Der Sachbearbeiter war zurückgekommen in den Raum, Minuten später, ohne sie eines Blickes zu würdigen. Er hatte sich gestreckt und einen Mietvertrag ausgefüllt: Krausnickstraße, Hausnummer, Stockwerk. Rosalie hatte Georg angestoßen, sie hatte gestrahlt und den Vertrag in die Handtasche gesteckt.

Georg hatte sie im Flur umarmt. Durch die großen Fenster hinter hellbraunen Gardinen hatte man die Zukunft sehen können, Wintersonne auf verschneiten Dächern, der Fernsehturm. Der Paternoster hatte sie nach unten gebracht.

Der Himmel vor dem Bezirksamt weitete sich grenzenlos. Rosalie strahlte. Sie trug Pumps zum Schnee, was sehr hübsch aussah. Natürlich sah es auch so aus, als ob sie hier fremd oder neu war, das war sie ja auch, aber das würde sich ändern. Sie hatten ihr erstes Rendezvous mit der Stadt, und es war sehr vielversprechend. Reif auf den Straßen, die Spree vereist, auf schmiedeeisernem Geländer lagen dünne Decken; verschneite Helden hockten auf eisigen Brücken, eingehüllt in weiße Mäntel. Tauben wateten durch die Winterkälte, schichtweise deckten die dicken Flocken die dunklen Dächer; darüber schwammen die Wolken, manche wie mit dem Pastellstift gemacht, andere, die aquarelliert waren; es gab eine ganze Ausstellung verschiedener Stile zu sehen: die Wolken der venezianischen Maler, barocke Wolken, vermischt mit expressionistischen Wolken, mit Tintenflecken gekleckst, dann Wolkenplastik, die Wolken von Brancusi, vollkommene, fromme Wolken, schlecht gezeichnete, von der Natur schlecht gemachte.

Das Schönste an allem war, dass Georg dabei war. Georg, der seinen warmen Mantel um ihre Schultern legte, Georg, der neben ihr Nebelwölkchen durch die Straßen blies, Georg, der mit leiser und rauer Stimme sprach und schwärmte, vom Fernsehturm natürlich, der hoch über ihnen blinkte, und von den leeren Hinterhöfen rechts und links, in die sich gut blicken ließ.

»Man könnte im Sommer Fußball darin spielen, zwei Parteien auf ein Tor.«

Sie spazierten die Oranienburger Straße entlang, die Friedrichstraße und die Linden zum Reichstag. Der Reichstag war wichtig, man würde sich das Gebäude merken müssen; es scharte viele Telefonzellen um sich, die einzigen weit und breit. Die Telefonhäuschen, mit Graffiti beschmiert, schimmerten in der Wintersonne wie Postkarten; der Reichstag kondolierte dem deutschen Volke in Großbuchstaben. Ein Betrunkener lehnte in einer Nische und pinkelte dampfende Anagramme in den Schnee.

»Wohin gehen wir?«

Sie entschieden sich für einen weiten Bogen, die schnörkellosen Trümmerfelder der Luisenstraße türmten sich zwischen leergeschossenen Ruinen, gleich mussten die letzten Überlebenden den Häuserkampf einstellen, sich selbst und ihre Waffen den Russen ausliefern.

In der Friedrichstraße herrschte schon Weltfrieden in Tränen- und Tanzpalästen, und Rosalie erzählte Georg von ihren Ballettstunden.

»Und so hat es angefangen?«

»Was angefangen?«

»Dein Leben mit Kunst und Bildern.«

»So und so ähnlich«, sagte Rosalie und redete über ihren ehrgeizigen Vater, vom Klavierunterricht und ihrer Mutter, die die Achtziger auf dem Sofa verbracht hatte, in stilvollem

Jogginganzug unterm Pagenkopf, die Fernbedienung in der Hand. »Und du?«

»Keine Kunst, kein Klavier.« Georg erzählte vom Judo, bei dem er sich sehr verausgabt hatte, weniger um zu gewinnen, als vielmehr um des schönen Gefühls willen, wenn er am späten Abend abgekämpft nach Hause gekommen war, den schweißnassen Judoanzug in der Kunstledertasche, den unbändigen Bratkartoffelhunger des Kriegers im Bauch. Rosalie stellte fest, dass sie ebenso gerne Bratkartoffeln aß wie Georg, sie hatte ohnehin manchmal einen geradezu unbeschreiblichen Heißhunger auf Fettiges und Salziges. Und dann redete Rosalie so lange von Bratfischbrötchen, die sie als Kind auf der Kirmes gegessen hatte, bis ihr zuerst vor Hunger ganz schwindelig wurde und ihr als Zweites auffiel, wie kalt ihre Füße in den eisigen Pumps geworden waren, so kalt, es war kaum noch auszuhalten. Georg schlug vor, dass sie es vielleicht in der besetzten Kaufhausruine probieren sollten.

Es waren bestimmt zwanzig Leute, die hier wohnten, aber es war unmöglich zu sagen wo. Dieses Kaufhaus schien nur Fassade zu sein, ärgerte sich Georg, der weder Glühwein oder Tee fand noch einen Menschen, der sich danach fragen ließ. Das Fragen würde sich ohnehin als schwierig erweisen, dachte Rosalie. Es würde die Autonomie stören, die zu diesem Bau gehörte, der sichtbar von Eingeweihten betrieben wurde. Wer unkundig fragte, musste sich als nicht dazugehörig enttarnen.

Sie drängte auf einen schnellen Rückzug, ihre Füße, Georg musste verstehen, aber Georg blieb hartnäckig, irgendwo mussten geschlossene Räume sein und Bewohner. Im ersten Stock wurde er fündig. Ein Künstler, kahl geschoren wie ein Sträfling, bastelte teilnahmslos an einer Pappskulptur. Er grüßte nicht, sah nicht einmal auf.

»Hallo«, sagte Georg.

Der Gruß verwehte, kaum ausgestoßen, in der Halle. Der Künstler drehte sich nicht einmal um.

Georg überlegte, ob er dem teilnahmslosen Arsch eins in die Fresse semmeln sollte. Er wiederholte sein Hallo, es klang drohend. Ergebnislos. Rosalie ergriff die Initiative; sie bestand weiterhin auf Rückzug und schob Georg aus dem Raum.

»Faschist«, sagte der Künstler. Rosalie drängte Georg nach unten.

Erst hinter der nächsten Straßenecke sahen sie sich an. Georg war noch immer wütend.

»Der Arsch.«

Es war mehr als nur Hass auf den Typen, eine bittere Enttäuschung. Enttäuschung über die unfaire Spielweise einer völlig unverständlichen Sorte von Gleichaltrigen.

Ein oberirdisch verlegtes Heizungsrohr neben dem Kaufhaus atmete heiße Schlieren aus und bot kurzfristigen Schutz vor der Kälte. Georg entdeckte den kleinen Laden schräg gegenüber, den einzigen Laden auf der langen Oranienburger Straße.

Minuten später saßen sie im Obst & Gemüse. Georg redete noch immer über den Idioten vom ersten Stock. Rosalie sah auf die Straße, die Tür stand sperrangelweit offen trotz der Kälte, man konnte die blöde Kaufhausruine gut sehen, sie war voller Schnee wie ein Lebkuchenhaus. Rosalie lächelte auf die Straße, drehte den Kopf und strahlte zu Georg hinüber, aus großen grünen Augen, nur die Pupillen darin, die waren ganz klein.

»Geht es uns gut?«, fragte Rosalie.

»Sehr gut«, sagte Georg und zog den Pullover aus. Er lächelte zurück und drückte sie sehr fest. Rosalie zündete sich eine Zigarette an. Die Kellnerin brachte Croissants und Glühwein.

Die Stadt wurde schnell dunkel. Eis, Schnee und Glühwein ließen Georgs und Rosalies Schritte schlingern, als der Abendwind sie wieder über die Straßen trieb. Sie schlingerten gerne und fühlten sich schon sehr heimisch. Man konnte den Abend riechen, die Kohleöfen feuerten jetzt; die ausgestorbenen Häuser dazu mit ihren alten Schriftzeichen an den Souterraintüren, Namen von Handwerkern, Juden, Tätern, Mittätern und Opfern – wer konnte das wissen? Ein paarmal drückten sie gegen schwere Haustore und freuten sich, wenn sie unverschlossen waren, die abgeblätterten Altanstriche der Treppenhäuser im Halbdunkel schimmerten und der Schnee vom Innenhof durch die offene Hoftür schien.

»Wie schön!«, sagte Georg.

»Wie schön!«, sagte Rosalie.

In der Sophienkirche brannte Licht, und sie gingen hinein; ein bisschen armselig sah es hier aus, eine schlecht gestrichene Kirche hat keinen Charme, und der zweitklassige Altar verführte nicht gerade zur Andacht.

Rosalie war Atheistin, hätte sich aber trotzdem eine schönere Kirche gewünscht.

Georg war Katholik, obwohl nicht getauft. Er bedauerte, dass die Gebete und Litaneien in den Kirchen nicht mehr auf Latein gehalten wurden. Eigentlich hatte er viel Bereitschaft zu glauben; das kleinste Indiz, und er wäre ein Eiferer geworden.

Rosalie lächelte.

Sie gingen zurück auf die Straße; es hatte angefangen zu schneien, sie spazierten durch die Gipsstraße. Die erdfarbenen Häuser rechts und links von verschneiten Gerüsten gestützt: Greisenhäuser, innen wie außen. Ein alter Mann krabbelte mühsam aus seinem polarweißen Trabi. Sie sahen ihm lange nach, weil er so alt war. Und der einzige Mensch unter diesem so grünen Himmel.

An der Ecke Rosenthaler zur Oranienburger machten sie eine letzte Entdeckung; hinter dem schwarzen Torbogen weitete sich ein hoher Innenhof. Überall auf dem Boden lagen kaputte Fliesen herum, kalter Staub hing in der Luft. Rosalie war stolz, dass sie diesen Hof entdeckt hatte. Aus dem zweiten Stockwerk kam Licht; eine Gruppe Balletttänzerinnen, Scherenschnitte hinter den Scheiben, huschte hin und her, die halbgeöffneten Fenster fluteten schwere Melodien. Kein Mensch zu sehen außer den Schemen: nur Georg & Rosalie, umwirbelt vom Schnee.

7

Das Haus in der Krausnickstraße sah sehr krank aus, wie alle anderen, war aber noch nicht ganz tot. Der Hausmeister bewegte sich in seinem Innern mit erstaunlicher Lebendigkeit und einer braunen Kunstlederjacke, die einmal Kult werden würde, falls sie bis dahin durchhielt.

»Sie werden in dieses Haus passen«, sagte er und schielte auf Georgs Mantel und Rosalies kaltgefrorene Pumps.

Später, beim Einzug, erzählte der Hausmeister, dass in dem Haus einst ein berühmter Physiker gewohnt hatte, der später mitgeholfen hatte, die Wasserstoffbombe zu bauen.

Die Vorstellung gefiel Georg sehr. Heroisch, dachte er.

Der Hausmeister irrte sich.

Das mit dem Physiker war zu einer anderen Zeit gewesen. Und in einer anderen Straße.

Der Hausmeister hieß Korkow. Georg hielt ihn für einen

Optimisten, einen ziemlich heruntergekommenen Optimisten; aber das war falsch. Korkow war kein Optimist, nicht einmal freundlich, eher grobschlächtig, und er hatte noch ein paar andere Sorgen.

»Wo kämen wir hin...?«, sagte er, als Georg das große alte Eisenbett hochkant im Flur übernachten ließ.

»Das Ding muss weg.«

Georg stand auf dem Treppenabsatz und wunderte sich. Das Bett brauchte mehr als nur Georgs und Rosalies Hände, um durch den Hausflur in den dritten Stock zu kommen. Die Hände des Hausmeisters würden offensichtlich nicht dazugehören. Sie ruhten gut verschränkt. Sie ruhten auch weiterhin tatenlos, als Georg ihm die Lage erklärte.

»Das ist Ihre Sache«, sagte Korkow und verschwand hinter der Tür im Souterrain. Das Bett war mit Georg allein. Es war wirklich ein schönes Bett; Rosalie hatte es entdeckt, gestern auf dem Flohmarkt in Treptow.

»Ein richtiges Großmutterbett«, sagte Rosalie. An den Großvater dachte sie nicht. Sie dachte daran, dass Georg neben ihr liegen würde, wenn sie zwischen den etwas angefressenen Schnörkelgittern einschlief.

Georg sah ihre glücklichen Augen und bezahlte das Bett. Er dachte daran, wer alles in diesem Bett gestorben sein mochte: Droschkenkutscher, Sattlermeister, Lokomotivführer. Die Frau des Lokomotivführers, eisgrau; die stumme schöne Geliebte des Lokomotivführers; das Dienstmädchen des Lokomotivführers auf dem Wäschespeicher im Kindbettfieber.

Sie hatten keine Möbel mitgebracht; Rosalie hatte alles ihrem Freund dagelassen, nun umstellten die Möbel ihn ganz allein. Nur ein paar Kleinigkeiten hatte sie in Kisten gepackt: ihre Lieblingstassen und Bücher, ein Schuhkarton mit Reitschleifen und Briefen, vier Kartons Klamotten.

Georg hatte nicht einmal das, er hatte möbliert gelebt. Erinnerungsstücke mochte er nicht, er fürchtete die mit ihnen verbundenen Erinnerungen.

Die Wohnung war ein Palast, aber der Kaiser dazu war schon lange nicht mehr hier gewesen, bloß der Hausmeister – der hatte kaum glauben können, dass das Wohnungsbauamt gerade ihnen die Wohnung gegeben hatte, einem unverheirateten Paar ohne Kinder; einem immerhin anständigen Paar, wie er meinte. Georg war etwas merkwürdig zumute gewesen. Anständig hatte er sich noch nie gefühlt, ihm war, als diagnostizierte der Hausmeister eine Krankheit. Die Wohnung war verkommen, ein Wort, das zu anständig passte. Ein Künstler hatte sich im letzten Jahr gelegentlich darin aufgehalten; in der Badewanne stapelte sich stinkende Wäsche, der fleckige Kühlschrank mit einem bewohnten Marmeladenglas komplettierte den Nachlass. Korkow nannte ihnen den Namen des Malers mit einer Handbewegung, als wenn er Dreck schaufeln wollte. Eine Zeit lang hatte Georg geglaubt, der Künstler sei Artist gewesen. Auf dem gewaltigen gelben Kachelofen war eine große Hundekiste samt Deckbett aufgesetzt; der Maler hatte darin geschlafen.

Die Spuren des Künstlers waren übersichtlich, verglichen mit den Werken früherer Meister: die Decken abgehängt, die Flügeltür mit Folie beklebt, der breite Dielenboden ausgestaltet mit Kunststoff; Fliesen und Tapeten im ortsüblichen Stil. Die Renovierung würde Wochen dauern, wahrscheinlich sogar Monate. Sie fragten nicht, was sie daraus machen wollten, sie fragten sich, an welchen Stellen sie damit anfangen sollten, sie zu entübeln. Georg kaufte einen fast vollständigen Werkzeugkasten und bearbeitete die mit künstlicher Maserung braunverklebten Türrahmen mit der Heißluftpistole. Der Gestank der Farbe unter dem heißen Hauch war mindestens giftig. Rosalie trotzte dem Haus-

meister eine Leiter ab und machte sich an der Deckenver-
kleidung zu schaffen, waffelfarbene Holzvertäfelung, fast
echt, nur aus Schaumstoff. Die Platten zersplitterten mühelos und gaben ein verblüffendes Kabelgewirr frei. Rosalie
wunderte sich darüber, dass die Kabel wussten, wo sie hin-
gehörten, es kam Strom aus allen Steckdosen, und die Tür-
klingel funktionierte zuverlässig. Wenn sie jetzt auf der Leiter stand, die Arme über dem Kopf, verschwand ihr oberer
Teil in Georgs viel zu großem Hemd, es machte sie zerbrechlich und selbstsicher zugleich. Rosalie lachte, weil Georg ihr
unters Hemd schielte, gleich würde er sich die Finger an der
Heißluft verbrennen. Sie stand auf Zehenspitzen, kämpfte
mit den Kabeln und dem Schaumstoff und hörte nicht auf
zu kichern.

»Liebst du deine Freundin?«

»Ja.«

»Solltest du auch, wenn du ihr unters Hemd schielst.«

»Ich habe nicht geschielt.«

»Natürlich hast du geschielt. Gib's zu und bereue.«

»Alles und nichts.«

»Alles und nichts?«

Er griff ihr um die Hüften und zog sie vom Stuhl. »Alles
zugegeben und nichts bereut.«

Die Fenster zum Hof standen offen, schon wegen des Ge-
stanks. Vier Radiatoren kämpften gegen die Kälte, und die
Sicherungen kämpften gegen die Radiatoren. Wenn Heißluftpistole und Bandschleifer ruhten, wurde es still; fast gespenstisch. Dann aber, nicht weniger gespenstisch, hörten sie
kurz darauf ferne Schleifgeräusche von weit draußen. In den
kalten und klaren Winterhöfen hing der Geruch von Sägemehl, etwas verbrannt. Der Rauch der Kohleöfen mischte
sich dazu. Und durch alles duftete unerbittlich der Frost.

Rosalie blickte aus dem Fenster und fuhr sich durchs

Haar. Sägemehlfinger, die Sägemehlhaare machten. Die Stadt, die kein Ende fand.

Sie dachte: Es passiert etwas mit dieser Stadt. Es passiert etwas mit uns.

Ein paar Stunden später hockten sie auf dem Fußboden und aßen Schrippen mit Wurst. Die Haustür klingelte. Ein roter Morgenmantel stand im Türrahmen und darin ein Mädchen, zierlich, ein rundes Gesicht mit langem dunklem nachtweichem Haar. Sie war vielleicht zwei, drei Jahre jünger als Rosalie, und ihre Stimme klang überraschend rau, als sie sagte:

»Hey, ich bin Franziska. Ich wohne oben.«

Sie umarmte Rosalie und lächelte übers ganze Gesicht, wie eine alte Freundin. Die Umarmung war warm, sehr angenehm, aber die direkte Geste war Rosalie fremd. Franziska ging zielstrebig durch die Tür und blickte sich neugierig um. »Ich kenne die Wohnung.« Sie nickte. »Edgars Wohnung.«

Georg ging ihr ein wenig unsicher entgegen. Franziska umarmte auch ihn sofort. Georg im Arm einer fremden Frau, einer Frau im Morgenmantel, Rosalie suchte nach ihrem zuletzt abgelegten Werkzeug.

Franziska, barfuß, durchquerte die Wohnung wie ein Feldherr. Sie inspizierte die Türrahmen und kniff ein Auge zusammen, begutachtete die probeweise angeschliffenen Dielen und die Kabel im Flur mit Kennermiene, musterte anschließend Georgs neuen Werkzeugkasten und lachte an den richtigen Stellen.

»Die haben dich beschissen, junger Freund«, sagte sie. »Die Säcke. Der Hammer ist Spielzeug, und mit der Säge kannst du Laubsägearbeiten machen, die geht bei der ersten Feindberührung kaputt.« Sie sah Georg über die Schulter weg an, ihre dunklen Augen waren kreisrund. Georg kratzte sich unschlüssig am Kopf. Franziska wanderte weiter und widmete sich den Dielen. Ihre kleinen weißen Hände strichen ein paarmal über eine frisch geschliffene Probestelle. »Aber der Bandschleifer ist klasse«, sagte sie versöhnlich. Ihre Stimme enthielt eine Menge Sex, einen sehr schläfrigen Sex.

Georg wusste nicht, was er von ihr halten sollte. Der rote Morgenmantel leuchtete wie eine Marienerscheinung in der zerschlissenen, von Sägemehl eingestaubten Herberge. Dazu hatte sie rote Flecken am Hals und auf den Schlüsselbeinen, der Morgenmantel gewährte einen guten Einblick.

»Edgars Wohnung?«, fragte er.

»Ja, Edgars Wohnung«, sagte sie. »Er hat hier gewohnt bis letzten Monat.«

Dieser Künstler war also Edgar, beziehungsweise Edgar war dieser Künstler: stinkende Wäsche, Marmeladenglas, Hundekiste. Sie redete von ihm, als wenn sie ihn mochte.

»Und wo ist er jetzt?«

»Edgar hat viele Wohnungen.«

»Viele Wohnungen?«

»Ja, viele. Die meisten sind vom Senat, glaube ich.«

Edgar hatte Wohnungen. Viele. Vom Senat. Es dauerte eine Weile, bis Georg und Rosalie die Zusammenhänge verstanden. Edgar war kein gewöhnlicher Maler; genau genommen malte er überhaupt nicht, er war irgend so eine Art Impresario, und Franziska arbeitete mit ihm zusammen in der Linienstraße. Sie war schon seit Sommer in der Stadt, hatte zuerst eine andere Wohnung bewohnt, eine Sommerwohnung ohne Ofen; sie hatte sie sich einfach so genommen, weil sie leer stand und niemand die Wohnung haben wollte. Nicht wenige hatten es so gemacht. Der förmliche Weg über das Wohnungsbauamt war ihr neu.

Rosalie fühlte sich sofort superspießig. Franziska hatte keine Wohnungsbehörde gebraucht, sie war einfach so gekommen, hatte ein fremdes Haus betreten, eine schlecht verschlossene Tür geöffnet, ein Klingelschild geschrieben und ihre Matratze in eine fremde Wohnung eingepflanzt. Mit der gleichen Selbstverständlichkeit, mit der sie Rosalie umarmt hatte und jetzt Fragen stellte, was sie mit den Türrahmen vorhatten und ob sie tatsächlich alle Dielen abschleifen wollten, das konnte Wochen dauern.

Georg und Rosalie kauten auf ihren Schrippen, der Radiator gab alles. Sie erzählten und schauten sich fragend an. So richtige Pläne für die Wohnung hatten sie nicht. Franziska erzählte von ihrer Arbeit in der Linienstraße und von Edgar. Oft und gerne sagte sie *wir*. Wir haben noch viel Arbeit, wir müssen mal sehen, wie wir weitermachen.

Sie unterbrach sich für einen leisen Jubelschrei. Sie hatte den Honigbär aus Plastik ausgemacht, auf der Pappscheibe neben der Thermoskanne.

»Honey-Bear, Honey-Bear«, flüsterte sie glücklich, was Rosalie etwas affektiert fand, aber Georg fand, dass sie noch immer diesen schläfrigen Sex in der Stimme hatte. Der Honigbär erinnerte Franziska an ihre Kindheit in einem amerikanischen Internat: Frühstück im frisch gewachsten Speisesaal am Tisch vor der großen Glasscheibe, der Blick in die grüne Parklandschaft, Stühlerücken davor, Bagels und Orange Juice und gieriger Kinderkampf um den Honey-Bear. Georg fragte sich, warum Franziskas Schweizer Eltern ihr Kind wohl auf ein amerikanisches Internat geschickt hatten und was für eine Familie das wohl war. Rosalie aber hatte endlich ihre Einstiegsluke zu Franziska gefunden. Auch sie war eine Zeit im Internat gewesen, das Beste daran waren die Pferde. Und dann erzählte sie eine ganze Weile von sich und am Schluss, woher der Honigbär stammte, der auch für sie nun ein Honey-Bear war. Sie tranken Tee, lachten und waren sich sehr einig.

Irgendwann musste Franziska gehen, und Georg nutzte den Moment, um sie für das Bett zu gewinnen, das noch immer im Hausflur stand. Franziska fasste mit kleinen festen Händen zu, und zu dritt brachten sie das Gestell durchs Treppenhaus in die Wohnung. Sie lieh sich den Bandschleifer aus und verabschiedete sich, indem sie Georg und Rosalie aufforderte, in die Linienstraße zu kommen. Es gab einen Kunstwettbewerb, und die eingereichten Arbeiten lagen zur Sichtung aus. Rosalie begleitete Franziska zur Tür, Georg blieb im Zimmer zurück. Das Radio war im Leerlauf stehen geblieben und rauschte um Aufmerksamkeit. Im Sägemehl blieben die Fußabdrücke.

An der Haustür umarmten sich Rosalie und Franziska. »Vielen Dank für den Schleifer.«

Der rote Morgenmantel schwebte durch das graue Treppenhaus.

Rosalie drückte leise die Tür ins Schloss.

8

In den nächsten Tagen sahen sie sich oft. Franziska brachte den Schleifer zurück und lieh sich die Heißluftpistole. Sie hatte Würfelschnecken dabei aus der Bäckerei in der Sophienstraße und eine Marmelade ihrer Mutter. Sie saßen auf dem Boden, krümelten auf den welligen Rücken eines Pappkartons und schmierten sich die Finger an ihren Hemden ab.

Zu keinem Zeitpunkt sprachen sie mit Franziska darüber, warum sie hier waren. Man war hier im richtigen Moment, man gehörte zu denen, die verstanden hatten. Jede genauere Erklärung hätte dem etwas genommen.

Das Frühstück mit Franziska war eine Ausnahme, die Zugezogenen im Viertel waren sehr scheu. Nur selten traten sie in Gruppen auf. Wenn sie in Gruppen waren, hörte man am Abend laute Musik aus den Fenstern. Die Musik passte zu den durchlöcherten Fassaden, den rostigen Stützen: kurze, harte Töne.

Tagsüber gaben Spatzen und Krähen den Ton an, und die Einwanderer vereinzelten sich. Auf der Straße sah man sich wenig, nur im Bäckerladen gelang bei Gelegenheit ein flüchtiger Gruß. Die Sensoren der neuen Mieter waren nicht füreinander geschaffen; um ihre Herkunft und um ihre Ziele war Schweigen gebreitet. Man verließ sich auf Gerüchte und hatte stets etwas zu tun. Einen echten Verstoß leisteten sich allein die Politgruppen, die bärtigen Bürgerrechtler und ihre dazu erfundenen grünen Parteien. In kleinen Trupps zogen sie werbend durch die Mitte. Versammlungen wurden einberufen, obwohl niemand sich versammelte. Ihre Transparente erinnerten an die Natur: große Sonnenblumen auf grünem Feld. Die Plakate sahen aus, als hätten sie einen Kindermalwettbewerb gewonnen; es war etwas Rührendes um sie: Die Geschichte war zu Ende, jetzt regierten die Sonnenblumen. Die Idee war zehn Jahre zu alt; eine nicht abgelegte Gewohnheit. Der Schwung war dahin, geblieben war nur ein Abklatsch, das schale Pathos in der Diskussion um die Frage, ob man sich fortan lieber montags oder dienstags traf: Jäger des verlorenen Satzes vom Volk, das ein Wir gewesen war, ein einziges winziges Mal glücklich vom Zeitgeist umweht: So träumten sie weiterhin von der Quadratur des Runden Tisches, verloren und verlacht, rückwärtig in stolzem Kitsch.

Die neuen Mieter übersahen die Bürgerrechtler geflissentlich, sie kannten keine Parteien. Sich in politischen Gruppen zusammenzuschließen widersprach ihrer ureigensten Vorstellung von sich als Individuen. Das Zeitalter der Versammlungen war vorbei, abgelöst durch den Wettbewerb um den eigenen Erfolg. Ihre neue Musik grenzte die Zugezogenen ab, sie lebten nicht als Bürger, sie lebten ohne Bilder zwischen runtergerissenen Tapeten, den durchlöcherten Altfresken der Jahrhundertwende auf der Wand. Sie atmeten Schimmel im Klo. Franziskas erster Besuch hatte Rosalie klargemacht, dass es bereits eine feste Szene im Viertel gab, das Umfeld war kompliziert und funktionierte anders als im Westen. Es würde gewiss nicht ganz leicht sein, auf dem hohen Niveau der Zeit zu leben, die sie umgab, die Spielregeln zu lernen, um dazuzugehören. Georg dagegen waren die Regeln egal. »Es kommt allein auf uns an«, sagte er und umarmte sie fest.

Es war schön, von Georg umarmt zu werden, aber die Frage der Zugehörigkeit blieb. Es würde sehr wichtig sein, nicht im Leerlauf zu treten. Das Flüchtige und Provisorische ihrer Existenz war anspruchsvoll, die Regeln konnten sich über Nacht ändern. Schon eine kleine Entscheidung beim Renovieren konnte ein Fehler sein. Noch vor einer Woche hatte sie gedacht, dass die Freiheit unbegrenzt sei; jetzt lauerten auf jeder Diele Minen, das heimelige Surren der Bandschleifer hatte einen bedrohlichen Unterton, mit der Aufbruchstimmung war nicht zu spaßen, eine ernste Sache. Ihre Entsprechung waren Baufachgespräche; die Wände, die Böden und die Elektrik verlangten handwerkliches Wissen. Es brachte einen Typus jungen schwäbischen Bautechnikers zur Geltung, der erstaunlich zahlreich auftrat, als Mieter wie als Berater der anderen; der Aderlass an Anfang Zwanzigjährigen in Stuttgart musste bedrohlich sein, kein Baufachgespräch ohne kleine und weichgekaute Laute. Das Schwäbische vermehrte sich wie ein Pilz, der in alten baufälligen Wohnungen gedieh, und musste nach Ende der Renovierung wahrscheinlich wieder entsorgt werden. Auch Schweizer waren häufig, Rheinländer kamen vor, Norddeutsche selten, Bayern existierten nicht. Die Gespräche waren nicht immer leicht zu führen; wer sich zu lange belehren ließ, verriet sich als Neuling. Auch durften die Gespräche nicht einfach Baufachgespräche sein, in diesem Fall wären sie doch zu spießig gewesen. Man entkam der Heimwerkerromantik durch avantgardistische Tricks; die Baufachgespräche mussten sehen, dass sie einen Überschuss beinhalteten, um nicht als solche zu enden, ebenso wie die Wohnungen, die nie fertig werden durften. Eine unverschließbare Toilettentür war das Minimum; die Schwaben würden an diesem Kodex scheitern.

Bei den Toilettentüren dachte Rosalie an ihre Kindheit, an rüttelnde Schwestern und eine Klospülung zum Ziehen. Ihr fiel ein, dass sie ihre Eltern anrufen musste und dass sie ihre Gefühle zusammenfassen würde in dem Satz, der »Mama, es geht mir gut!« hieß.

Sie ging zum Reichstag. Die Sonne war weg, der Schnee schmolz in Strömen, ein dreckiger grauer Regen fiel. Georg hatte niemanden anzurufen. Rosalie ging allein unter ihrem großen Schirm. Vor den Telefonzellen stauten sich schlecht gelaunte Menschen. Alles Reste: Restschnee, Restmauern, Restossis. Ein russischer Penner im Armeekostüm krallte sich in ihren schwarzen Regenmantel und wischte sich den Mund daran ab. Rosalie fühlte sich ebenso beschmutzt, wie der Mantel es war, und reinigte die Stelle mit sauberem Wiesenschnee. Als sie zurückkam, war ihr Platz in der Schlange vergeben, sie ärgerte sich maßlos, versuchte zu erklären, niemand hörte ihr zu.

»Komm mit!«

Ein flachsblonder Typ trat auf sie zu, legte ihr die Hand auf die Schulter und führte sie ungerührt an den Anfang der Schlange.

Sie kam nicht dazu, sich zu bedanken. Die Telefonzelle öffnete sich, Rosalie war die nächste. Sie nickte kurz und glücklich, die Tür schloss sich, Rosalie erzählte ihrer Mutter, wie gut es ihr ging. Einen Moment überlegte sie, welche ihrer Freundinnen sie anrufen sollte, entschied aber, dass sie es gar nicht wollte. Sie ließ den Reichstag hinter sich und suchte die Bäckerei in der Sophienstraße, von der Franziska gesprochen hatte. Noch als sie den Laden betrat, vergewisserte sie sich, dass der Schnee den Sabber auf ihrem Arm gelöscht hatte.

Die Bäckerei in der Sophienstraße übertraf jedes nette Klischee; eine Omabäckerei wie im Märchen oder im Heimatmuseum. Rosalie hätte gedacht, dass es solche Bäckereien gar nicht mehr gab; nicht in einer so großen Stadt.

»Und Sie, junge Frau?«

Rosalie kaufte fünf Würfelschnecken. Zwei für Georg und zwei für sich selbst und eine, weil man nie wissen konnte. Eine ältere Frau neben ihr redete ununterbrochen, die Verkäuferin nickte manchmal, aber nicht immer; auf der Wanduhr saß eine einsame Wandfliege, festgeklebt vom Herbst und ihren dreckigen Zimtfüßen.

Rosalie packte die Schnecken in eine Tüte, die längsgestreifte Frau beobachtete sie von der Seite. Rosalie lächelte ihr zu. Die Frau lächelte nicht. Sie musterte Rosalie, blickte verschwörerisch hinüber zur Verkäuferin. Dann legte sie die Hand an den Mund und flüsterte:

»Den Mielke, den ham se jetzt och abjeholt!«

Die Verkäuferin blickte Rosalie an. Dann lachte sie laut auf, weil doch Freiheit war.

Gegen Mittag brachte Georg den Bauschutt auf die Straße. Es waren so viele Säcke, dass man sich unmöglich vorstellen konnte, wo sich der ganze Schutt vorher in der Wohnung befunden haben mochte. Sie war leer gewesen, als sie sie bezogen hatten. Irgendwie vermehrte sich der Dreck von selbst, wenn man nicht so genau hinsah, und Georg war froh, die Säcke aus dem Haus zu haben. Neben der Eingangstür aufgereiht, gaben sie ein eigentümliches Bild ab, wie Erzeugnisse aus einer Dreckmühle.

Während Georg die Säcke vor dem Haus drapierte, geriet er mit dem Hausmeister in Konflikt. Korkow besaß ein Auto, einen champagnerfarbenen Wartburg. Er parkte den Wagen vor dem Haus, genau vor seinem Fenster; eine Gewohnheit aus früherer Zeit, als die Straße noch leer war und kein anderes Auto in der Nähe stand. Inzwischen freilich hatte sich die Zahl der Autos Woche um Woche vermehrt. Er benutzte das Auto nicht, um zur Arbeit zu fahren; es hieß, er sei Schlosser, und die Schlosserei lag in der Gipsstraße. Das Auto war da, um das dazugehörige Fenster zu markieren wie ein Klingelschild, und die Parkbuchten waren zu diesem Zweck drum herum gemalt, wie die Zähnung um eine Briefmarke. Die Schuttsäcke standen dem gewünschten Parkplatz nicht im Wege, störten aber unweigerlich die Korrespondenz mit dem Fenster.

»Die Säcke müssen weg.« Der Hausmeister war aus dem Auto gestiegen.

Georg erklärte seine guten Absichten. Sie sollten noch in dieser Nacht in einen Container in unmittelbarer Nachbarschaft.

»Die Säcke müssen weg.« Korkow ließ sich durch kein Versprechen beirren. Es lag weder in der Natur des Hausmeisters, freundlich zu sein, noch hatte er es später gelernt.

Georg überlegte, was er wohl tun konnte, um ihn zu besänftigen, während seine Handschuhe von Anstrengung und Wut dampften. Er durfte die Säcke nicht bei Tageslicht in den Container schmeißen, und er würde sie mit Sicherheit nicht wieder hochtragen. Nach einer Weile entschied er sich zu nichts.

Korkow parkte sein Auto genau vor dem Fenster, ohne ihn eines weiteren Blicks für würdig zu erachten. Georg schüttelte den Kopf; er wunderte sich über die Weltsicht des Hausmeisters, wie über das Bild, das er darin abgab: ein junger Mann, begabt für die gemächliche Erzeugung von Ärger.

9

Georg sägte Regalbretter für die Speisekammer. Rosalie lackierte die Türrahmen weiß. Eines Tages kehrte sie das letzte Sägemehl hinaus, die Dielen blinkten fast wie neu. Der fleckige Altanstrich der Wände spielte dazu Geschichte. Rosalie stellte sich auf die Leiter und putzte die staubblinden Fenster. Nach und nach erstand die sandgraue Außenwelt.

Sie hatten beide Geld gespart. Aus verschiedenen Motiven. Rosalie, um eines Tages mit ihrem Freund ein Haus zu kaufen, nun war nichts mehr damit, und das Geld war frei. Georg hatte gut verdient. Er hatte sein Geld für eine Zukunft im Allgemeinen gespart; diese Zukunft war jetzt und hier.

Ihre Einrichtung blieb spärlich, die Wohnung wirkte wie ein halbgefüllter Koffer, man hätte sie in zwei Stunden leeren können. Neu war der alte cremefarbene Küchenschrank, der unbeschreiblich roch. Sie öffneten die Türen und sogen die tote Luft ein, die bescheidene Patina einer gelebten Küche. Und neu war der eigelbe Schwarzweißfernseher, der einzige lebende Insasse aus dem Müllgerümpel eines verborgenen Abstellfachs. Georg hatte ihn hinter Pressspan entdeckt. Der Fernseher erzählte Geschichten wie ein Klatschweib:

Geschichten über das, was andere Leute für wichtig hielten. Der Korrespondent vor dem Staatsgebäude redete unausgesetzt von der Zukunft. Die Zukunft blieb abzuwarten, war aber wichtiger als das, was es schon gab.

»Ich will nicht wissen, was in der Zukunft ist«, sagte Rosalie.

Sie lagen unter der Decke, sehr nahe beieinander, und er konnte sie riechen, ihren wundervollen Duft, und sie sah seine Augen, die immer noch hellblau waren mit diesem Schiefergrau, aber noch nie so schön und so hell und so farbig wie jetzt. Sie lagen und tranken Rotwein, aßen Weichkäse im Bett und waren glücklich, und sie tranken noch mehr Wein, als der Winterkrieg in der Wüste ausbrach, und sie sahen schon gar nicht mehr so genau hin, waren glücklich, sahen nur sich, was mehr war als alles andere, und schauten dem Fernsehapparat bei der Arbeit zu, und es hätte immer so bleiben mögen, genauso wie jetzt, Rosalie mit ihren Wollsocken und Georg im nachtblauen Schlafanzug und das weiche Deckbett dazwischen und vielleicht nie mehr aufstehen, nur noch um in den Küchenschrank zu riechen und hinauszusehen, durch das hohe Fenster in den Hof, wo zwei magere Katzen sich umkreisten, den Schnee unter den Pfoten, den fahlen Sonnenschein auf dem Fell.

Die alte Mitte schlief den Schlaf der Gerächten, die Politiker, die die Häuser hatten verkommen lassen, saßen in Haft; die Häuser verfielen nun ohne sie. Der Monbijoupark aber bot auch in dieser Nacht Freiern und Freifrauen Schutz. Streunende Hunde würden morgen früh die saftigen Kondome dieser Nacht erstöbern und Kindern Rätsel aufgeben.

Georg & Rosalie aßen in einem kleinen Keller in der Mulackstraße und tanzten die halbe Nacht Tango in einem anderen Keller mit anderen, von denen ein paar Bilder blieben, keine Namen. Gegen vier waren sie zu Hause, die ersten Straßenbahnen kreischten zwischen den Häusern.

Rosalie vertraute den Priestern nicht, nicht den Politikern und auch nicht den Journalisten, doch sie glaubte Georg, als er ihr sagte:

»Ich liebe dich.«

»Ich brauche dich«, sagte sie dann.

»Du begehrst mich nur.«

»Du hast recht«, sagte sie.

»Nein, du«, sagte er.

Ihr Leben griff ineinander.

Er stieß sehr behutsam in ihre Atmosphäre vor. Wenig später bezwang er den ganzen sonnennahen Raum.

Es schneite die ganze Nacht; die Märchenkuppel der Synagoge verlor Gold und Blau. Wenn man sich mag, liegt man oft gemeinsam Arm in Arm, Momente bevor man sich wegrollt, den Arm zwischen die angewinkelten Knie schiebt und zur Wand guckt, bis man davon einschläft. Wenn man sich liebt, dauern diese Moment sehr lange, doch wenn man aufsteht, stellt man fest, dass man wieder auf der anderen Seite liegt.

Vorsichtig löste sich Georg aus Rosalies Griff. Ihre Hand schlief noch. Eine Weile betrachtete er ihren Schlaf, ihr ungekräuseltes Kindergesicht, ruhiggestellt von leisem Atem. Ihr Gesicht begleitete ihn aus dem Zimmer bis in die Küche, wo es verflog. Er spürte das inwändige Bedürfnis, ein rohes Waldmurmeltier zu essen oder ein Integral aufzulösen. Die Wohnung war völlig ausgekühlt, die Kohlenhitze des Ofens nur noch ferne Erinnerung.

Die Küche war leer, auch der Kühlschrank, leer bis auf Tiefgefrorenes, ein Stück Butter und Licht. Er sog den Holzgeruch der Dielen ein, als könnte er davon leben, erspähte ein paar nichts sagende bunte Dosen aus Rosalies Geschichte und rückte sie hin und her. Schließlich zog er sich an, holte Brötchen, Kaffee und Würfelschnecken für Rosalie, streifte uninteressiert die Überschrift der Tageszeitung im Supermarkt und kaufte dort Wurst, Käse und Senf der Marke *Exzellent*. Georg mochte den Senf nicht besonders, aber er mochte das Gefühl dabei, wenn er ihn kaufte. Beim ersten Mal hatte die Verkäuferin ihm erzählt, der Senf sei aus dem Osten, aber trotzdem sehr gut. Georg bemerkte, dass die Verkäuferin ebenfalls aus dem Osten kam und gleichwohl trotzdem gesagt hatte. Von nun an kaufte er den Senf regelmäßig, er war sicher, dass die Verkäuferin sich darüber freute. Vielleicht würde das trotzdem darüber verschwinden.

Als Rosalie erwachte, lag sie in einem Sonnengitter. Vom Bett aus konnte sie aus dem Fenster sehen. Die Stadt lag etwas schief.

Sie räkelte sich und fiel zurück aufs Kissen, streckte sich, gähnte lange und träge und rollte sich wieder zusammen. Ein wenig trauerte sie dem Flüchtigen nach: einer Handvoll eingefangenem Sternenstaub, einem bisschen Niederschlag des Regenbogens, den sie umklammert gehalten hatte. Sie merkte, dass Georg nicht neben ihr war, und roch gleich darauf den Kaffee.

Beim Frühstück redeten sie über die Neuigkeiten aus dem Telefon. Rosalies Mutter würde zu einer Kur in die Schweiz fahren, und ihr Vater sollte in Zukunft mehr operieren, das Krankenhaus plante Veränderungen. Er überlegte sich, Geld im Osten zu investieren, in Leipzig verkaufte man Häuser und Straßen zu besten Preisen, aber auch Berlin war nicht schlecht. Rosalie hatte sich auffordern lassen, die Augen nach geeigneten Objekten aufzuhalten, aber Georg sagte, das sei völlig sinnlos; wenn ihr Vater das wirklich wollte, müsste er schon selber suchen. Vor dem Fenster lag die Straße ruhig und friedlich, keine Objekte, nur alte Häuser.

Der Spiegel im Badezimmer war eine riesige Scherbe. Eine einsame männliche Zahnbürste krümmte sich neben einer Armada aus weich gewellten Döschen, Tuben und Flakons. Minutenlang standen sie nebeneinander und putzten sich die Zähne, bis er sie scherzhaft zur Seite hob. Rosalie, im Morgenmantel, wusste nicht, ob sie das wirklich mochte, so vom Spiegel weggeschoben zu werden, aber sie lachte, weil sie wusste, was Glück war: ein Paar, das sich morgens zufrieden die vergilbenden Zähne zeigt, durch alle die vielen gemeinsamen Jahrzehnte.

10

Den Tag darauf gingen sie ins Kino. Das Wetter war hellblau. Auch das Kino war schön, es hieß Kosmos; es gab Vormittagsvorstellungen. Georg wollte *Spiel mir das Lied vom Tod* sehen, aber Rosalie bestand auf einem französischen Liebesfilm. Georg meinte, *Spiel mir das Lied vom Tod* sei auch ein Liebesfilm, aber er folgte ihr, als sie lächelte. Der Franzosenfilm war diese Art Film, in die Georg nie gegangen wäre, nicht ohne Rosalie. Im Nachhinein war er froh, drin gewesen zu sein. Als sie herausgingen, entdeckte Rosalie im Foyer den flachsblonden Typ vom Reichstag. Sie wusste nicht, ob sie ihn ansprechen sollte. Sekunden später war ihr Retter verschwunden.

Georg und Rosalie diskutierten über den Film die ganze schneeweiße Karl-Marx-Allee entlang. Sie mochte die Atmosphäre des Films. Er war sehr poetisch und sehr innig.

»Eigentlich ist es wie beim Austernessen. Auf die Auster kommt es gar nicht an. Was man daran liebt, ist alles andere, der Meeresgeschmack im Mund und der Sand zwischen den Zähnen, einfach großartig.«

Georg verstand sofort, was sie meinte: »Oder bei Apfelsinen. Die Orange möchte man am Ende am liebsten ausspucken, das ganze fasrige Zeug, aber der Geschmack des Sommers auf der Zunge ist toll.«

»Alle Bücher und alle Filme müssten so sein«, entschied Rosalie. »Vielleicht müsste sogar das ganze Leben so sein.«

Sie näherten sich dem Alex. Auf der gegenüberliegenden Straßenseite skandierten ein paar Nazis Parolen; auch sie sehnten sich nach einer neuen Innigkeit des Gefühls. Georg befürwortete, dass es Menschen gab, die für ihre Überzeugung tatsächlich noch auf die Straße gingen. Natürlich waren es die falschen; nicht die Menschen vielleicht, aber die Überzeugungen. Rosalie wunderte sich ein wenig über seine menschenfreundliche Sicht der Dinge. Nazis gingen immer auf die Straße; wer wollte die schon drinnen bei sich haben.

Auf dem Alexanderplatz selbst tobte eine Gegendemonstration, die Menschen waren in Bewegung. Binnen Sekunden sahen sich Georg und Rosalie daruntergemischt, wie Spielkarten auf einer Tischplatte. Tausende drängten sich in der klirrenden kohlekalten Luft. Ein unsichtbares Megaphon brüllte durch die Menge, die Stimme klang dumpf und hysterisch zugleich, wie aus einer anderen Zeit. Einige der Demonstranten waren gegen die Nazis, andere gegen den Krieg.

Rosalie verzog das Gesicht. Sie fühlte sich unbehaglich, so viele Menschen und so aggressiv, es war schwer, schlüssig aus ihnen zu werden.

Sie verließen das Gewühl, nicht ohne anzuecken. Georg wirkte groß und auf einmal sehr dünn, er stolperte über Schläuche, stand vor Transparenten wie vor Bretterzäunen und fand kaum eine Lücke zum Durchschlupf. Rosalie folgte dem Schlingerkurs mit Kopfschütteln und entschied sich, etwas verzögert, es »süß« zu finden.

Eine ganze Weile redeten sie nicht, bevor Rosalie sagte: »Weißt du, ich glaube wirklich, dass ich mit der ganzen Geschichte gar nichts zu tun haben will.«

Georg stimmte ihr zu. Auch er wollte nicht unmittelbar etwas damit zu tun haben, fand aber letztlich doch gut, dass die Geschichte stattfand. Sein Leben so ganz ohne eine Geschichte, das mochte er sich auch nicht vorstellen.

Eine Würstchenbude am Springbrunnen, mit zwei Vietnamesen bemannt, lenkte ihre Aufmerksamkeit in eine andere Richtung. Sie aßen Fritten mit Majo. Die Bratwurstbude hatte einen Plastikspiegel, Rosalie kämmte ihre Haare. Der leichte Wind kam von Ost, vom Wasser, dort wo Marxundengels standen in langen Büßermänteln, zu Stein erstarrt in hundertjährigem Schlaf. Für Georg und Rosalie war nicht nur der dazugehörige Staat, sondern schon sein Zusammenbruch Geschichte. Geschichten aus ferner Zeit, obwohl die Bagger noch daran fraßen, die Abrissbirnen schwangen wie die Freiheitsglocke: dumpf mit getragenem Missklang. Nur selten regten sich die Verschütteten unter den Trümmern. Und wer über die Bernauer Straße fuhr, die Chausseestraße nach Norden, die Bornholmer Straße nach Westen, der konnte sie noch einmal erleben: diese kurze donnernde Erfahrung der Geschichte, die leise aus der Erde hervorseufzte; ein schnelles heftiges Rumpeln und ein ganz kleiner Nachhall.

Die Welt war ein Schaltjahr, und sie lebten am dreihundertfünfundsechzigsten Tag. Georg kochte Tee, und Rosalie verstreute in der ganzen Wohnung Kerzen auf den Dielen. Es kam Weihnachten, es kam Neujahr, und es kam das Jahr neunzehnhunderteinundneunzig. Die Dielen würden den ganzen Winter über kalt bleiben, aber mit den Kerzen darauf ging es ganz gut. Georg und Rosalie lebten in Wollsocken. Die Wollsocken dämpften das Leben, sie verstanden sich gut mit den Kerzen. Nur Franziska beharrte auf ihren nackten Füßen, mit denen sie auch in der Linienstraße herumlief, wo es noch viel kälter war. In der Linienstraße war jetzt viel los, die Ausstellung, von der sie bei ihrer ersten Begegnung gesprochen hatte, fand bald statt. Franziskas Gesicht wurde sehr wichtig, wenn sie davon sprach. Oft hatte sie dann plötzlich keine Zeit mehr; der schläfrige Sex ihrer Stimme konnte darunter leiden, er ging zwischendurch verloren, wie bei einer Erkältung. Die roten Flecken am Hals wurden davon mehr. Rosalie störte es nicht, sie verstand, warum Franziska zwischendurch so angespannt war. Die Ausstellung war eine große Sache. Wenn sie hätte arbeiten wollen, hätte sie es gerne mit Franziska zusammen in der Linienstraße getan. Ihre Solidarität mit Franziska war so unbedingt wie Franziskas Solidarität mit der Linienstraße. Georg saß dabei und hörte zu. Vielleicht hätte er sich darüber gewundert, wie Rosalie solch großen Anteil an etwas nahm, das sie nicht kannte, wenn es nicht Rosalie gewesen wäre. So aber fand er es einfach gut, dass Franziska da war. Er sorgte für den Tee; das warme Lachen der Mädels machte die Wohnung schön.

Als Franziska gegangen war, sagte Rosalie:

»Ich glaube, wir sollten auch etwas tun.«

Sie umschlangen sich und sahen hinaus durch das dunkle Fenster. Nur wenige Flocken vertaumelten sich in den schmalen Hof. Auf der Fensterbank lag der Zettel, den Franziska ihnen dagelassen hatte. Darauf stand:

Die Maschinen arbeiten, die Arbeiter singen.

Zweiter Teil

Die Weiße Mauer

1

Die Erde ist die Wiege unseres Verstandes, aber man kann nicht ewig in der Wiege leben, notierte der sowjetische Raumfahrtforscher Konstantin Eduardowitsch Ciolkowskij.

Krikaljow schläft in einem tiefblauen Schlafbeutel; der Schlafbeutel hängt an der Wand, im rechten Winkel zur Wand befindet sich ein Fenster; in dem Fenster geht die Sonne auf, alle neunzig Minuten. Es ist immer dieselbe Sonne, und sie scheint auf die immergleiche Erde, die Erde wächst alle neunzig Minuten aus der Dunkelheit, bis sie wieder verblüht, alle neunzig Minuten.

Wenn er nicht auf die Erde guckt, schläft Krikaljow, oder er arbeitet fleißig und denkt glücklich an seine sozialistische Heimat, an Elena und die Zukunft

An Elena denkt er tatsächlich. Er denkt an Elena, wenn morgens um acht der Wecker klingelt und sie nicht neben ihm im Schlafbeutel hängt, wenn er sich heraushangelt und sogleich kotzen könnte, weil sich die Bauchmuskulatur auch diese Nacht nicht entspannt hat, weil sie sich in der Schwerelosigkeit nie entspannt und niemals entspannen wird. Der Bauch ist ein Schild, um ihn herum die beweglichen Glieder, die jetzt zur Morgentoilette rudern, ein Gelbrandkäfer im Wassertrog.

Er putzt seine Zähne ohne Wasser, die Paste spuckt er ins Tuch. Erfrischungstücher als Waschlappen, die taugen, auch Arzebarskij stinkt nach Zitrone; Dusche und Waschbecken taugen nichts, zwei ganz feine Attrappen. Natürlich dreht er den Hahn nicht auf, der über dem Waschbecken blinkt. Er kennt den Riesenglubberkram darin, das Zeug schwirrt wie Seifenblasen durch die Station, Krikaljow ist Physiker, nichts davon braucht er zu sehen, er weiß das; trotzdem gibt es das Wasser.

Die Engländerin hat danach gefragt. Die ist längst wieder unten. Sie hat sie gestört, Krikaljow und Arzebarskij. Frauen waschen sich jeden Morgen, sie brauchen Wasser. Aber richtige Frauen tragen auch kurze Röcke und keine Overalls. Der dralle Overall hat es Arzebarskij angetan, das Verlangen geweckt, die Engländerin darin flachzulegen, mit all den Gummikabeln und so weiter.

Pinguinsex.

»Hör mal, Sergej: Wie treiben es eigentlich die Pinguine?« Woher soll Krikaljow das wissen.

»Die Fotze hätte sich nicht so anstellen müssen«, sagt Arzebarskij. Er sagt wirklich: Fotze. Das ist Krikaljow zuwider, aber in dieser Umgebung klingt das wie Erde, Bierhalle, Soljanka aus der Schüssel. Heimat.

Krikaljow winkt ab, das ist das mindeste, was er tun muss, Arzebarskij ist vorgesetzt, Oberstleutnant, wie Krikaljow selbst, nicht ranghöher, funktional übergeordnet; steht schräg über ihm wie der Mond.

Arzebarskij erwartet eine Reaktion.

»Frauen und Kosmos passen eben nicht zusammen«, sagt Krikaljow unsowjetisch und ist froh, dass die Zicke weg ist. Vielleicht spielen sie jetzt wieder mit dem silbernen Kanonenrohr, schweben darauf herum, acht Meter hin und acht Meter wieder zurück, wie Münchhausen oder Pan Tau: Was man zur Hand nimmt, fliegt. Manchmal ist es ihr Lieblingsspiel, zwei Jungen in ihrem selbstgebastelten Kindersegelschiff, aber manchmal erscheint es ihnen auch nur albern.

Es ist die Gelegenheit, aufs Klo zu gehen, er geht gern

aufs Klo hier oben. Geruchsarm löst sich der Kot. Wenn er pinkelt, fließt alles in die Spezialanlage, die das Harnwasser aufspaltet in Sauerstoff und in Knallgas; das Gas wird abgeblasen, der Sauerstoff der Atemluft zugeführt. Aber er hat nichts zu pinkeln heute Morgen, es kommt nichts.

Er bleibt noch auf dem Klo sitzen, schon weil es hier eine Tür gibt, die ihn schützt, und er allein ist. Er ist dreihundertfünfzig Kilometer entfernt von all den Menschen da unten, und er wünscht sich, allein zu sein, getrennt von dem einzigen Menschen, den es hier oben noch gibt. Es ist nicht der Mensch, den er sich wünscht. Die, die er sich jetzt herbeiwünscht, ist Elena. Eigentlich denkt er an sie lieber, wenn er im Bett liegt, es denkt sich schön und weich im Bett, die Gedanken strecken sich mit den Beinen in die Zeit. Aber Krikaljow hat eben kein Bett hier, auch keine Flughühner auf dem Dach, nur diesen Schlafbeutel, an den will er nicht denken.

Es hat an die Tür geklopft, nur zwei Menschen hier oben und trotzdem Streit ums Klo.

Der Overall braucht lange, auch die Schläuche, alles an seinen Platz.

»Na, Serjoscha, süß geträumt?«

Genosse Arzebarskij, die Klinke in der Hand, die Lehrerin im Kopf. Immer noch die Lehrerin. Genosse Arzebarskij, ein Vorkämpfer positiver, aufbauender Kulturarbeit, schwebt hinter die Klotür, wird sich der Selbstbefriedigung widmen, sorgfältig, beharrlich, als wäre dies ein Handwerk; Sowjetmenschen machen nicht auf halbem Wege halt. Väterchen Lust und sein Auftrag: Schneeflockenproduktion fürs All.

Heute muss er das erste Mal aussteigen. Krikaljow freut sich auf den Kosmos, weil dort zwischendurch endlich das Licht ausgeht, hier drinnen brennt es immer, aber draußen funkeln jetzt nur die Sterne, das ist schon viel schöner. Er hofft, dass die Zahnschmerzen nachlassen, nur eine leichte Infektion, aber er kann sie nicht brauchen, nicht während er mit der Antenne hantiert.

Eine Stunde später steht er draußen, die plexigläserne Halbkugel über dem Kopf, die bunte gekrümmte Rinde der Erde unter sich. Wieder denkt er an Elena, wenn er hier draußen umherschwebt und der Wissenschaft folgt, die aus Seufzern Tatsachen macht. Wenn die Sonne untergeht, wird es schwarz, dann ist es wirklich am schönsten; nur die Notbeleuchtung der Sterne und das bisschen Licht aus den Bullaugen. Als sie wiederkommt, hat er die Fm-Verbindungen neu eingestellt, und die Satelliten dürfen sich freuen; alles ist wieder hell. Europa scheint jetzt, Ostdeutschland, alles Dunst, darunter wenige Sekunden Berlin; Krikaljow sieht keine Ansiedlung, nicht die Stadt, nur die Mauer, eine dichte Mauer aus Wolken.

Die Mauer ist weiß wie Schnee.

2

Lauter Schnee, leiser Schnee. Rosalie öffnete die Haustür. Draußen war Sonntag. Der Wartburg des Hausmeisters stand genau vor dem Fenster. Drei Meter zur Laterne, drei Meter zur Hofeinfahrt. Sie liefen daran vorbei und bewarfen sich mit Schnee.

Noch in der Mitte des stillen Tages gingen Georg und Rosalie durch die Linienstraße. Das Haus mit der großen Toreinfahrt hatte einmal einer Kirche gehört. Nun gehörte es einem Verein, deren Vorstand aus Franziska, Edgar und einigen anderen bestand. Der Verein war ein wenig schwer zu durchschauen, und Franziska hatte nicht mehr als einen

Versuch gemacht, ihn zu erklären. Rosalie war sehr neugierig auf diesen Nachmittag und den Abend, an dem es eine Party geben sollte, und alle diese Leute würden da sein, von denen Franziska gesprochen hatte: »Es kommen ein paar Leute, über die du dich bestimmt wundern wirst.« Und Rosalie war bereit, sich zu wundern, und wenn sie sich wundern sollte, würde sie es sich bestimmt nicht anmerken lassen. Sie wusste genug über Kunst, um zu wissen, dass es sehr darauf ankam, sich wenig anmerken zu lassen. Es würde darauf ankommen, die Kunst zu kennen, die sie hier umgab, eine Kunst, von der man schon in wenigen Jahren sagen würde, dass sie für die Zeit stand, in der sie jetzt lebten. Vielleicht konnten die Bilder richtungsweisend sein.

Richtungsweisend war zunächst das Treppenhaus, das an eine Fabrik erinnerte, nicht an die Räume einer Kirchengemeinde. Mehlsackgeruch lag zwischen den Kalkwänden. Rosalie ertänzelte Stufe um Stufe in ihrem weißen Kleid, sie sah wunderschön aus, anmutig und grazil.

Franziska wartete im ersten Stock. Sie war sehr schwarz, ihre runden Augen, vom Kajalstift gezeichnet, ein wenig aus der Form geraten. Georg war ein bisschen enttäuscht, dass sie sich so verunstaltete, die dunklen Flohmarktklamotten und klobigen Schuhe, aber vor allem die düster gemalten Augen. Franziska umarmte sie mit der gleichen warmen Umarmung wie immer und lachte rau über ihr Kommen.

»Rosa und Schorsch!«

Dann entdeckten sie Edgar. Franziska blickte ein paarmal zu ihm hinüber, verzichtete aber darauf, sie einander vorzustellen, überraschenderweise schien es ihr unangenehm zu sein.

Edgar war nicht sehr groß, eher ein bisschen klein, ein recht hübsches, fast weiches Gesicht mit sehr schlechten Zähnen, dazu ein löchriger Pullover. Er sah aus wie der Geißenpeter, wenn nur die Zähne nicht gewesen wären. Georg hatte noch nie so schlechte Zähne gesehen, nicht bei einem Gleichaltrigen. Umso erstaunlicher, dass er nicht ganz umhinkam, beeindruckt zu sein. Er hätte Edgar als eine Enttäuschung ansehen mögen, was er nicht war. Seine ganze Erscheinung machte neugierig, befeuert durch die Vorstellung, dass dieser Junge in nicht einmal einem Jahr gleich mehrere kostenlose Wohnungen vom Senat bekommen hatte. Im Laufe der Zeit sollte Georg lernen, worin zumindest ein Teil seines Geheimnisses bestand: dass er um sich wusste! Edgar wusste auf eine Weise um sich, die Georg erstaunte. Man kann sagen, dass die eigene Person stets ein Labyrinth ist, in dem man sich mal gut und mal weniger schlecht zurechtfindet, das man jedoch in keinem Fall völlig übersieht. Edgar hingegen schien immer eine Sammlung von Steinchen in der Tasche zu haben. Er bewegte sich stetig auf ein Ziel zu und schlug alle anderen Wege vorausschauend aus. Zu gern hätte Georg gewusst, worin dieses Ziel bestand.

»Hättest du Edgar all diese Wohnungen vermietet?«

Rosalie dachte nicht an die Wohnungen, sie beeindruckte anderes. Die meisten der Anwesenden beherrschten einen schwer verständlichen Code, zu dessen wichtigsten Regeln dunkle Kleidung gehörte und Nuscheln. Die dunkle Kleidung verunsicherte Rosalie in ihrem hübschen weißen Kleid beträchtlich, ihr war, als ob sie auf einer Verkleidungsparty eingeladen war, deren Motto sie als Einzige falsch verstanden hatte. Georg dagegen beschäftigte eher das Nuscheln. Er hatte es zunächst mit Edgars schlechten Zähnen in Verbindung gebracht, nun aber stellte er fest, dass auch die anderen nuschelten. Das Nuscheln schien sich zwischen den Trümmern ausgebreitet zu haben wie eine Seuche; in jedem Fall ging Ansteckungsgefahr aus, so dass Georg sich auf Distanz hielt.

Edgar verteilte seine souveräne Gunst knapp. Kaum hatte Georg ihn irgendwo zwischen den Anwesenden ausgemacht, war er schon wieder verschwunden. So dauerte es eine ganze Weile, bis Georg ihn ansprach. Sofort lüftete er das Geheimnis, das sie verband, berichtete von ihrer Nachmieterschaft in seiner Wohnung, die Werke der alten Meister, das ominöse Marmeladenglas im Kühlschrank.

Edgar blickte ihn sybillinisch an; die Zähne schimmerten wie kleine Kohlen. Man konnte sich nicht sicher sein, ob er lächelte. Aber Georg hatte sich warmgeredet, er lobte die Stadt, das dörfliche Flair der Straßen, die Schönheit der angefressenen Häuser, wie dieses hier, in dem sie sich jetzt befanden.

»Ist Barock.« Das »ist« nur müde gezischt, der Satz schulterzuckend, als habe Georg ihn unnötigerweise dazu gezwungen, die hinlänglich bekannte Wurstsorte auf einer Brotschnitte zu erklären.

Nach einer kunsthistorischen Einordnung hatte Georg nicht gefragt. Er lobte die alten Häuser im Allgemeinen und kam auf ihre eigene Wohnung zu sprechen, die alten Türen, die gewaltigen Türrahmen, den Stuck.

»Das magst du also, Gründerzeit.« Diesmal genuschelt. Edgar sah sich im Raum um.

Georg fühlte sich bescheuert. Und er hatte den Verdacht, dass diese Wirkung beabsichtigt war. War Edgar nicht aus den gleichen Motiven wie sie hierhergekommen? Wie konnte er dem nach einem halben Jahr mit einer solchen Selbstverständlichkeit begegnen, als wäre er in dieser abgeschabten Kulisse zur Welt gekommen? Edgars Gleichgültigkeit war eine nie gekannte Arroganz, die Georg völlig unvorbereitet traf. Wiederholt versuchte er, die früheren Eindrücke hervorzukramen, die faulige stinkende Wäsche in der Badewanne, die Hundekiste auf dem Ofen und jetzt dieser

Typ dazu; ein eindeutiges Bild wurde es nicht. In einem letzten Versuch sprach Georg ihn auf die umgebende Kunst an, bunte Videoprojektionen, Acrylbilder mit Leninköpfen und sowjetischen Insignien. Edgar aber schien nur noch wenig Lust zu haben, mit ihm zu reden, und hielt sich lange zurück, als sei sein Urteil mindestens ebenso wertvoll wie die Bilder.

Georg drängte, er bestand auf klareren Aussagen.

Edgar machte einen schmalen Mund, wie wenn Georg ihm mit seinen Sätzen den Radiosender weggedreht hätte. Immerhin fand er ihn schnell wieder, denn kurz darauf nuschelte er bereits mit einem älteren weißhaarigen Mann, obwohl Georg gar nicht bemerkt hatte, dass ihr Gespräch beendet war.

Er sah sich um. Es war ein eigentümliches Gefühl, in diesem Ausstellungsraum der Zeitgenossenschaft zu stehen, ohne irgendeinen Berührungspunkt zu finden; man konnte sich fragen, ob er überhaupt ein Zeitgenosse war.

Edgar redete mit dem Weißhaarigen über einen berühmten Künstler, mit dem er in der vergangenen Nacht in einem Restaurant im Westen gegessen hatte; der Künstler hatte aus Nägeln Bilder gemacht. Edgar befand, dass der Nagelkünstler ein großer alter Mann und einmal sehr wichtig gewesen war, vor einigen Jahrzehnten. Er betonte an dem Satz vor allem die vergangenen Jahrzehnte, an die der Künstler von nun an auf ewig festgenagelt bleiben würde. Die Zukunft aber schritt gerade an ihm vorüber, als hätte der große alte Mann in Edgars Geißenpeterlächeln dem Tod das erste Mal ins Angesicht geschaut; das gemeinsame Abendessen war ihr einziger kurzer Schnittpunkt, der Nagelmann war seit gestern Vergangenheit.

Georg konnte Rosalie nicht wiederfinden, offensichtlich waren Franziska und sie in eine andere Etage gegangen.

Statt dessen traf er überall auf Amerikaner, sie übertrafen die anderen an Nachlässigkeit, waren aber ebenfalls allesamt dunkel gekleidet, allein das Schwarzmarktnuscheln fiel ihnen schwer. Schon zuvor im Hackbarths und in der Mulackritze hatte er sich über die vielen gleichaltrigen Amerikaner gewundert, aber eine solche Ansammlung hatte er noch nie gesehen; je weiter sie sich von ihrem Heimatland entfernten, umso kultureller schienen sie dabei zu werden. In Scharen versammelt, glichen sie Schlachtenbummlern auf diesem noch immer ungeschminkten Kriegsschauplatz ihrer Vorväter: ungewaschene Haare, Flohmarktklamotten, geschorene Köpfe und Marlene-Dietrich-Frisuren; es hätte gepasst, dass Rübenstrunksuppe mit Graupen serviert worden wäre statt Sekt.

Franziska und Rosalie standen derweil mit ihren Gläsern im zweiten Stock und lachten. Das Licht im Fenster war stahlblau, wie zu Eis gefroren. Um sie herum lauter ungelenke Jungs in Schwarz und Dunkelbraun, möglicherweise redeten sie über Kunst, Rosalie hörte ihnen nicht zu. Sie kicherte weiter mit Franziska, die über jeden von ihnen einen Spruch wusste, eine Bemerkung, die genau zu treffen schien, auch wenn Rosalie nicht einen der Typen kannte. Auch Edgar streifte einige Male an ihnen vorbei, umgeben von einem kleinen Tross älterer Herren. Franziska flüsterte Rosalie heiser zu, es waren irgendwelche wichtigen Leute. Immer wieder blickte sie hinüber, sie sah sich mit Edgar in einer Art stummem Einvernehmen verbunden, einem wissenden Lächeln oder Blinzeln, aber es war nicht wirklich zu erkennen, wie es erwidert wurde.

Rosalie war bereits seit zwei Stunden in bester Laune, den Nachschub an Sekt bewerkstelligten die vielen Jungs um sie herum mit großer Sorgfalt und ungebremstem Eifer, als sie einen Typen sah, der überhaupt nicht ins Schema passte. Er hatte lockiges rotblondes Haar, war anders gekleidet als die anderen, eine etwas zu weite Cordhose, ein kariertes Hemd, und er wirkte unbeteiligt wie ein Zuschauer. Sie legte ihren Kopf ans Fenster und beobachtete ihn, wie er am Türrahmen lehnte, einen viel zu vollen Teller vom Büfett in der Hand, von dem er langsam und sehr bedächtig aß, als gäbe es all die Menschen nicht, die sich dicht vorbei durch die Tür drängelten, nicht diese Hektik und Musik im Raum und wohl auch sonst nichts um ihn herum in der Welt. Ihr Gesicht musste einen verklärten Eindruck machen, denn einer der Jungs sprach sie jetzt darauf an, ihre entrückten Augen und was sie gerade sehe, was sie so einnehme, dass sie für nichts anderes einen Blick übrig hatte. Er drehte sich flüchtig zum Türrahmen und sah nichts außer dem Rotblonden, der nicht zur Party passte, aber der konnte es nicht sein.

Rosalies Lachen wurde lauter in den nächsten Stunden, eine silberhelle Quelle in der immer gedrängteren Menge, die inzwischen alle Räume gefüllt hatte. Die Konturen der Einzelnen schienen sich allmählich aufzulösen in einer Atmosphäre des gegenseitigen Näherkommens. Rosalie hatte sich längst fallengelassen und fühlte sich auf wunderbare Weise darin geborgen; sie hatte sehr viel Sekt getrunken und trank noch immer Sekt. Der Raum war sie selbst, es gab kein Außerhalb mehr, und dann stand der süße Rotblonde neben ihr.

»Ich glaube, wir beide haben uns noch *nie* gesehen. Ich bin Leonhard.«

»Rosalie.« Sie besann sich. »Du kannst auch Rosa sagen.«

»Rosalie ist schön.«

»Leonhard auch. Und die Cordhose.«

»Jeansallergie, was soll man da machen.« Er lächelte.
»Aber dein weißes Kleid ist wirklich toll.«

Leonhard machte ihr ein Kompliment und noch eines. Er war kleiner, als sie von Weitem gedacht hatte, kaum größer als sie selbst, und statt eines Tellers hatte er jetzt eine Sektflasche dabei, die er hinter einem Tischbein versteckte wie ein Eichhörnchen seinen Wintervorrat. Sein Gesicht war recht rund und etwas unklar vom Sekt, doch seine lustigen Augen, seine verwuschelten Haare und seine warme angenehme Stimme nahmen sie für ihn ein.

Auch Georg hatte allmählich die Scheu vor den anderen verloren, blieb aber dennoch allein. Er beobachtete weiterhin die Leute, vor allem Rosalie, die weithin sichtbar am anderen Ende des Raumes stand, ihr weißes Kleid stach von aller Umgebung ab, ihr Lachen drang an sein Ohr, ein sehr lautes aufgedrehtes Lachen, sie war in ihrem Element. Auch er sah, dass sich um sie herum eine Traube von Leuten gesammelt hatte, vor allem Männer, groß und dunkel mit unhörbaren Stimmen. Er bewegte sich durch den dicht gefüllten Raum, gedrängt und geschoben, so dass er sich wie Frachtgut vorkam, das keiner abgeholt hatte. Nach einer Zeit machte er sich auf die Suche nach Sekt oder Wein, ein Ziel war das mindeste, um einigermaßen berechtigt im Weg zu stehen. Zwei unwirkliche Mädchen in erstaunlich kurzen Lackhosen versperrten den Zugang zu den Flaschen. Georg sah die beiden aufmerksam an; sie nuschelten nicht, sondern sprachen überhaupt nicht und beschränkten sich auf wenige bedeutungsarme Blicke. Möglicherweise waren sie nur zur Dekoration gedacht. Er drehte sich gerade noch rechtzeitig von ihnen weg, um keinen Was-willst-du-denn-Blick einzufangen, und war überaus froh, als er Franziska traf, die mittlerweile ebenfalls allein stand, an der Seite des Raumes vor dem dunklen Fenster, in dem man nichts sah, außer sich selbst. Ihre Spiegelbilder hatten bunte Farben und sahen fröhlicher aus als die Originale. Franziska hatte einen Grund, der ihr schlechte Laune machte, über den sie nicht reden wollte. Statt dessen fragte sie Georg, wie er sich fühlte. Sie hätten sich näher kommen können, in diesem Augenblick, der Sekt dehnte die Sätze, es war das erste Mal, dass Georg keinerlei Scheu hatte vor Franziskas einnehmender Art. Ihre Stimme war breit und betrunken, aber auch erotisch.

»Und? Eifersüchtig, Schorsch?« Ihr Arm lag um seine Hüfte. »Nein, warum?«, sagte Georg und ärgerte sich im gleichen Moment. »Doch, ja klar. Ein bisschen schon.«

»Brauchst du nicht. Er ist fast einen Kopf kleiner als du.«

»Wer?«

Franziska sah sich um. »Scheint, dass sie weg sind.«

Rosalie und Leonhard hatten das Stockwerk verlassen und standen im Treppenhaus, wo die Musik leiser war; sie amüsierten sich prächtig. Sie erzählte von ihrer Wohnung, vom Hausmeister samt Wartburg, der in der Mitte der Mitte stand, vom Tangotanzen in der Mulackritze und vom Kosmos-Kino in der Marx-Allee, vom Kohleofengeruch, den sie so liebte, graue und rauchige Morgen, die alles verwandelten, Deckbetten in den Fenstern und die leere Museumsinsel im Schnee, wo man nie wusste, ob die Menschen für die Geschichte oder die Geschichte für die Menschen da war.

»Die Stadt ist klasse«, sagte Rosalie, »aber es ist schon schwer, jemanden zu treffen, der nicht schwachsinnig ist.«

Leonhard bestätigte das. »Aber natürlich triffst du auch hier Menschen, die sympathisch sind oder interessant, in der U-Bahn, im Café oder auf der Straße. Und dann denkst du: Wenn du die nochmal siehst, sprichst du die an. Und dann gibt es kein Nochmal.«

Rosalie dachte an ihren netten blonden Helfer vor der Telefonzelle.

»Deshalb sprichst du die Leute hier besser gleich an.«

»Und verabredest dich mit ihnen?«

»Genau.«

»Zum Beispiel auf der Museumsinsel, wo wir gerade stehen geblieben sind? Und prämieren dann den schönsten Sonnenuntergang?« Rosalie freute sich.

Und dann bekam sie einen Schluckauf, ein Glucksen ohne Ende.

Sie hockte sich auf die Treppe, das weiße Kleid über die Knie gezogen, und legte ihr Gesicht in beide Hände. Es gab ihr etwas Asiatisches, aber auch etwas von einem Rhesusäffchen, so klein zusammengehockt, und sie sah eigentlich überhaupt nicht mehr wie die stolze Schönheit aus, die Leonhard im ersten Moment wahrgenommen hatte. Sie blinzelte schelmisch mit den Augen, und vielleicht war es auch ein bisschen der Alkohol, der sie jetzt immer öfter zwinkern ließ. Sie forderte ihn auf, noch einmal etwas Lustiges zu sagen, etwas auf Ostberlinerisch oder so, und Leonhard machte eine Bemerkung nach der anderen, Rosalie musste fürchterlich lachen, der Schluckauf, und dann wurde ihr schlecht. Zwei Typen neben ihnen auf der Treppe wippten im Takt der Musik; Rosalie wollte unbedingt raus an die Luft, und Leonhard umfasste sie und richtete sie auf, das Kleid rutschte nach oben, Leonhard legte ihr seine Jacke um die Schulter. Einer seiner Witze durchzuckte Rosalie, sie musste sofort kotzen, sie sackte zusammen, kotzte auf die Treppe, während er sie stützte. Die Jungs neben ihr drehten sich um und rutschten übers Geländer an ihnen vorbei.

Als Georg Rosalie entdeckte, beugte sich Leonhard über sie und wischte ihr den Mund mit einem Papiertaschentuch ab.

Er missverstand die Situation, doch nur wenige Sekunden, Leonhard lächelte ihn an, dann fassten sie Rosalie unter den Armen, die Treppe hinunter, vorbei an besoffenen Stimmen.

Rosalie hatte die Augen geschlossen, hörte den Lärm der Party nur noch von fern, hatte nichts mehr damit zu tun. Dann wurde es kalt, die Laterne im Toreingang, Leonhard wickelte sie fester in seine Jacke, die Arme fanden die Löcher nicht, das Lammfell war weich, die schlaffen Arme lagen jetzt um die Schultern der Jungs, waren es ihre Arme? Ihr Kopf neigte zu Georgs Seite.

Die Unwirklichkeit der Stadt bei Nacht, die Menschen vorübergehend ausgestorben. Rosalie in der Mitte, stapften sie schweigend durch den Schneematsch. Minuten später vor der Haustür bot sich Leonhard an, sie mit nach oben zu bringen. Georg meinte, dass er das letzte Stück wohl auch alleine schaffte.

»Hast du Telefon?«, wollte Georg wissen.

Leonhard schrieb die Nummer auf einen Zettel, nahm seine Jacke und lächelte. Sekunden später war er im Dunkel verschwunden.

Georg schloss die Tür auf, Rosalie stolperte sehr nah an seiner Seite kreidebleich durchs Treppenhaus. Er ärgerte sich, dass er sich nicht herzlicher von Leonhard verabschiedet hatte. Kaum dass sie oben angekommen waren, übergab sie sich ein weiteres Mal. Es war erstaunlich zu sehen, wie viel stinkende Flüssigkeit in einem kleinen Frauenmagen Platz fand. Bedauerlicherweise hatten sie kein Licht im Klo, die Glühbirne war kaputt, und das Flurlicht, das durch einen Türspalt fiel, hatte in den letzten Tagen reichen müssen. Nun nötigte es ihn dazu, beim Aufwischen sehr nah mit der Nase an Rosalies gut verspritzte Kotze zu kommen.

Als Georg vom Klo kam, lag Rosalie nackt auf dem Bett

und stöhnte. Er setzte sich zu ihr, legte ihren Kopf mit dem schweißverklebten Haar auf das Kopfkissen und merkte, dass sie ganz kalt war. Er breitete die Decke über sie und stopfte die Seiten unter ihrem Körper fest, sie drehte ihm ihr bleiches ernstes Gesicht zu und murmelte:

»Wie fandest du eigentlich mein Kleid?«

Ihr Ton war ganz ernst, als frage sie etwas sehr Wichtiges, etwas, worüber sie den ganzen Abend nachgedacht hatte und das jetzt noch in ihr nachdachte, während ihr kalter Körper allmählich in warmen Schlaf fiel.

Georg sah sie an und fand sie sehr süß.

Rosalie blieb hartnäckig.

»Sag es!«

Sie wollte ganz unbedingt wissen, ob er ihr weißes Kleid passend gefunden hatte, inmitten des vielen Schwarz, und er sagte ihr, wie schön es gewesen war, obwohl es inzwischen überhaupt nicht mehr schön aussah. Er sah das zusammengerollte Kleid auf dem Boden und den Mond vor dem Schlafzimmer, eingerahmt vom Fenster. Hell und hämisch starrte er schamlos hinein und sah zu, wie Georg auch noch seine eigene Bettdecke über Rosalie legte, die Wolldecke vom Stuhl nahm, einen Eimer ans Bett stellte und sich noch einmal die Nase putzte, bevor er schließlich das Licht löschte.

Am nächsten Morgen hingen Eiszapfen an der Dachrinne, und die Tauben hatten sich aufgeplustert wie geschüttelte Kopfkissen. Sie sprachen über den Abend, und er fragte, was sie von Edgar hielt.

»Interessant«, sagte Rosalie noch immer etwas benommen. Der scharfe Säuregeschmack machte das Sprechen unangenehm. »Er ist wirklich ein spannender Typ, ich glaube, wir sollten öfter hingehen.«

Georg nickte ein bisschen. Es war nicht die Antwort, die er sich gewünscht hatte. Er wechselte das Thema und kam auf Leonhard.

»Der ist super nett«, stöhnte sie und fasste sich an den Kopf.

Diesmal nickte er sehr heftig. Er brachte ihr einen Kaffee ans Bett. Als er fünf Minuten später die Haustür zudrückte, zum Reichstag ging und einen völlig verschlafenen Leonhard anrief, hoffte er weiterhin, dass super nett für Rosalie mehr war als spannend.

3

Der Schnee hatte die Stadt zugedeckt. Aus der Luft musste es aussehen wie eine Häkeltischdecke, alles weiß, dazwischen unregelmäßige schwarze Flecken. Eine Kirche am Berg ragte daraus hervor. Neben der Kirche gab es viel Schwarz, da war eine Brauerei, aus ihr kam ein warmer Wind, der den Schnee fraß. Die Brauerei befand sich in einem großen Block, der aussah wie viele andere; der Block war mit französischem Gold innerhalb weniger Monate des Jahres achtzehnhundertdreiundsiebzig hochgezogen worden und zeigte zur Straße hin den üblichen Stuck, während der Hinterhof in ortstypischem Stil gerade einmal grob verputzt zurückgeblieben war. Ein Geduldspiel fürs Sonnenlicht, das nur für wenige Minuten einen gelben Fleck in die günstigste Ecke malte, ansonsten aber sorgte allein der gelbliche Putz fürs helle Element, oder wie jetzt der Schnee.

Als Georg und Rosalie eintraten, empfing sie Leonhard im Bademantel. Sie umarmten sich herzlich wie alte Freunde. Leonhard hatte ein so angenehmes Wesen, dass gar nicht auffiel, wie eigenartig ihre Vertrautheit war. Georg hätte die

Umarmung als unangenehm empfunden, hätte sie nur der kleinste Verdacht begleitet, berechnet zu sein. Franziska hatte ihn auf diese Weise für sich eingenommen, nun eroberte ihn Leonhard. Der Geruch in den Zimmern erinnerte ihn an seinen Opa, er hatte diesen Geruch geliebt, mehr als vieles andere in der Welt, und er hatte nie gedacht, dass ein anderer Mensch so riechen konnte. Es war, als hätte sich der Geruch des Opas nach seinem Tode freigesetzt, um jetzt in Leonhard weiterzuleben und seine Wohnung zu erfüllen.

Rosalie begegnete Leonhard ohne das geringste Zeichen von Unsicherheit und bewegte sich in seinen Räumen, als inspiziere sie eine Wohnung, in der sie vor einiger Zeit selbst einmal gewohnt hatte. Sie wirkte vollkommen gelöst; neugierig auf alles, was kommen sollte.

Die Räume waren völlig still, keine Musik, keine Geräusche der Nachbarn, nur ein paar welke Farne verrieten die Anwesenheit von Zeit. Auf dem Kühlschrank stand eine Espressomaschine, was auffiel, weil sonst nahezu nichts in der Küche stand, nichts, woran ein neugieriges Auge hätte hängen bleiben können. Leonhard erriet Rosalies Blick und warf die Maschine an, die Kaffeemühle kreischte. Sie war neben ihn getreten und reichte die Tassen aus einem Küchenschrank, der randvoll mit Geschirr war.

»Und, gut erholt von gestern Nacht?«

Leonhard wischte sich den Schlaf aus den Augen; besonders munter wurde sein Gesicht dadurch nicht.

»Gestern Nacht?«

Die Wohnung war kalt, Rosalie stand darin in Jeans und ihrem langen schwarzen Wollpullover und fragte. Leonhards Kopf war sehr warm, aber sein Gedächtnis hatte sich noch nicht gefunden.

»Weißt du ...«

»Rosalie.«

»Ach ja, Rosalie ... Sehr süß.« Seine Erinnerung gewann festen Boden. Der Espresso floss in die Tassen.

Georg bewunderte den Ausblick aus dem Küchenfenster, die anderen traten hinzu, die Espressotassen in der Hand, blickten sie auf die Mauern, die blaugraue Monotonie des Himmels über den Dächern, zerlumpte Krähen auf dem Schornstein. An der Mauer vereisten Efeuranken und darüber die Kirche, zumindest ihre obere Hälfte, die war nicht sehr schön und bestand überwiegend aus Turm. Gemauert aus den dunklen Ziegelsteinen eines dunklen Jahrhunderts, überdauerte sie die Zeit als Baudenkmal getarnt. Man hatte die Kirche nach dem Krieg nicht abreißen können, obwohl sie schwer getroffen worden war. Ein berühmter Widerstandskämpfer hatte hier gepredigt. Der Widerstandskämpfer hatte nicht gegen den Abriss der Kirche gekämpft, sondern gegen die Nazis. Trotzdem war gerade er daran schuld, dass die Kirche zu Friedenszeiten erhalten geblieben war. Die Turmuhr zeigte halb drei, seit ungezählten Jahren, sie passte zu den zersplitterten Scheiben in vielen Häusern ringsum. Man würde die Uhr neu stellen müssen, Werbewände für Alkohol und Zigaretten hatten die Zeit zurück ins Viertel gebracht und mit ihr die Vergänglichkeit. Schon wellten Regen und Schnee die Plakate auf, die Jugend und Schönheit versprachen.

»Gehst du oft hin?«

»Wohin?«

»In die Linienstraße?« wollte Rosalie wissen.

»Ab und zu«, sagte Leonhard lapidar. »Wegen Sekt und wegen Essen.«

Rosalie lachte. Sie hielt das für einen Scherz. »Und die Kunst?«

Leonhard schüttete neue Kaffeebohnen in die Maschine. »Ja, die Kunst. Ich glaube, ich mag eigentlich gar keine

Künstler. Ich gehe eher wegen der Frauen hin, die zu den Vernissagen kommen. Die meisten sind ja sehr schüchtern, aber, wenn man sie anspricht, ganz süß, und die Bilder sind eine gute Pforte, so können sie dann ein bisschen aus sich heraustreten.«

Rosalie lächelte. Wegen der Frauen also, Frauen, so wie sie? Sie war nicht die erste Frau, die Leonhard auf einer Vernissage angesprochen hatte, aber sie würde einen Unterschied machen. Einen Unterschied zu den anderen. Und dass er sich nichts aus Kunst machen sollte, war ein Witz, das hatte sie wohl verstanden, sie war sicher, dass Leonhard untertrieb, seine unernsten Augen verrieten ihn. Für sie hatte Leonhards ganze Wohnung etwas Künstlerisches, angefangen bei den vielen Büchern, die sich auf den Dielen stapelten. Er hatte sie als Träger für alles Mögliche missbraucht, als Blumenständer für seine Farne, als Untersatz für den Fernseher und unter dem Lattenrost der Matratze. Er hatte sogar kleine Mauern damit gebaut und seltsam altmodische Spieltiere darin eingehegt.

Auch Georg gefielen die Räume sehr, er fand alles wunderbar gemütlich und dachte an ihre eigene Wohnung, die schöner war, aber ungemütlicher, obwohl auch Leonhards Wohnung fast leer war. An der Wand über der Matratze hing ein Schwarzweißfoto, das Arbeiter und Soldaten beim Mauerbau zeigte, aber Leonhard meinte nur, dass es schon etwas länger dauern würde, davon zu erzählen.

Sie tranken einen Espresso nach dem anderen, und nach einiger Zeit wurde Rosalie plötzlich flau. Die gestrige Nacht machte sich ganz unvermittelt bemerkbar, ihr Kreislauf ging runter, nachdem sie sich bereits sicher gewesen war, dass alles überstanden sei. Leonhard bot ihr sein Bett an, und sie wollte nicht, dass er es frisch bezog, sie war auf einmal viel zu müde, und die Bettwäsche roch auffallend gut. Hinter der geschlossenen Tür hörte sie noch eine Weile die gedämpften Stimmen der Jungs; sie dachte, wie gut es war, dass die beiden Zeit ganz füreinander hatten.

Georg und Leonhard saßen und plauderten vertraut wie alte Freunde. In den kiefernholzverkleideten Jugendzimmern seiner Schulkameraden hatte sich Georg das erste Mal gewundert, dass sie offensichtlich vieles genauso empfanden wie er, die innere Distanz zur Schule, ihre geheimen Schwärmereien für die gleichen Mädels, und überraschenderweise hatte er sich auf einmal in Herzensdingen nicht mehr allein auf der Welt gefühlt. Nun erging es ihm so mit Leonhard. Er redete von sich, von Rosalie, ihrem wunderbaren Kennenlernen in der Straßenbahn, von ihrer Wohnung und dem Leben in der Stadt.

»Die Frauen gehen in Kittelschürzen aus dem Haus und Männer mit Hosenträgern. Man sieht Russen in Uniform, Russen ohne Uniform, Russen, die Tinnef verkaufen. Andere Denkmäler auch, andere Ampelmännchen und Frauen mit schlechten Zähnen, Männer mit noch schlechteren Zähnen. Alles anders.«

»Wie Ausland?«

»Ja, wie Ausland.«

»Es gibt Unterschiede.«

»Zum Ausland?«

»Na klar. Dass die Abfallkörbe nicht überquellen und niemand versucht, einem was anzudrehen, das man nicht haben will.«

Leonhard saß ihm am Küchentisch gegenüber, noch immer im Bademantel. Er hatte sich zurückgelehnt und beobachtete Georg mit einer Aufmerksamkeit, die sehr warm war. Ab und zu nur streute er eine Bemerkung ein, und Georg erkannte sich sofort wieder, seine eigenen Beobachtungen, in den Kleinigkeiten und Abstrusitäten, die Leonhard dem Dasein ablauschte, den Menschen, der Art, wie sie ihr Leben mit sich herumtrugen.

Gegen Abend wachte Rosalie auf, sie hatte lange geschlafen und fühlte sich gut erholt. Im Badezimmer stand eine alte Wanne mit Füßen und etwas Rost unter der Emaille. Sie duschte sich ausgiebig, und als sie die Badezimmertür wieder öffnete, fühlte sie sich noch heimischer als zuvor.

Sie hörte die leise Musik im Nebenzimmer, folgte den Tönen und sah Georg und Leonhard in Sesseln sitzen, als sie zu ihnen hineinschaute.

»Ägyptisch«, sagte Leonhard.

»Wer, ich?«

»Mit dem Handtuch hinter den Ohren. Dunkelhaarige Frauen sehen nach Macht aus, wenn die Haare verschwinden, Blonde nach Buttermilch.«

»Nach Macht also.« Sie legte den Kopf leicht schräg und belauerte ihn aus ebenso schrägen Augen.

Leonhard fand Rosalie kapriziös, dabei kumpelhaft und außerdem sehr charmant. Sie ihrerseits schätzte seine verschlafene gutmütige Art, die strubbeligen Locken, die nach Bett rochen, seine unmittelbare Körperlichkeit, die vielleicht typisch für Ostmänner war; dazu seine dunklen gewitzten Knopfaugen, die an den komischen gestreiften Wolf erinnerten, dieses Bild, das über Leonhards Klo hing. Sie mochte die Art, wie er das Leben betrachtete, diese Leichtigkeit in den ernsten Dingen und diese träge Schwere in seiner Sehnsucht nach Büchern und Schlaf, von der er ihr erzählte, und vor allem anderen liebte sie seine Turnschuhe der Marke *Sprint,* die er jetzt zu seiner Cordhose anzog, waschechtes Siebzigerdesign aus ebenso waschechtem Kunstleder. Er hatte die Schuhe aus einer Ecke mit Reiseführern hervorgekramt, die alle nach Tasmanien führten. Seine Träume galten den dunstigen, immer feuchten Bergwäldern am Macquarie River, und Rosalie wollte wissen, warum er nie nach Tasmanien gefahren war. Er hätte seit über einem Jahr fahren können.

»Hätte«, bestätigte Leonhard.

»Ich finde, wir sollten schon ein bisschen mehr von diesem *hätte* wirklich tun.«

»Zum Beispiel?«

»Zum Beispiel«, sagte Rosalie, »dass wir uns die Köpfe auslüften. Und dass wir wirklich zur Museumsinsel gehen und uns diesen ganz wirklichen Sonnenuntergang ansehen.«

Leonhard hatte zwei Fahrräder, Rosalie setzte sich auf Georgs Gepäckträger, sie hatten es umgekehrt versucht, aber sie war kaum von der Stelle gekommen bei all dem Eis auf der Straße und vor Lachen; Leonhard beförderte Decken und Glühwein, auch er schlenkerte. Die Stadt war leer wie immer, ein paar Fußgänger hier und da, Rauch aus einem Rohr, zwei Straßenbahnen rumpelten langsam hindurch.

Die Museumsinsel war nur ein Häufchen Schnee und sah unwirklich aus; die grüne Spree drum herum, in die Flocken fielen, der Kohlegeruch in der langsam ergrauenden Luft. Ein antikes Baugerüst ließ sie aufs Dach des Bodemuseums klettern; von hier oben zeigten sich die Bauten als Stückwerk: eine improvisierte Stadt aus Antennen, Simsen, Eisenträgern, Ziegeln und geflickten Dachpappen. Der historische Himmel über den Dächern spielte dazu mit Grautönen und Formen; zerfetzte Wolken wie auf einem Schlachtengemälde, stadtromantischer Nebel, vereiste Schneekähne auf der Spree, die grasenden Schafe in der Ferne waren Autos und Bagger.

Rosalie breitete die Decken aus. Sie hatte ihre Augen mit Kajal eingerahmt, ihr schwarzer Pullover war von Leonhard geliehen, ebenso die abgeschabte Lederjacke. Sie setzten sich nebeneinander aufs Dach, nahe beim Schornstein, wo es warm war und kein Schnee lag. Rosalie saß in der Mitte.

»Erzähl eine Geschichte.«

»Jetzt gleich?«, fragte Leonhard.

»Jetzt gleich«, sagte Rosalie. »Von Herz zu Herz.«

Ein bisschen Schnee flog, sie rückten noch näher zusammen, tranken den Glühwein und blickten über die Insel; die Stadt war still, der Rauch kroch über die Dächer, sie verschlangen jedes Wort, das Leonhard erzählte. Rosalie hätte sich gewünscht, hier am Berg aufgewachsen zu sein, stellte sich selbst als Hinterhofgöre vor, mit rotzverschmierter Nase auf einer Holzwippe, die Hände voller Matsch und Berliner Abzählverse skandierend. Die Schaukel knallt auf die Gummipufferreifen am Boden, und Rosalie überschreit die anderen Kinder, hopst zwei Handbreit in die Luft, die Zopfspangen lösen sich, irgendwo zwischen aufgeworfenem Pflaster und Pappelallee, kreideverschmiertem Grauputz und Konopkes Würstchenbude.

Leonhard hatte eine Unmenge von Kenntnissen aus erster Hand über alles, was sie bisher mit staunender Neugier betrachtet hatten, aber er erzählte ohne jede Spur von Stolz. Es war, als ob er von den Eigenheiten irgendwelcher anderen Völker sprach, alles erschien zufällig, flüchtig belauscht aus einer verschlafenen Distanz.

»Das waren die glücklichsten Tage meiner Kindheit«, sagte Leonhard und blickte über die Dachpappe in die versinkende Sonne. Er benutzte diesen Satz gleich mehrere Mal; es musste eine sehr weiträumige Kindheit gewesen sein, dass so viele glücklichste Tage darin Platz gefunden hatten.

4

Leonhards Kindheit lag in dem Land, das es nicht mehr gibt; jetzt bestand es nur noch aus einer Reihe immergleicher Sätze. Einer davon war, dass die Mauer das Schicksal dieses Landes gewesen sei. Gemeint war die Weiße Mauer, und Leonhard bestätigte den Satz durch Erfahrung.

Er war noch kein Jahr alt, als sich sein Vater freiwillig als Grenzsoldat meldete, den Bau der Weißen Mauer zu bewachen. Vor allem die Aussicht auf einen Freilichtberuf, die frische Luft, das schöne Augustwetter, hatte ihn dazu bewogen. Der August neunzehnhunderteinundsechzig war einer der schönsten, die das Land je hatte, und die Mädchen auf der anderen Seite der Mauer erprobten ihre luftigen Miniröcke. Eines Tages würde man sie von den Wachttürmen herunter mit dem Fernglas näher beobachten und alle unveränderlichen Kennzeichen und Details bestimmen können.

Allein, der Traum vom Wachtturm erfüllte sich nicht, das Schicksal hatte es nicht gut gemeint mit Leonhards Vater. Die ersten Steine waren gerade gemauert, als er unter einen russischen Panzer geriet, der drohend hinter den Stacheldrahtrollen lauerte; die Mutter blieb mit dem kleinen Leonhard zurück und war untröstlich: Die Mauer hatte sie für immer von ihrem Mann getrennt.

In den folgenden Jahren sympathisierte sie verdeckt mit religiösen Gruppen, allen voran mit Jehovas Zeugen; sie wartete auf den Tag der Erlösung und verteilte heimlich den *Wachtturm*. Die Erlösung verschob sich von Jahr zu Jahr, bis Leonhards Mutter eines Tages die Lust verging. Der Gedanke an den Tod verlor ruckartig seinen Zauber und bereitete wieder die übliche schlechte Laune. Für Leonhard freilich erneuerte sich der Glaube an das dicke Ende, als er in die

Schule kam. Eine große Zukunft lauerte auf den Staat und seine Schüler, es war schon viel Großes geschehen, und eine Menge anderes Großes würde ihm folgen. Am Ende würde sich alles selbst abschaffen, der Staat und wahrscheinlich auch die Lehrer und die Schule, so jedenfalls stellte sich Leonhard die klassenlose Gesellschaft vor. Die Frage war nur, wann sie kam. Leonhard hätte sich eine Art Reichsbahnfahrplan gewünscht mit eingemalten Zwischenstationen und genauen Ankunftszeiten. Selbst eine halbe Stunde Verspätung hätte er großzügig verziehen. Leider wusste man nicht einmal, ob der Zug überhaupt fuhr.

Das Leben in großer Erwartung, ohne dass etwas geschah, hatte freilich auch sein Gutes. Der Wehrkundeunterricht bereitete Leonhard auf einen Krieg vor, der nie kam, aber die Gasmasken waren klasse, dreißig Schüler mit Gummifliegenköpfen im Unterholz des Müggelsees: ein perfekter Horrorfilm. Die Endzeitstimmung verstärkte sich durch das Alter der Ausrüstung; die Masken waren ranzig, der Sauerstoffmangel darunter beflügelte rauschartige Zustände, und Leonhard verliebte sich in Gisela Keller. Sie hatte ungarische Vorfahren, ihr Haar war schwarz, ihre Zähne schneeweiß und ein klein wenig schief. Sie war sehr spirituell, eine echte Schönheit, selbst mit Gasmaske bewegte sie sich aufreizend und elegant. Sie robbten Seite an Seite über den Waldboden, und er hätte sie sofort geküsst, wenn nur die Gasmaske nicht gewesen wäre. Noch am selben Abend gestand er ihr seine Liebe, zaghaft und in scheuem Dank. Gisela Keller war enttäuscht, sie hatte sich eine feurigere Liebeserklärung erhofft und von einem anderen Jungen. Leonhards Liebe war die Beichte eines Fräuleins. Sie ließ ihn hilflos zurück, verdattert von sich selbst: Leonhard, eine Lesbe im Körper eines Mannes. »Reinkarnation im falschen Gehäuse«, erklärte Gisela. Das konnte vorkommen.

Leonhard hatte sich in ein Mädchen verliebt, das ihn nicht mochte: Die beste aller Welten war das nicht; das zielgerichtete Weltbild bekam nun endgültig den Rest. Unterstützung erhielt er dabei durch seinen Geschichtslehrer, der aus der Tatsache, dass es Knöpfe gab, lange bevor Jahrhunderte später das Knopfloch erfunden wurde, die Behauptung ableitete, dass Zwecke unabhängig von Zweckmäßigkeiten existieren. Das kannte Leonhard aus seinem Vaterland, und er fand sich befriedigt damit ab. Das Leben in einer Ankündigungsgesellschaft wurde auf diese Weise sehr erträglich. Klassenlose Gesellschaft, Mädchen und Südfrüchte waren zwar in sich schön und sinnvoll, aber deswegen noch lange nicht fraglos geeignet für Leonhard.

Der wache Verstand sagte ihm, dass die wahre Realität in den Träumen lag; es verband Leonhard mit seinen Kameraden. Sie waren von der Zeit in den Raum geflüchtet, nicht die Zukunft sollte nun das Gute bringen, sondern der Westen. Leonhard hingegen zog es vor, durch die innere Ostsee in die Freiheit zu schwimmen. Eines Tages entdeckte er Joseph Conrad in der Schülerhilfsbücherei, die Welt verwandelte sich in ein Segelschiff, er blieb ihr und sich von nun an treu; es war die Zeit seiner größten Entdeckungen.

Er verließ die Schule als Bester seines Jahrgangs, ohne irgendeine Idee, was er werden sollte. Der Physiklehrer bestand auf Astrophysik, die Lateinlehrerin zog die klassische Philologie vor. Leonhard hätte sich eine Mischung aus beidem gewünscht, die nicht zur Wahl stand. Die Astrophysik bestach durch ihr utopisches Potential, aber der menschliche Faktor kam dabei etwas zu kurz; in der klassischen Philologie hingegen menschelte es in jedem Fall, doch in gewisser Weise mangelte es ihr an Utopie.

In Anbetracht dieser Lage täuschte Leonhard ein Medizinstudium vor, schon um eine Wohnung am Prenzlauer

Berg zu beziehen in der Nähe der Charité. »Oh Gott, die Charité«, seufzte die Mutter stolz und dachte an Virchow, an Sauerbruch und an ihren verstorbenen Mann, der auch dort nicht mehr zu retten gewesen war. Die Wohnung war hell und gemütlich, ein guter Ort zum Lesen. Das Glück vervollständigte sich, als Leonhard im Hausflur Angelika traf. Sie war ein großes festes Mädchen, und ihre Augen hafteten aneinander beim ersten Versuch. Angelika fand Leonhard ausgesprochen hübsch, und er liebte ihren Irrtum. Zudem verfügte sie über ein sehr warmes Lachen und erfüllte zwei wichtige Kriterien: Angelika hatte Geld, und sie hatte Sex. Leonhard machte sich weder aus dem einen noch aus dem anderen viel, aber er benötigte beides; nicht in Mengen, aber eben das, was man zum Leben braucht. Der Grund für Angelikas Geld waren ihre adeligen Vorfahren, sie war eine echte Gräfin, obwohl das nichts wert war. Das Vermögen, das ihr geblieben war, war kein Gold mehr, sondern Aluminium und Papier, wie bei gewöhnlichen Menschen, aber Leonhard erkannte unzweideutig Angelikas gräfliche Note. Ihr Sex war groß, blond und naturnah, bevorzugt auf Waldböden und förderte nicht selten heftige Blutungen. Leonhard fühlte sich einer Operation unterworfen, zu der er wenig Vertrauen hatte, doch er erfüllte ihre Wünsche bis zur Atemnot. Nach mehreren Wochen Blut- und Bodensex entschied er sich nach gebührender Verzögerung doch noch fürs Medizinstudium. Er hatte beschlossen, Angelika dafür nicht völlig auszunehmen.

Das Geld zum Leben besorgte er sich durch Arbeit in einem Briefmarkengeschäft am Leninplatz. Der Laden gehörte Leonhards Onkel. Von außen hätte man das Geschäft für unbewohnt halten können, aber Tante und Onkel saßen den ganzen Tag stumm darin herum und studierten die Briefmarken wie in einem seltsamen Theaterstück. Die Marken hatten einen Vorzug; wenigstens auf ihnen sah der Staat so aus, wie er sein wollte. Die wichtigsten Marken waren die Sperrwerte; sie sahen aus wie alle anderen, waren aber sehr wertvoll und nicht für das Volk. Immer waren die Briefmarken in der falschen Ordnung und mussten in eine richtige gebracht werden; man konnte gar nichts anderes machen mit ihnen, als sie zu sortieren. Leonhards Onkel sortierte sehr gerne. Er hatte in einem Krieg gegen einen Krieg gekämpft in irgendeinem Ausland. Dann hatte er eine Weile im Gefängnis gesessen und war jetzt ziemlich müde. Er übergab Leonhard einen Schrank mit gesonderten Alben; um die Alben war ein großes Geheimnis, sie enthielten eine Menge Beschriftungen und eine noch größere Menge kleiner Hitlerköpfe auf Briefmarken mit seltsamen Stempeln. Die fertig sortierten Marken wurden vom Onkel begutachtet, mit einem Petschaft versiegelt und an das Sonderzollamt des Außenhandelsministeriums verschickt.

Leonhards Leben wurde sehr ordentlich. Während er tagsüber Nazis für den Außenhandelsminister sortierte, widmete er sich in seiner Freizeit der Medizin. Den Sommer über lebte er mit Angelika in der Kleingartensiedlung des Onkels, sie kifften und kicherten, streckten sich in ihren Hängematten und hörten Schlager im Kofferradio. Sie waren glücklich. Und wie alle glücklichen Menschen nach einer Weile dabei zu verblöden.

Dann wurde Leonhard dreißig, und der Staat wurde aufgelöst. Man war schon zuvor einer Menge Abkürzungen beigetreten, der UNO, dem COMECON, der KSZE, aber der Beitritt zur BRD war das endgültige Ende. Der Anschluss hatte ihn unberührt gelassen; ein Verdurstender in der Wüste, der sich über das schöne Wetter freute, konnte sich nicht alberner benehmen als das herumtanzende Volk. Leonhards Weltsicht war nicht durch eine Mauer begrenzt gewesen, ihr

Wegfall erweiterte keinen Horizont. Wo die Weiße Mauer den Blick gebündelt hatte, blickte man jetzt auf Lagerhallen, aufgerissene Blöcke, grelle Werbeplakate und unverputzte Kaufhausrückwände; sehr schön sah das nicht aus.

Die neue Zeit kam, die Menschen lebten genauso weiter wie zuvor, und das Volk, das für eine Nacht zum König vieler Geschichten geworden war, ging wieder zur Arbeit, sofern man noch welche hatte. In den Monaten danach verschlechterte sich das Briefmarkengeschäft; man hatte nie reich damit werden können, aber nun wurde man davon arm. Die Alben für das Ministerium erhielten keinen Nachschub mehr, Leonhards Onkel bewahrte die Ruhe. Das Einzige, was ihn noch interessierte, waren die Sperrwerte, und diese umso mehr, als sich immer weniger andere Menschen darum kümmerten. Die anderen Menschen interessierten sich jetzt für anderes; Leonhards Onkel war mit seinen Sperrwerten allein. Es befriedigte ihn tief, sie so sehr für sich zu haben. Wahrscheinlich waren alle glücklich damit, bis auf Leonhards Tante, die die wachsenden Schulden auf den Kontoauszügen betrachtete. Die Schulden würden sie bis zu ihrem Tod nicht mehr bezahlen können, aber das beunruhigte Leonhards Onkel nicht. Wenn man tot war, konnte doch keiner mehr was von ihnen wollen. Im Leben dagegen wollte immer irgendeiner etwas von einem. Leonhards Onkel wäre gerne in längst sortierte Jahrzehnte abgetaucht, um dem Terror der unvollständigen Gegenwart zu entkommen. Er hatte das ganze zwanzigste Jahrhundert satt, dieses Jahrhundert mit seinen ewigen Ideen, Anfängen und Enden; es war ein haltloses Jahrhundert, man konnte sich im Alter nicht darauf stützen. Selbst die Briefmarken waren nach dem Anschluss nicht das geblieben, was sie einmal waren, manche kamen jetzt aus den Automaten und verloren dabei ihre Zähne. Am liebsten wäre er sofort ins neunzehnte Jahrhundert zurückgekehrt, in dem man die Briefmarke erfunden hatte; das war noch ein ordentliches Jahrhundert gewesen. Er schenkte Leonhard zum Abschied eine seltene braune Hammer- und Zirkelmarke, Zirkelbogen nach rechts (die nach links waren korrekt, aber wertlos), mit falscher Zähnung auf richtig gutem Papier.

Leonhards Mutter wurde sehr krank. Sie starb zu Anfang des neuen Jahres unter traurigen Umständen. Leonhard sah die Mutter in der Nacht des neunten November noch weinend an der Weißen Mauer stehen; sie dachte an den Vater, der für das Bauwerk sein Leben gelassen hatte. Ihr Zustand verschlimmerte sich in den nächsten Monaten und führte zum Tode. Die Mauer war wirklich ihr Schicksal gewesen, und Leonhard trat kurz entschlossen einem Verein bei, der sich der Pflege der Maueropfer widmete. Er fühlte sich zu diesen Menschen gehörig, sie hatten wie er nahe Verwandte an der Mauer verloren. Doch schon nach kurzer Zeit erschreckte ihn eine gewisse Einfalt an der Sache. Die Opferverbändler bestanden darauf, dass die Menschen eigentlich gut, freiheitsliebend und tüchtig sind und nur von einer Mauer daran gehindert worden waren, es zu sein. Dass die Menschen gut sein sollten und nur von den vorangegangenen Systemen dabei aufgehalten worden waren: Diese Sichtweise kannte Leonhard bereits. Nur dass die vorangegangenen Systeme vorher Könige, Junker und Kapitalisten gewesen waren. Der Optimismus, der ihn am Sozialismus immer befremdet hatte, wucherte bei seinen Widersachern fort. Die guten Menschen aber kamen nur in den Reden vor, nicht im Leben; ein gewisser Mangel an Empirie war nicht zu übersehen. Leonhard hielt sich nicht einmal selbst für einen guten oder freiheitsliebenden Menschen und schon gar nicht für tüchtig.

Gleich nach der Öffnung der Grenze ging Angelika in

den Westen. Sie schloss sich einem Wagentreck an, reihte sich einfach mit ihrem Trabi darin ein. Er wünschte ihr viel Glück. Starke Sexualität hatte sich schon immer mit Wanderlust gepaart, so waren die ersten Hominiden im Rift Valley entstanden. Die Senke hatte sich erneut gehoben, und ihre natürliche Westgrenze war aufgebrochen, kein Wunder, dass sie ging; mochte sie also ziehen. Leonhard sagte sich dies mit eigentümlicher Gleichgültigkeit, stellte aber später fest, dass er oft traurig wurde, wenn er an sie dachte.

Was sollte er jetzt tun? Er war mit einem Mal allein und hatte viel Zeit, sein Leben zu sortieren und neu zu verstauen; er nutzte sie nicht, sein Studium blieb unbeendet. Er hatte es nie unter dem Vorwand betrieben, es eines Tages tatsächlich abzuschließen. Es gab immer etwas zu entdecken in der Medizin, und für das fehlende Examen konnte man nun im Zweifelsfall das System verantwortlich machen, das hatte eine gut gepflegte Tradition. Die Schulnoten, die nicht zum Studium reichten? Kein Wunder, wer hatte schon mitspielen wollen in diesem System? Ein Berufstraum, der sich nicht erfüllte? Man kannte ja das System. Eine Ehe, die schief lief? Was sollte man in diesem System auch anderes erwarten. Ein Volk von Widerstandskämpfern war geboren, aus jeder Eckkneipe erschallten Geschichten von List und Mut. Die neuen Politiker lobten ihr tapferes Volk und schickten es in die Arbeitslosigkeit. Eine gute alte falsche Freundin vermittelte Leonhard etwas unwillig eine vorübergehende Beschäftigung in einer Kinderkrippe. Der Beruf eines Aushilfskindergärtners blieb Leonhard fremd. Schon beim Eintritt ärgerte er sich über die bunten Schmierereien der Kinder an den Fenstern; die Kindergärtnerinnen bedachten sie mit Lob. Schlimmer als die Fingerfarben waren die Bastelstunden, Perlenketten auffädeln, oder der freudige Kartoffeldruck inmitten launiger Kinderschar. Die mehligen

Rückstände der Kartoffelschalen unter den Fingernägeln ließen sich ertragen, die Kinder nicht. Leonhard wollte nicht in der Krippe bleiben. Er fühlte sich für Kinder nicht begabt; ihr unverbesserlicher Optimismus betrübte ihn sehr.

Der nächste Job war entschieden besser, er verband sich, zumindest flüchtig, mit seinem Naturell. Leonhard hatte Arbeit in der Konsistorialbibliothek gefunden, seine Aufgabe: die schriftliche Kundenbetreuung, vornehmlich Mahnbriefe, die er im Geist der Bibliothek stets salbungsvoll verfasste. Die Arbeit befriedigte ihn, falls Arbeit Leonhard befriedigen konnte, war aber offensichtlich nicht erfolgreich genug. Der Konsistorialpräsident wurde Ministerpräsident; die Konsistorialbibliothek wurde aufgelöst. Der Bibliotheksleiter zuckte betrübt die Achseln, die guten alten Zeiten waren nun auch für ihn vorbei. Er bescheinigte Leonhard Talent, bewahrte ihn aber nicht vor weiteren Ängsten, etwa der dringlichen Befürchtung, in Kürze von den Feldjägern des Arbeitsamtes nachts in ein Parkhaus geräumt zu werden, als Nachtwächter vielleicht oder als Pförtner. Die Befürchtung nahm eines Tages Überhand und zwang Leonhard dazu, seine Strategie zu ändern. Er verlegte sich auf Atteste. Wasserdichte Atteste. Sie schützten ihn über Monate, beschäftigten im weiteren eine Reihe Ärzte und schlugen am Ende leck.

Das Arbeitsamt gab Leonhard eine letzte Chance. Es bestimmte ihn zum Lagerarbeiter in einer Teppichfirma. Nach einigen sachgerechten Tagen mit dem Hubwagen im Hof sprach der Vorarbeiter ihn an. Leonhard war doch zu Höherem geboren, das Teppichlager im ersten Stock sollte sein künftiger Platz sein.

»Wir zwei kriegen das schon hin«, sagte der Vorarbeiter mit Nachdruck: »Bei mir wirst du ein 1a-Packer.«

Leonhard guckte angestrengt ins Leere. Ihre Blicke glitten aneinander ab wie zwei gleichgepolte Magneten: ein wechselseitiges Unbehagen am Ist-Zustand des jeweils anderen.

Die Drohung des Vorarbeiters verfehlte nicht ihre Wirkung. Noch am selben Abend kündigte Leonhard den Job. Die Angst, zu einem 1a-Packer zu verkommen, bestimmte sein weiteres Leben und führte ihn schnurstracks in die endgültige Tatenlosigkeit.

In ihr nun hatte er es sich bereits seit vielen Monaten bequem gemacht, und seine Gelassenheit entsprach der eines Mannes, der den Segen der Illusionen, das bittere Kraut der Weisheit und die trügerischen Tröstungen der Luftschlösser in nichts voneinander unterschied. Das Einzige, was sein Geist benötigte, um seiner Auflösung etwas entgegenzusetzen, war ein gutes Sortiment maßgeschneiderter Schlafanzüge und einen auffallend schönen Bademantel. Sein Leben bewegte sich in einem sehr gleichmäßigen Takt, und als vor wenigen Wochen allein der Gedanke an die unvergessene Angelika zu einer empfindlichen Störung auswuchs, suchte Leonhard sich eine neue Gräfin.

Irene war am Ende zwar keine echte Gräfin, aber sie hatte das Zeug dazu: einen reichhaltigen Fundus an Klamotten, hochgestapelte Gedanken und einen bemerkenswerten Zug zum Höheren um Nase, Kinn und Mund. Sie war eingebildet wie eine Diva, entsprechend anstrengend, dabei überaus gutmütig, und sie liebte ihn mit einer Inbrunst, die sie sehr tief und Leonhard als verzweifelt empfand. Aber Leonhard hatte eine Schwäche für prätentiöse Frauen, die eine Schwäche für ihn hatten; sie werteten ihn an einer Stelle auf, von der er niemals geglaubt hätte, dass er sie überhaupt besaß.

Und gelegentlich bezahlten sie auch sein Leben.

5

Georg, Rosalie und Leonhard gehörten derselben Generation an, falls es so etwas wie eine Generation gibt. In Wirklichkeit werden Generationen von Jugendlichen und Opas erfunden, von den einen, weil sie das überzeitlich Allgemeine an ihren Träumen zu gering bewerten, das Ethos ihres persönlichen Lebensgefühls dagegen zu hoch; die anderen, weil sie das überzeitlich Allgemeine am Leben zu hoch bewerten, das Ethos persönlicher Lebensgefühle hingegen zu gering. Im ersten Fall war die Zugehörigkeit zu einer Generation etwas Erhabenes, im zweiten Fall war sie eher lächerlich.

»Ich habe nie gewusst, dass es Straßenlaternen mit orangenem Licht gibt, das macht überhaupt keinen Sinn, nur schummrige Straßen. Wahrscheinlich ist alles Ideologie, selbst das Laternenlicht.«

Rosalie hatte sich die Haare ganz kurz geschnitten. Sie trug einen schwarzen Rolli zum Winter und Schnürstiefel vom Flohmarkt. Auch Georg hatte sich einen schwarzen Rolli gekauft, auf ihren dunklen Fahrrädern vom Flohmarkt waren sie wie in Tarnfarben.

Der Westen war besetzt, dafür gehörte der Osten ihnen. Erst jetzt fiel ihnen auf, dass das Quartier, in dem sie wohnten, eine Halbinsel war. Früher hatte der Ring der Befestigungsanlagen, dann eine Zollmauer das Viertel vom Zentrum der Residenzstadt getrennt. Nach ihrem Abriss legte die hochgestelzte S-Bahn eine neue Barriere; zum Westen hin verhinderte die Spree die Durchfahrt, die Brücken waren gesperrt, ebenso die Zufahrtsstraßen; im Norden begrenzte die Pieckstraße das Terrain, dahinter begann der Berg, zu dem sie fuhren, um Leonhard abzuholen.

Rosalie liebte den Berg. Das Bergvolk, das dort lebte, war etwas feindselig, aber die Straßen waren großartig. Die wenigen Autos fielen kaum auf, aus den Häusern roch es nach Regen, nach Bratfett und Blumenerde. Die Kastanien hatten keine Blätter, ihre Zweige klagten verstört, wenn sie an ihnen vorbeiradelten. Georg und Rosalie blickten auf die breiten Kopfsteinpflasterstraßen, die verhuschten Menschen, die von Granaten angefressenen Häuser, abgewaschen von Krieg und Regen; Straßen ohne Ende, die eine ein Abklatsch der anderen, und an jeder Ecke gab es Zierfische.

Sie fuhren ohne Stadtplan, auf diese Weise konnten sie sich niemals verfahren. Rosalie gewöhnte sich rasch daran, nie zu wissen, wie es am Ende der Straße aussah oder wo die mutmaßlichen Friedhöfe lagen, auf denen die vielen U-Bahnen nachtsüber schliefen: Schönfließ, Schöneiche, Ruhleben, Fichtenau, Friedenau. Während sie die Dinge beobachteten, beobachteten sie einander, sahen sich an, wenn sie Obst und Gemüse auf dem Markt kauften und hoffnungslos amüsiert vor den vielen Begriffen standen, die sie nicht kannten. Und sie sahen sich selbst, gespiegelt in den riesigen braunen Fenstern, der leere Ährenkranz darüber, der alles war: Weltgeschichte, Weltfrieden und Weltschmerz.

Eines Vormittags saßen sie zu dritt an Leonhards Küchentisch und warteten ab, bis die Glocken die Kirche ausläuteten, der Pfarrer vom Widerstandskämpfer gesprochen hatte, von der unbefleckten Empfängnis und vom Paradies. Dies war die Zeit, in der sie losgehen mussten, um rechtzeitig zum Essen zu kommen.

Sie verließen die Wohnung und durchquerten die Straße ohne Eile, aber mit einem Ziel. Es waren nur wenige hundert Meter zum Krankenhaus, aber der Bademantel war für Leonhard selbst zu dieser Jahreszeit eine Pflicht. Vor der Kirche stand der Pfarrer, der seinen wenigen Gästen die Hand zum Abschied gab, seine Dankbarkeit war tief. Die Andächtler nickten knapp und bigott, ärgerten sich aber erst richtig über den Überschwang, als er Leonhard mit einschloss. Er begrüßte den Pfarrer mit einer freundlichen Umarmung, die Gemeinde stob leise murrend davon: Der Pfarrer hatte ein paar ganz feine Freunde. Er war jung, seine Haut blass und unruhig, die Kirche schlecht besucht, und der Einzige, der ihn umarmte, war Leonhard. Sie tauschten einige Sätze, wie Schulfreunde ihre Sammelbildchen. Der Pfarrer tauschte sehr gerne mit Leonhard.

»Das ist Henning. Wir sind zusammen in die Schule gegangen. Und das sind Rosalie und Georg.«

»Angenehm.« Henning gab ihnen die Hand, förmlich und ein wenig unsicher. Anschließend nahm er die Brille aus dem Gesicht und putzte sie umständlich.

»Sie kommen und gehen«, sagte er enttäuscht und blickte den Kirchgängern nach, die sich am Rande des Platzes vereinzelten.

»Aber sie kommen immer wieder.«

»Ja, sie kommen wieder. Aber ich glaube, sie hören gar nicht zu. Jedenfalls nicht mir. Nicht, wenn ich zu ihnen rede, da drin.«

Die Kirche stand offen, als wenn sie ausatmete. Henning schien nicht ganz unrecht zu haben. Es gab niemanden, der für den Pfarrer da war, aber der Pfarrer war immer für seine Gemeinde da; ein klassischer Fall von unerwiderter Liebe. Er tat alles für seine Schäfchen, die er seit einem Jahr behütete, schleppte den Alten aus dem Viertel sogar selbst die Kohlen aus dem Keller, weil der Gemeindediener zu gebrechlich war und in Wahrheit auch viel zu bequem. Zur Strafe für den hüterischen Einsatz aber senkte die Gemeinde Woche um Woche ihren Respekt: Ein Pfarrer, der mit gebeugtem Rücken in die Keller stieg und dreckige Kohlen schleppte, konnte nicht der Mann sein, der ihnen sagte, wie sie aufrecht zu glauben und sauber zu leben hatten. Leonhard hatte davon erfahren, als er im Krankenhaus Zeuge eines Gesprächs gewesen war, das unter einer Menge Husten einige sehr abfällige Bemerkungen über Henning enthalten hatte.

Er klopfte ihm auf die Schulter. »Es dauert seine Zeit«, munterte er ihn auf.

Leonhard war mindestens einen halben Kopf kleiner als Henning, ein weicher fester Körper. Das etwas runde Gesicht, die rotblonden Locken, der Bademantel, auf dem soeben eine Dohle einen Fleck verrichtet hatte. Eine warme Ruhe, ein inneres Frottee stattete ihn mit Sicherheit aus, der Unangreifbarkeit eines Schlafwandlers; ein Illuminierter, der unbehelligt den Versuchungen des Lebens trotzte und einer russischen Kaltfront.

Henning blickte ihn aus sehr hellen Augen an. Er stand gern in Leonhards Nähe, mochte seinen Geruch, nicht nach Seife oder Rasierwasser, aber trotzdem sehr einnehmend und angenehm.

Sie kamen auf die alten Häuser, die neuen Mieten und die Spekulanten, die ein oder zwei Kirchen weiter hügelaufwärts eine ganze Straße gekauft hatten, die Häuser saniert, ihre Bewohner zum Kapitalismus bekehrt und dann auf die Straße gesetzt hatten. Henning verfluchte die Spekulanten mit erhobenem Gesangbuch. Gleich musste es seinen dünnen blutleeren Fingern entgleiten und auf den Pflastersteinen zerbrechen.

»Wir werden uns wehren«, sagte er entschlossen. »Und ich kann mir nicht vorstellen, dass wir es nicht schaffen.«

Leonhard nickte. Er mochte den freundlichen Glauben des Pfarrers, der an das Gute glaubte, weil er sich das Böse nicht vorstellen konnte. Zu Friedenszeiten gereift wie in einem Eichenfass, war er bislang niemals wirklich mit der Luft der Außenwelt in Berührung gekommen, so dass der Idealismus noch perlte.

»Weißt du, es sind doch jetzt unsere eigenen Leute, die im Senat sitzen«, sagte Henning zuversichtlich. »Die haben nun das Sagen. Die kennen den Kiez hier, die können bestimmt das Schlimmste verhindern.«

»Bestimmt«, sagte Leonhard, der dies nicht glaubte. Hennings Idealismus trennte sie wie ein Ozean vor der Erfindung des Segelschiffs. Die Segelschiffe aber waren bereits ausgeschickt, sie würden den Abstand schnell verkleinern. Jeder Tag, der dem Ozean noch blieb, Hennings Leben vor der Verzweiflung zu schützen, war ein wertvoller Tag. Leonhard kannte einen oder zwei jener Leute, die Henning die eigenen nannte. Von denen, die ein Wir gewesen waren, waren sie die versteckten Ichs gewesen, die jetzt zu Mans wurden. *Man* konnte doch jetzt nicht einfach an der Realität vorbeisehen. *Man* musste sehen, dass die Stadt zukunftsfähig blieb. *Man* sollte gegenüber den Investoren Anreize bieten. Die vierte Person Singular regierte die Stadt, und die Politiker füllten die Zukunft nach den immergleichen westlichen Mustern aus wie die Kästchen eines Kreuzworträtsels.

»Ich glaube, diesmal wird alles besser. Diesmal sind wir am Drücker.« Das Licht fiel schwach durch die Bäume vor der Kirche.

»Aber es wird nicht von allein gehen. Es braucht Leute wie dich dafür«, sagte Leonhard, während er Henning den Arm um die Schulter legte.

»Glaubst du wirklich?« Ein freudiges Lächeln drängte in das Knabengesicht, im Gefolge ein schnelles Erröten.

»Natürlich. Wer machts denn, wenn du es nicht machst.«

Aus dem Erröten wurde glühendes Rot. Henning zuckte die Achseln und wischte ein weiteres Mal seine Brille. Er hätte sich gewünscht, dass Leonhard noch ein wenig blieb, und gern hätte er gewusst, wo Leonhard jeden Tag um diese Uhrzeit hinging, vor allem heute, wo sie zu dritt waren, aber er wagte nicht zu fragen.

Die Kirchenglocken waren jetzt still. Henning freute sich auf und über die Abschiedsumarmung und winkte ihnen hinterher.

Leonhard deutete auf die neuen Baugerüste vor den Häusern, Georg und Rosalie nickten. Zuerst waren es nur die fliegenden Händler und Imbissstuben gewesen, Forscher und Missionare im unerschlossenen Archipel, doch jetzt kamen die Handelsgesellschaften, der Staat mischte mit, und der Zement wurde von Leuten angerührt, die niemals hier wohnen würden. Die ersten Fassaden verschwanden in der Dunkelheit von Nacht und Korruption, Menschen verloren ihre Wohnungen, und die neuen Herren verzweifelten öffentlich, dass sie nicht auch noch die Mauern in den Köpfen einreißen konnten; die einzigen Mauern, die vor ihnen sicher waren. Schon hatten sie die Helden der Arbeit und der Partei von den Straßenschildern geholt. Bald würden viele Ureinwohner dem Weg ins Exil folgen.

6

Das Sankt-Hedwigs-Krankenhaus war aus denselben dunklen Backsteinen gemauert wie die Kirche, auch in derselben Zeit, verstrahlte aber deutlich mehr Transzendenz. Am Eingangsportal blickten gotisch gedachte Marien auf die Eingelieferten. Die Flure im Erdgeschoss mit arabeskem Fliesendekor siebenfach verrätselt, liefen auf eine dicke schwarze Nonne zu, die den Hauptdurchgang versperrte. Leonhard führte sie zum Hintereingang, eine schmale Zufahrt zum Hof. Er liebte diesen stillen friedlichen Innenhof, der nur den Blicken der Insassen gehörte, Bäume, ein Springbrunnen, eine Marmorgruppe, fußkranke Frauen wie reingemalt. Dem Krankenhaus angeschlossen war ein Altenstift, die Institutionen waren kaum zu unterscheiden. Niemals ermüdendes Licht beleuchtete die gewohnte Szenerie alltäglicher Geschehnisse in den unendlichen Fluren; der Geruch, die Arbeit von Putzmitteln und Generationen, das Quietschen der Kreppsohlen, die grauen hochglanzpolierten Linolböden wie Wasser.

Seit zwei Jahren schon kam Leonhard täglich hierher, der Bademantel ließ ihn unbehelligt durch die Flure laufen wie unter einer Tarnkappe; befugt wandelte er durchs Treppenhaus. Nie hatte ihn jemand gefragt, was er hier machte. Nach einer Weile hatte er sich angewöhnt, bestimmte Leute regelmäßig zu grüßen, Langzeitpatienten, Bedienstete. Sie grüßten gerne zurück, freuten sich über die Aufmerksamkeit, und gelegentlich blieben sie stehen und plauderten. Man schätzte ihn und betrachtete ihn als zugehörig, und es bestätigte ihn darin, zur rechten Zeit am rechten Ort zu sein. Die rechte Zeit und der rechte Ort war um halb eins der Speiseraum im ersten Stock. Warme, kostenlose und nahrhafte Mahlzeiten warteten auf diejenigen Patienten und Stiftsdamen, die es sich nicht nehmen ließen hierhinzukommen oder denen das Leben diese Möglichkeit noch nicht genommen hatte.

Leonhards Stammtisch umfasste ein Fähnlein älterer Damen, die allesamt im Altenstift ansässig waren. Die meisten von ihnen waren recht eindeutige Charaktere; nach vielen Wintern hatte sich das Leben in ihren Gesichtern für einen einzigen dominanten Zug entschieden und subsumierte den Restcharakter darunter. Solchermaßen in der Telophase des

Lebens angelangt, fanden sich alle Chromosomen wieder hübsch säuberlich geordnet, paarweise beieinander wie in einem Schuhschrank. Den geordneten Gesichtern entsprachen geordnete Bedürfnisse, und das Hauptbedürfnis aller war die ausgiebige Erläuterung von Krankheiten. Leonhard war ein anregender Gesellschafter auch dann, wenn er nicht sprach. Für das Leib- und Magenthema der Damen allerdings fühlte er sich gut präpariert. Sein Medizinstudium war nicht vergebens gewesen, es kam ihm zupass, um im Konkurrenzkampf der Krankheiten bestehen zu können. Die alten Damen waren sehr ehrgeizig und übertrafen sich unentwegt in ihren Gebrechen. Der ganze Stammtisch erschien als ein einziger Seuchenherd; kaum waren die Krankheiten ausgesprochen, hatten sie sich schon auf die anderen übertragen, nicht selten in doppelter Dosis.

»Wem sagen Sie das…?«

Leonhard hatte sich mehrere sehr ausgefallene Krankheiten zugelegt, einige waren sogar vom Aussterben bedroht. Die seltenen lateinischen Namen nötigten den Damen tiefen Respekt ab, und die Blicke, die sie ihm gerne schenkten, verrieten aufrichtige Bewunderung: so jung und schon so krank! Eifrig schlugen sie die neuen Krankheiten in einem medizinischen Lexikon nach, regten Fachgespräche an und behandelten ihn großmütig als einen der Ihren. Manchmal schoben sie ihm zur Stärkung einen Joghurt hin, nickten gutmütig und hoben ihm ein Kuchenstück auf. Erschien er eines Tages einmal nicht im Speiseraum, murmelte es an ihrem Tisch beunruhigt, Sorgen umwölkten die gekräuselten Stirnen, und dunkle Befürchtungen trafen Leonhard, den sie hoch über sich in schrecklichen Krämpfen wähnten, wenn er nicht inzwischen schon viel höher über ihnen war. So freuten sie sich jedes Mal, ihn bei Kräften am Stammtisch zu sehen.

»Der Herr Leonhard.«

»Meine Damen. Wir haben Besuch.«

Georg und Rosalie stellten sich vor, sehr zaghaft und verhalten. Leonhard rückte derweil die Stühle zurecht, knarzendes Linol, der heiße Kartoffelbrei auf den Tellern. Auch die Damen hatten den Brei gewählt, dazu Möhren, kleine Häufchen wie umgestürzte Säulen auf einer Ausgrabungsstätte, Breiburgen, die noch zur Decke dampften, gelb gestrichen wie das ganze Zimmer.

Während des Essens wechselten die Blicke. Vielsagende Blicke, Georg und Rosalie wurden aufgenommen, sortiert. Leonhard aß sehr langsam und sehr gründlich; durch die geschlossenen Fenster fielen Lichtnetze, die Zeit stand still.

Die erste der Damen hatte den Kartoffelbrei zusammengekratzt. Die Gabel klirrte auf den Teller. »Und Sie sind also …«

»Nein, nein, wir wollen den Herrn Leonhard doch erst aufessen lassen.« Die wortführende Barz, sich den Damenbart streichend: Offizierswitwe, die Haare graublau, in Stahlgewittern gehärtet, unbelehrt von aller Geschichte und ungebrochen. Sie war zweimal verheiratet gewesen, in den Dreißigern und in den Fünfzigern, ein Krieger pro Staat, und wollte die Kaffeetasse nach dem Essen immer gestrichen voll.

Sie aßen ihre Teller leer. Leonhard brauchte am längsten. Als er fertig war, verteilten sich feine Sprengsel Kartoffelbrei auf dem Bademantel; er verrieb sie mit dem Zeigefinger.

»Georg und Rosalie«, wiederholte die Barz. Streng und formal, als leite sie eine Musterungskommission.

»Sehr schöne Namen.« Die fromme Gruschwitz mit der Himmelfahrtsnase und den geschürzten Feinkostlippen, sie nippte am Glas; dass man auf diese Weise überhaupt trinken konnte, wie ein Spatz, dachte Georg, da ging auch kaum etwas in den Schnabel. Ihr Rock und die Bluse waren grau und abgewetzt; die besseren Sachen hingen sorgfältig im Schrank, aufbewahrt und geschont für einen großen festlichen Einsatz, der nie mehr kommen konnte.

Der Pudding wurde serviert; Instant-Pudding.

»Und Sie kennen den Herrn Leonhard von woher?« Wieder die Barz, das Verhör hatte erst begonnen.

»Von einer Vernissage.«

»Oh!« Die Damen zeigten sich betroffen. »Eine Vernissage.«

»Ich hatte einen Tag Ausgang«, erklärte Leonhard.

»Sie Glücklicher! Eine Vernissage.« Die Damen suchten nach Erinnerungen: Ob es Sekt gab?

»Es gab sehr viel Sekt.«

»Ich habe für mein Leben gern Sekt getrunken, wir haben ja auch viel gefeiert. Rotkäppchensekt. Den für die Großmutter.«

»Ja, den für die Großmutter.«

»Sekt. Sie wären mein Fall gewesen früher ...« Die lüsterne Salchow im fadenscheinigen Morgenmantel und mit Helfersyndrom. Sie studierte jede seiner Bewegungen, Namen konnte sie sich nicht merken. Leonhards Vergesslichkeit stand der ihren glücklicherweise kaum nach und machte ihn recht immun gegen ihre ständigen Wiederholungen.

»Sie müssen uns von dem Sekt erzählen, Herr Leonhard.«

»Ich durfte nicht so viel trinken.« Er besann sich seiner Krankheit: »Tropische Sprue.«

»Wem sagen Sie das ...?« Der gemeinsame Lieblingssatz, immer wieder gern gesagt.

Rosalie war merkwürdig zumute; eigentlich hätte sie jetzt ganz gerne gelacht, sie blickte Leonhard auf der anderen Seite des Tisches an, ein rotblonder Torso in Frottee. Leonhard aber war ganz ernst, zerteilte nahezu andächtig seinen

Pudding und lauschte den drei alten Damen, als ob er nie Spannenderes gehört hätte. Auch Georg war ganz ernst geblieben, hin und wieder rieb er sich durchs Gesicht, er beobachtete die Damen aufmerksam und ruhig.

Sie blieben lange, bis nach dem Kaffee, der den Damen noch immer feierlich war. Leonhard hätte nie solch laffen Kaffee getrunken, wäre er nicht bei ihnen, die es so liebten. Ein Luxus am frühen Nachmittag, Getränk der Erinnerung an frühere Wohnzimmer, Kaffeetafeln in Krieg und Frieden. Es war die letzte Viertelstunde, bevor es wieder hinüber ins Heim ging, Häkeln und Illustriertenkunde am Nachmittag, aufgewärmte Serien, den Derrick von der Stange am Abend.

Kein Windhauch bewegte die Kastanienbäume vor dem Fenster, als Rosalie ihr erstes Kompliment erhielt. Ihre Jacke wurde gelobt, eine Jacke vom Flohmarkt, irgendwas Dunkles mit Taille aus den Sechzigern. Kein Zweifel, sie mochten diese Jacke, wie auch Rosalie die Jacke mochte, oder besser doch nicht genau wie sie. Ihr war jetzt nicht mehr nach Lachen zumute; die Jacke hatte sie mit den Damen verbunden, sie war Enkeltochter, die junge Generation. Umgekehrt sah sie sich gleich darauf selbst als alte Frau, die sich fragt, ob ihr Leben glücklich gewesen ist. Ob sie sich noch schminken würde, so wie die Salchow, und wann wohl der Tag kam, an dem man sich das letzte Mal schminkte, und ob man es dann auch wusste? Sie betrachtete die Gruschwitz, die sanft auf Leonhard einredete, die feinkörnige Kette um den Hals mit dem Anhänger, der aussah, als ob er nicht mehr betrachtet würde, die Brosche, die nahe dem Faltenhals prangte, ein schön gemaltes garstiges Insekt auf einer welken Frucht. Und sie bewunderte, wie selbstverständlich Leonhard sich zwischen alledem bewegte, der Halskette, der Brosche, dem blassvioletten Lippenstift der Salchow, den Themen; wie er alle die UFA-Stars kannte, deren Namen hin und her wechselten, George und Albers, die kannte sie selbst, aber wer waren die anderen mit den Kindernamen? Wieder blickte sie zu Georg hinüber: Was dachte er?

Georg dachte nicht viel. Er tauchte langsam, ganz langsam in diese Welt ein, eine Welt, die aus der Zeit gefallen war und gleichwohl geatmetes Leben. Der Atem wurde lauter; je älter ein Mensch wird, umso mehr sieht man ihm an, dass er lebt; ein seltsames Leben, ein ewiger Blick in dieselben Gesichter, auf Bett, Tisch, Fernsehschirm und Hof, ein Licht draußen vor dem Fenster, das nur zum Reinschauen noch da war. Umso erstaunlicher schien es, dass Leonhards Zeitgefühl dem der alten Damen so sehr zu gleichen schien. »Ich habe gerade...«, hatte Leonhard mehrfach gesagt, aber das konnte vieles meinen: vorhin, gestern, vor Wochen, vor Monaten. Manches musste Jahre her sein.

»So netter Besuch. Ja, das ist es wirklich, netter Besuch. Nicht wahr? Sie haben netten Besuch, Herr Leonhard. Man wünschte sich ein Erinnerungsfoto.«

Frau Barz stimmte Frau Gruschwitz zu. Tiefes Bedauern.

»Beim nächsten Mal werde ich ein Foto machen«, versprach Georg.

Allgemeine Zustimmung. Nur Frau Salchow lehnte das Fotografieren ab, die Technik würde immer schlechter, irgendwann hätte sie von Foto zu Foto nur noch älter ausgesehen.

»Wem sagen Sie das...«

Georg, Rosalie und Leonhard standen auf, lächelten freundlich in die Runde und schoben ihre Stühle an den Tisch.

»Passen Sie auf sich auf, meine Damen«, sagte Leonhard.

Sie umarmten sie alle nacheinander, fühlten sich ihnen sehr verbunden, auch wenn sie nicht in allem die Wahrheit gesagt hatten, und verließen den Speisesaal. Aus der halbgeöffneten Küchentür klapperte Geschirr, ein Teewagen stand im dunklen Flur, die verklebten Kaffeetassen aufgereiht zwischen silbernen Kannen. Ganz benommen traten sie aus dem großen Tor, die Kastanienbäume standen knorrig im Licht, einem sehr hellen Licht, von kältester Wirklichkeit, dass die ganze Welt darin aussah, als stamme sie aus einer fernen Vergangenheit.

Drei Wochen nachdem sie Leonhard kennen gelernt hatten, war es ihnen bereits unmöglich, sich ein Leben ohne ihn vorzustellen. Für Rosalie waren es die vielen intimen Kenntnisse der Stadt und der Menschen, die seine besondere Art ausmachten, der Charme, mit dem er sein Leben lebte, als koste es keinerlei Anstrengung. Georg hingegen faszinierte die erklärte Ziellosigkeit, die Leichtigkeit, mit der er sich allen äußeren Ansprüchen entzog. Selbst Irene gehörte erstaunlicherweise dazu; sie bekamen sie nicht zu Gesicht.

In der Krausnickstraße entfaltete sich das Leben. Gemeinsam mit Leonhard suchten sie nach versteckten Ostwaren, Erfurter Nudeln, Marzipan aus Erbsbrei, Greußener Salami und Zitronat aus unreifen Tomaten und probierten nach und nach alles aus. Man musste mitunter weit fahren, solche seltene Kostbarkeiten zu ergattern, Margarinen wie *Sana* und *Sonja* und Thüringer Kloßmasse.

Auch Franziska und ihr Freund Stefan ließen sich davon anstecken und überraschten mit Einladungen zu eigentümlichen Ostessen. Franziska hatte auch eine Haartönung von erstaunlicher Wirkkraft ausgemacht, ein Produkt namens *Florena*. Sie standen in ihrem Badezimmer und lachten, während Rosalies Haare rot und roter wurden. Ihr Verhältnis aber verharrte auf demselben Niveau wie zuvor; sie waren Freundinnen, doch Franziskas hauptsächliches Interesse galt noch immer der Linienstraße. An den Wänden im großen Zimmer hing das Plakat eines Künstlers, den Rosalie nicht kannte; ein Veranstaltungskalender, die Spielpläne von Theatern, Zettel mit Adressen und Notizen, mit Stecknadeln auf einer Pappe.

Sie sah sich im Spiegel mit neuen roten Haaren, das helle Muster auf den Fresken des Altanstrichs. Jenseits des Fensters konnte sie den Frühling, die Häuser riechen, fühlen.

7

Am 12. April 1991 schickte die Wohnungsbaugesellschaft Mitte Georg und Rosalie einen Brief, in dem sie auf einem Abnahmetermin für die von ihnen geleisteten Sanierungsarbeiten bestand: warmes Wasser in Küche und Bad sowie allgemeine Beheizung. Am gleichen Tag, dreißig Jahre zuvor, hatte Jurij Gagarin zum ersten Mal in der Kapsel der Vostok 2 die Erde umrundet; die Wohnungsbaugesellschaft kümmerte dies nicht. Georg und Rosalie wiederum kümmerte der Brief der Wohnungsbaugesellschaft nicht, er flog schneller in den Müll, als Jurij Gagarin dafür benötigt hatte, die Erde zu umkreisen; einhundertundacht Minuten.

Es war wärmer geworden; eines Tages ruhten die Kohleöfen, und die Stadt roch frisch, manchmal sogar nach Meer. Auf der Halbinsel blühten die Hinterhöfe und Trümmerfelder. Rosalie war großartig gelaunt; das warme Wetter inspirierte sie. Auf dem Flohmarkt in Treptow entdeckte sie ein Buch, es hieß: *Die Misshandlung*. Das war nicht weiter bemerkenswert, aber der Untertitel berührte sie stark: *Der freihändige Gang über das Geländer der S-Bahn-Brücke*. Sie kaufte das Buch sofort; es war ein sehr ernstes Buch, voller 70er Jahre, und blieb weit hinter ihren Erwartungen zurück.

»Aber der Untertitel ist großartig«, sagte Rosalie. »Das

Gefühl, das darin liegt, ist unglaublich. Dieses Gefühl müsste wirklich gelebt werden. So dass wir ...«

»So dass wir was?«

»So dass wir es ausprobieren sollten.«

»Ich weiß nicht, was du meinst.«

»Den freihändigen Gang«, sagte Rosalie ganz ernst, »über das Geländer der S-Bahn-Brücke.«

»Und über welches?«

»Wahrscheinlich alle«, sagte Rosalie lapidar, während sie den Fahrradschlüssel vom Küchentisch nahm. »Wahrscheinlich ist man erst wirklich sicher und frei, wenn man über alle S-Bahn-Brücken der Stadt freihändig balanciert ist. Und dafür schlage ich als Erstes die Brücke in Treptow vor.«

Der Himmel im schönsten Filmblau, die Dächer badeten im Sonnenlicht; Bäume im Wind wie ein schläfriges Meer. Die S-Bahn-Brücke in Treptow beschrieb einen Bogen, einen sanften Bogen, aber das Geländer buckelte etwas. Rosalie hatte sich Wanderschuhe angezogen, Shorts und Wanderschuhe wie eine Bergsteigerin, aber das buckelnde Geländer erzeugte unverzüglich ein mulmiges Gefühl. Georg bemühte sich, ihr jeden Versuch auszureden.

»Wenn du mich nur ein bisschen liebst, dann steigst du niemals darauf.«

Sie setzte den ersten Fuß aufs Geländer.

Georg stürzte auf sie zu und hielt sie fest, Rosalie beschwerte sich heftig, sie riss sich los, ihre Augen duldeten keinen Widerspruch: »Geh sofort zurück.«

Er gehorchte.

Rosalie setzte den gleichen Fuß auf das gleiche Geländer, wie eine halbe Minute zuvor.

Im Bahnhof quietschte die S-Bahn.

Sie blickte nach unten, Autodächer, die unter ihr verschwanden. Sie zog den anderen Fuß nach, eine winzige Sekunde; dann sprang sie zurück.

Georg war sofort bei ihr.

»Ich liebe dich nicht ein bisschen«, sagte Rosalie. »Ich liebe dich sehr. Und mich«, fügte sie hinzu, »liebe ich auch. Das Geländer ist viel zu gebogen.«

Wenn Georg gedacht hatte, dass alles überstanden sei, hatte er sich getäuscht. In den nächsten Wochen erkundeten sie mit Leonhard nahezu alle S-Bahn-Brücken des Ostens und prüften die Geländer. Sie radelten über den Alexanderplatz, am Kosmonauten-Fries vorbei und am Haus des Lehrers, blaugrau und mit einem bunten Kinderbild wie aus Lego. Meistens aber zog es sie jetzt weit aus der Mitte heraus in die vielen ungezählten Orte aus Rändern, die Stätten der unbegrenzten Grautöne. Auch Franziska und Stefan kamen häufig mit, obwohl Franziska gemeint hatte, dass sie schon alles kannte. Erfreulicherweise zeigte sie sich von vielem genauso überrascht wie Georg und Rosalie, und Stefan war angenehm, ohne aufzufallen.

Sie fuhren zum Müggelsee und stahlen sich durch den gesperrten Spreetunnel. Auf der anderen Seite fehlte das Schloss, dafür krumme Kastanien, Brennnesseln, die an den Beinen juckten, einladendes Wasser.

Es gab mehr Bahngleise als Wasserwege, deshalb gab es auch mehr Kleingartensiedlungen als Angelclubs. Leonhard führte sie nach Hellersdorf und Hohenschönhausen, und hier war ihnen wieder so wie im Winter in Mitte und am Berg, so als erforschten sie einen geheimnisvollen Planeten. Sie irrten vorwärts durch die trostlose Wüste von Zwischenräumen, Garagenplätzen mit Schießscharten, dazwischen Bettlaken auf den Balkons, sichtbare Spuren von Leben, die alles noch trostloser machten; es waren dieselben alten

Menschen, die hier wohnten, und nicht eine andere sozialistische Spezies. Zwischen alledem suchten sie sich ihre malerischen Orte, stiegen vom Rad, kletterten auf Garagen und Dächer und setzten sich auf versteckte Kinderspielplätze ohne Kinder, in Jugendheime ohne Jugend. Stefan gab Franziska Schokolade, die sie gierig in sich hineinstopfte, wie ein glückliches Kind. Nachher schmierte sie sich die Finger an der Hose ab, und Georg war froh, dass sie sich in der Sonne streckte und grinste und nicht von der Linienstraße sprach. Sie überlegten, was sie den Sommer über tun wollten, und ließen es dann auf sich zukommen.

Rosalie balancierte nicht, und sie unternahm auch immer weniger Versuche dazu. Georg war sehr beruhigt; eine Zeit lang hatte er geglaubt, dass Rosalie vielleicht zu weit gehen würde, dass es passieren konnte, dass sie die Wirklichkeit aus den Augen verlor. Die roten Haare, die Idee mit den Geländern. Jeder weitere Schritt, und er hätte sich Sorgen um sie gemacht.

Es folgten keine weiteren Schritte.

Den Nachmittag verbrachten sie alle beim schnoddrigen Mexikaner. Der erste und einzige Mexikaner hinter der Tankstelle gegenüber dem Stadion der Weltjugend.

Der Mexikaner kam aus der Tür geschossen. Er war kein Mexikaner, nur schnoddrig und mit dem Gestus eines nach Texas verschlagenen Chicanos; ein Hamburger, der sich in dieser Einöde angesiedelt hatte.

Leonhard war schon immer hierhergekommen; schon immer seit Ende der Friedenszeit. Er liebte den Wüstencharme der Cantina. Sie lag mitten in der Stadt und zugleich auf einem Feld, drum herum nur versprengte Platten. Die Satellitenschüsseln, der Sex-Shop und der Laden für Autozubehör waren schon da. Das ganze Areal war gerade von einem Pharmakonzern gekauft worden, und mittendrin lag das Stadion; ein wichtiger Bau, grau ausladend und geschwungen, und innen war es ganz still. Millionen hatten hier ihre Weltjugend verbracht. Man hörte die Vögel singen, die Aschebahn züchtete Brennnesseln. Die wackelige Tribüne voller Unkraut und Ruhm klapperte im Wind: So machte es noch immer eine Menge Eindruck auf sich selbst.

Der Mexikaner servierte das Essen; der alte Asterix-auf-Korsika-Witz wechselte hin und her: »Gutes Essen, nichts von dem Zeug für die Gäste.« Auf dem Tisch standen Encheladas und Tortillas, dazu Bohnen und bunte Salate in grellen Farben, grün und rot und strohgelber Mais.

»Weißt du, jeder Mensch braucht einen Platz in der Welt. Und dies ist nun meiner.« Der Mexikaner fläzte sich auf eine der Holzbänke vor der Cantina und blinzelte in eine gut versteckte Sonne hinter den klobigen Wolken.

Leonhard wendete nicht einmal den Kopf. Er hatte sich ganz dem Essen hingegeben und seine Klamotten gleich mitversorgt. Rosalie war überzeugt, dass niemand auf der Welt so langsam und ungerührt essen konnte wie Leonhard. Er trug sein geringeltes T-Shirt, von dem niemand sich mehr vorstellen konnte, wie es heute Morgen ausgesehen hatte.

Franziska und Stefan spielten Backgammon.

»Schön ja, aber zu viel Krach«, sagte Leonhard.

»Überall ist Krach«, der Mexikaner breitete die Arme aus.

Rosalie blickte in den Juni. So viele Hunde, wo waren die im Winter? Man musste sich überheizte Stuben vorstellen, Kunstledersessel, Couchtische mit Rauchglas, Aschenbecher; da waren die Hunde im Winter.

»Tasmanien«, sagte Leonhard zwischen zwei Bissen. »Der letzte Ort. Ultimativ. Bestes Klima, wunderschöne Grasflächen, vor allem im Hochland. Eukalyptusbäume mit silbernen Sichelblättern und immergrüne Buchen, das ganze Jahr. Die Baumfarne werden hoch wie Häuser.«

Der Backgammonwürfel klackte.

Franziskas Kichern.

»Baumfarne? Klingt feucht.« Der Mexikaner runzelte die Stirn. »Meinst du wirklich, so ein Klima tut gut?«

»Nicht zu warm und nicht zu kalt.«

»Wie im Auto, oder in einem Haus mit Heizung und Klimaanlage?« Der Mexikaner verschwand im Dunkel der Cantina.

Franziska blickte auf. Sie war mehr für Neuseeland; aber natürlich auch noch nicht da gewesen. Die Vor- und Nachteile beider Länder wechselten hin und her. Selbst Rosalie beteiligte sich daran.

»Tasmanien«, wiederholte Leonhard. »Tasmanien ist besser. Landschaft, wie Landschaft sein muss. Binnengewässer, Berge und Regenwald, in dem man nie schwitzt. Fetzenwolken das ganze Jahr.«

Georg sagte nichts; er passte zur Gegend. Er lag still auf der Bank, hörte die Autos, vereinzelt ferne Rufe und das warme vertraute Murmeln der Stimmen neben sich. Er dachte daran, wie er sich schon als Kind vorgestellt hatte, dass man die Welt einfach rumdrehte und sich reinfallen ließ in den weichen Plunder und dann wartete, wie all die Häuser, Bäume, Tankstellen, das ganze schlecht festgeklebte Zeugs, einem nach und nach auf den Kopf fiel.

Der Mexikaner kam zurück, Bierflaschen im Arm. Er gab sich noch nicht geschlagen und rühmte den Blick auf die Tankstelle, wo ab und an große Mädchen aus hübschen Autos kletterten, sich reizvoll streckten und Fußmatten ausklopften.

Abgerissene Plakate, darüber frische. Irgendwer *in con-*

118

cert. Menschen, die im Wetter herumliefen. Georg schloss die Augen. Klickklack. Scharren. Jetzt lachte Stefan.

Kratzender Joghurtlöffel. »Das gelobte Land der Naturforscher. Denk nur an den Beutelwolf. Man sagt, die eingeschleppten Dingos hätten ihn ausgerottet. Man sagt, das letzte freilebende Tier wurde im Jahr neunzehnhundertdreißig geschossen. Keiner mehr gesichtet, seitdem. Nur noch Fußspuren. Aber es gibt ihn noch, sie verstecken sich da in Tasmanien, und sie verstecken sich verdammt gut.«

Mit wem sprach Leonhard?

»Hey Udo.«

Am Nebentisch ließen sich jetzt Gestalten nieder, Punks mit Streifenhosen, orangenen Haarkämmen, Springerstiefeln und Lederjacken, bemalt und bekritzelt wie Schiefertafeln; vom Berg heruntergestiegen und durch die wüste Stadt gegammelt.

»*Uschpudu.*« Der Mexikaner trollte sich zu ihnen. »Weiß einer von euch, was das heißt? *Uschpudu?*«

Gähnendes Nichtwissen.

»*Ich komme!* Ist Tschechisch«, begann er weltläufig. »Porno-tschechisch.«

» – ?«

»'n Freund von mir war jetzt im Winter drüben, CDs verticken, schwarz gebrannt, und am Abend hat er sich 'ne Braut von denen genommen, so eine von der Straße...«

»Na klar.«

»Haare bis über die Augen; als er sie schließlich genagelt hat, ist es ihm dann eingefallen, dass er ja Tschechisch kann, aus den Tschechen-Pornos, die er so kannte: *stolni excelenti:* Du bist klasse. Und *uschpudu.* Könnt ihr euch vorstellen, wie die Alte geguckt hat?«

Lachen.

»*Uschpudu, eh, uschpudu!*«

Schwächeres Lachen.

»*Uschpudu*, Alter, das knallt dir den Kopf weg.«

Georg öffnete die Augen. Die alte Kaufhalle neben dem Stadion, die keine Einkaufswagen hatte, dafür Milch und Kakao in Plastikbechern, blaue und braune Plastikdeckel mit Strohhalmen dazu. Manche Dinge wurden wirklich neu: die neue Tankstelle, eine Buchhandlung mit Antiquariat, Sozialistica für Touristen, die kackbraune Stalinausgabe, vierzig Bände, das Stück für drei Mark. Das Gute arbeitete sich durch die Straße; der Aufschwung. Er war überhaupt nicht daran beteiligt, aber der Aufschwung kam und kam. Er legte den Kopf zurück auf die Bank.

»*Stolni excelenti.*«

Leer. Kein Lachen mehr.

Der leichte Wind fasste das Hemd.

Rosalies Murmelstimme.

Franziskas Murmelstimme.

Er war müde, und er wollte, dass die Müdigkeit niemals aufhörte, und wenn er jetzt sprechen sollte, würde er seine eigene Stimme von fern, von weit weg hören, wie dieses Murmeln rundherum, eine Stimme, die gar nicht mehr ihm selbst gehörte, nicht einmal zu ihm passte, so wie er selbst vielleicht gar nicht zu sich passte, festgeklebt an die Zufallsblicke der anderen, die ihn liegen sahen, auf der Holzbank, vor der Cantina, im letzten Licht vor dem Schatten des Stadions, der langsam, ganz langsam näher kroch, bis er ihn hatte, ihn und seinen erkaltenden Körper mit viel Schlaf darin, und auch das Murmeln leiser wurde und schließlich ebenfalls erkaltete in der Straße von Süd nach Nord, die gerade sein Alles war und doch eine Fußnote, weil alles Fußnote ist in der Naturgeschichte des Sommers.

Rosalies Hand in seinem Haar; langsames Zausen; zärtliche Griffe in die Seele.

»Arbeit ist eine Falle, die die Menschen vom Denken ab-hält.« Leonhards Stimme, nah, warm und vertraut.

»Weiser Satz«, die Stimme des Mexikaners. »Woher?«

Georgs Augen öffneten sich erneut; die Häuser lösten sich im Nachmittag auf.

»Aus einem Roman.«

»Aus welchem?«

»Einem ungeschriebenen«, sagte Leonhard beiläufig und kratzte sich einen großen rosafarbenen Joghurtfleck vom T-Shirt.

»Bodenlos«, sagte der Mexikaner kopfschüttelnd und wischte den Tisch ab. »Bodenlos«, sagte er und drehte sich beifallsuchend zu den anderen um: »Also wirklich.« Dann brachte er die leeren Bierflaschen rein.

8

Anfang Juli verließ Leonhard die Stadt. Sein Onkel und sei-ne Tante hatten ein Strandhotel auf Usedom geerbt; Rück-gabe vor Entschädigung. Die Entschädigung wäre ihnen lie-ber gewesen, sie hatten weder Zeit noch Lust, sich um das Objekt zu kümmern, und bestimmten ihren Neffen zum vorübergehenden Verwalter. Leonhard hatte sich kurz und vergeblich dagegen gesträubt, er war der einzige Angehöri-ge, und er hatte Zeit, wer sonst hätte ihnen helfen können? Schließlich packte er eine kleine Kunstledertasche, erzähl-te den Damen im Krankenhaus etwas von einer Spezialkli-nik und einer Kur und fuhr mit dem Zug in Richtung Ost-see. Georg und Rosalie auf dem Bahnsteig des Ostbahnhofs winkten ihm nach.

»Wir kommen nach«, rief Rosalie.

»In ein paar Tagen«, versicherte Georg.

Es wurden mehr als ein paar Tage, bis sie fahren konnten, weil Rosalies Mutter ihren Besuch erst verschob und dann länger blieb, als sie zuvor gedacht hatten. Rosalie hatte einen Zahnarzttermin, und Georg hatte sich angeboten, ihre Mutter vom Bahnhof Zoo abzuholen, eine symbolische Geste des Entgegenkommens. Rosalies Mutter stand auf dem Bahnsteig mit einem schweren teuren Koffer, ihre Haare waren erstaunlich blond, ihr Kostüm gestrafft. Sie nahmen die S-Bahn, diese postgelben Wagen, die noch immer neu gemeint gegen ihre dreckige Umgebung abstachen. Die altbewohnten Stadtteile des Westens kannte Rosalies Mutter, sie war als junges Mädchen hier gewesen; der Osten, den sie nicht kannte, übertraf, wie erwartet, ihre Erwartungen an Schäbigkeit. Schon während der Fahrt dachten sie unausgesetzt aneinander vorbei, und das Gefühl sollte sich in den kommenden Tagen bestätigen; Georg und Rosalies Mutter sagten sich wechselseitig nichts. Für Georg war Rosalies Mutter eine prätentiöse Arztgattin in den Wechseljahren, nutzlos zurückgeblieben aus der Tennisclubepoche des letzten Jahrzehnts. Für Rosalies Mutter war Georg ein weltfremder Träumer, der nicht wusste, was er wollte, und seine Hausaufgaben im Fach Arrivierung unnötig hinauszögerte.

Dass Rosalies Mutter ihren Lebensstil für weltzugewandter hielt als den seinen, hätte Georg verletzen können. Er ignorierte sie weitgehend, um sich zu schützen: eine Ertrinkende, die Schwimmzeugnisse ausstellte. Sie hatte nie gearbeitet; nun schüttelte sie den Kopf über Georgs freiwillige Arbeitslosigkeit. Rosalies Mutter kritisierte die Wände mit dem Altanstrich, ihre spärliche Einrichtung und ihren Lebensstil. Sie verstreute fortwährend Urteile, und Rosalie, die im Vorfeld zuerst unsicher gewesen war, sich dann doch ein wenig über den Besuch gefreut hatte, war schließlich vollkommen genervt. Woher bloß nahm ihre Mutter die

Selbstsicherheit, in den Innereien ihres Lebens herumzupulen, ohne jede chirurgische Kenntnis? Glaubte sie wirklich, dass es genügte, die Frau eines Kleinstadtarztes zu sein, um über das passende Instrumentarium zu verfügen, alles zu beurteilen? Wie fremd ihre Mutter ihr über die Distanz geworden war.

Vielleicht wäre es besser gewesen, ihr Vater wäre mitgekommen, wobei sie sich nicht sicher war. Gewiss hätte er sie besänftigt und ihrer Mutter die Möglichkeit genommen, in seinem Namen zu sprechen und zu mahnen. Andererseits machte ihr die Vorstellung geballter Elternmacht mindestens ebenso schlechte Laune wie ihre Mutter allein, und ihr Vater wäre ohnehin nie mitgekommen. Er war in Bayern aufgewachsen, und das Rheinland, in dem er seit dreißig Jahren lebte, erschien ihm bereits als die höchste der Zumutungen, an Berlin wollte er gar nicht erst denken. Er hatte es seiner Frau überlassen, die Stätten der Vereinigung zu sichten, und Rosalies Mutter stand fein und adrett auf dem Siebzehnten Juni und blickte nun abwechselnd auf das Brandenburger Tor und auf Georg und Rosalie und lobte die Wiedervereinigung; sie betonte vor allem das *wieder,* die lange erwartete Konzession an den Westen, ein fälliges Geschenk für Leute wie Rosalies Mutter. Trotz allem rümpfte sie noch immer die Nase über die vielen Ossis; also doch kein Geschenk, eher ein Tribut.

Beim Gang durchs Viertel sprach sie sehr laut über Ossis, wie über Bedienstete, sie behandelte sie, als seien sie gar nicht anwesend. Rosalie drückte sich eilig durch die Straßen und suchte laute Restaurants, in denen sich die Gespräche zwangsweise vereinzelten. Sie fuhren in den Westen nach Charlottenburg: Kopfsteinpflaster, Kastanienstraßen, weiße Schnörkelfassaden, ein Quartier, tot und ordentlich, wie ein gut gepflegter Zoo. Ihre Mutter kam zur Ruhe. In einem kleinen abgedunkelten Café hörte sie Rosalie das erste Mal ein wenig zu. Rosalie erzählte von der Linienstraße, von Leonhard, von dem Flair, das sie mit ihrer Art zu leben verband. Das Licht in den Fenstern wurde fahl, Rosalies Mutter bezahlte den Kuchen.

»Du musst wissen, was du tust«, sagte sie zwei Tage später beim Abschied, »aber dein Vater wird nicht sehr erfreut sein.«

Rosalie wusste, was sie tat. Sie umarmte ihre Mutter und winkte ihr hinterher. Der Zug glitt davon, stromlinienförmig, nur am Speisewagen etwas verdickt, wie ein Python, der ein Kaninchen gefressen hat.

Rosalie ging die Treppen hinunter in den dreckigen Bauch des Bahnhofs. Sie fühlte sich leer und verbraucht, wie ausgesaugt. Wie unpassend, dass man sich seine Eltern nicht aussuchen konnte; nicht einmal die Gefühle, die man für sie empfand.

Den Tag darauf fuhren Georg und Rosalie nach Usedom. Es konnte nur gut sein, jetzt rauszukommen, und sie freuten sich auf Leonhard. Das Auto gehörte Franziska, die nichts dagegen hatte, es unbefristet zu verleihen; sie boten ihr Geld an, und sie wies es so kurz zurück, dass schnell klar wurde, wie nötig sie es brauchte; die Arbeit in der Linienstraße reichte nicht zum Leben.

Die Ausfallstraßen nach Norden waren voll mit Baustellen, die Morgenluft roch nach Laub und Benzin, und der Verkehr floss sehr langsam. Sie brauchten mehr als eine Stunde, um aus der Stadt zu kommen. Die Autobahn hinter der Sektorengrenze hingegen war nahezu leer, in den Wäldern lag noch die Ruhe der Nacht.

Es war das erste Mal, dass sie die Stadt verließen, seit sie vor einem dreiviertel Jahr hierhingekommen waren, und das Gefühl war dem Gefühl Robinsons vergleichbar, als er nach vielen Monaten erkannte, dass seine Insel eine Rückseite hatte, wo tatsächlich Menschen landeten. Die Autobahn endete sehr bald, eine Attrappe für Städter, die nie hinausfuhren. Was man von der Landstraße aus sehen konnte, war eine ganz andere Welt, stiller und verschlafener als alles, was sie kannten. Sie frühstückten in einem Dorf, das keine befestigten Bürgersteige hatte, nur Sand, und Rosalie sagte, dass sie sich wie in Polen fühlte, obwohl sie dort nie gewesen war. Sie parkten das Auto im Schatten einer Ulme und starrten minutenlang auf den Dorfteich.

Auf dem weiteren Weg machten sie überall Halt, am kleinen angestaubten Heimatmuseum, in der sozialistischen Modellbausiedlung aus grauen Tagen auf grüner Wiese und den vielen blutwurstroten Backsteinkirchen, die aussahen, als ob sie Fachbücher über Gotik illustrierten. Rosalie fiel wieder ein, dass sie eigentlich Restauratorin hatte werden wollen. Wie schön musste es sein, in einem dieser verschlafenen Ostdörfer eine Kirche zu restaurieren, ein Fresko freizulegen, die Finger an der gekälkten Wand, der feuchte Atem der alten Mauern unter den Händen und die Stimmen der Singvögel vor dem Fenster.

Am frühen Abend sahen sie hinter Anklam das erste Mal Meer und fuhren rüber auf die Insel. Telegrafenmasten kamen ihnen entgegen; die Felder waren ganz in rötliches Licht getaucht, und die kleinen Häuschen wirkten so lange unwirklich, bis die Betonbauten dazwischen auftauchten, FDGB-Heime, wie Raumstationen in diesen so irdischen Dörfern. Dann die Seebäder, Ahlbeck, Heringsdorf und Bansin, ein verlotterter Lido, vom Seewind verwaschen: abgesprungenes Holz, verwitterter Putz und vergilbte Fassaden, Geisterstädte, die Türen verrammelt, mit einem Zauberspruch versenkt in vierzigjährigen Schlaf.

Rosalie fragte sich, welches dieser gebannten Schlösser Leonhards Verwandte wohl geerbt hatten, sie kramte nach dem Lageplan, den er ihr beim Abschied gegeben hatte, aber der Weg führte durch alle Seebäder hindurch auf einen dicht bewaldeten Hügel am Meer. Der Zufahrtsweg war schwer zu finden, und die aufgeworfenen Betonplatten schienen eher für Panzer gedacht als für nackte Kinderfüße. Überhaupt ließ der heiße, seltsam provisorische Beton an Militär denken, eine Serpentinenschneise im Buchenwald, gleich musste ein Schlagbaum den Weg sperren mit einem Posten. Sie fühlten sich wie in einem dieser seltsamen Filme, die ganz harmlos mit einem befremdlichen Weg beginnen und in einer grotesken Reihe absurder Morde und Verfolgungen enden, aber der Schlagbaum kam nicht, statt dessen lichteten sich oben auf dem Hügel die Bäume und gaben den Blick auf ein Forsthaus frei, ein verirrtes Österreich mit geschnitztem Holzbalkon, Geranien und gemaltem Tannen- und Hirschornament. Leonhard stand vor dem Haus und winkte ihnen heftig entgegen.

Die Umarmungen waren herzlich und voller Freude, es war ihnen, als ob sie einander sehr lange nicht gesehen hätten. Rosalie wusste nicht, ob sie jetzt lachen oder noch weiter staunen sollte, so merkwürdig kam ihr dieser Ort vor, aber Leonhards warme Umarmung löste alles auf in Lachen.

Als sie ins Haus hineingingen, meinte Leonhard: »Manchmal macht man sich in seiner Phantasie die wildesten Vorstellungen, aber dann ist das Leben noch viel abgefahrener als alles, was man sich ausgemalt hat.« Er schien sich wohl in seiner Rolle zu fühlen, als Gastgeber in diesem düsteren Forsthaus, und er hatte sich inzwischen verblüffend gut darin eingefügt, obwohl er sofort zugab, vor einer Woche ebenso überrascht gewesen zu sein wie sie. Georgs und Rosalies Erstaunen nahm zu, als sie sich in den Räumen umsahen. Das Forsthaus diente als eine Art Hotel, es gab zwei Etagen mit Gästezimmern, einen großen Speiseraum mit Holzvertäfelung, Kassettendecke, ausgestopften Vögeln an den Wänden, Mardern und einem Hirschkopf. Sogar Bedienstete gehörten zum Interieur, zwei ältere Damen mit adretten Zierschürzen und stumpfen Gesichtern.

Sie setzten sich in die Eckbank unter einem prächtigen Fasan. Das Personal hatte Wildschweingulasch gekocht, dazu Klöße. Leonhard quittierte die teilnahmslosen Züge der beiden Damen mit aufmunterndem Lächeln und lobte das Essen wie ein zufriedener Feriengast.

»Und wie lange wirst du bleiben?«

»Ich weiß es nicht«, sagte Leonhard. »Es gibt einiges zu tun.« Es schien wirklich seine Art zu sein, sich im Leben zurechtzufinden, indem er alles einfach so entgegennahm, wie es kam.

»Meinst du, das Wildschwein ist echt?«, fragte Rosalie. »Hier ist doch bestimmt schon lange kein Gast mehr gewesen.«

»Gefriertruhe«, regte Georg an, aber Leonhard hielt Wildschweine in dieser Gegend für naheliegender als Gefriertruhen. Im Übrigen waren in den letzten Tagen tatsächlich Gäste gekommen, eine Art Stammtisch in der Ecke von Luchs und Marder.

»Wer sind die alle? Und wem hat das Haus gehört?« wollte Georg wissen.

»Gute Frage.« Auch Leonhard wusste es nicht, aber der Respekt, mit dem die beiden Wirtschafterinnen ihm begegneten, ließ manches denken. Eine Zeit lang gingen sie alle möglichen Theorien durch, Staat, Partei und so weiter, die Leonhard allesamt für wahrscheinlich hielt. Sogar der Strand unter den Klippen war mit Stacheldraht abgesperrt. Nach dem Essen traten sie wieder aus dem Haus und gingen einige Schritte durch den Wald. Schwärzer waren Buchen nie, unsichtbare Möwen kreischten über sie hinweg, der Sand machte das Gehen beschwerlich. Mit einem Mal standen sie am Rand der Klippen, der Wind war stärker, tief unten am Strand lungerten, mit Kohle gezeichnet, leere Strandkörbe in der Dunkelheit, ein vertäutes Boot schaukelte im Mondschein. Aus dem Wald hinter ihnen ertönte das Bellen schwer zu verortender Hunde durch die Nacht.

Rosalie fröstelte und drückte sich näher an die Jungs. Nach einer Weile wurde ihr so kalt, dass sie zurückgingen. Leonhard zeigte ihnen ihr Zimmer, zwei Jägermeister auf den Nachttischen. Dann verabschiedete er sich. Fast merkwürdig, dachte Rosalie, dass Leonhard ein eigenes Zimmer hatte, in einem anderen Stockwerk, und dass er sie jetzt verließ. Sie zogen sich aus und krochen fröstelnd unter die gestärkte Bettdecke.

»Absolut grotesk«, sagte Georg.

»Absolut grotesk«, sagte Rosalie, kicherte fröhlich und schraubte den Jägermeister auf.

9

Als sie erwachten, brauchten sie einige Sekunden, bis ihnen klar wurde, wo sie waren. Hinter dem kleinen braungerahmten Kippfenster kratzten grüne Blätter und Zweige, der rosa Vorhang wölbte sich.

Sie sprangen beide aus dem Bett, duschten und zogen sich an. Von Leonhard im Speiseraum keine Spur, auch nicht in seinem Zimmer. Sie gingen raus zu den Klippen, von wo aus man jetzt über den Strand bis zu den fahlweißen Häusern nach Bansin gucken konnte; es war sehr warm, die Strandkörbe unten am Wasser standen leer wie in der Nacht. Vom weißen Sand bis ins Wasser erstreckte sich ein Steg, auf dem Leonhard stand, im blauen Bademantel, und Steine über das blanke Wasser flitschen ließ. Eilig kletterten sie die schmale Holztreppe an den Klippen hinunter. Rosalie war ganz außer sich und rief und winkte Leonhard schon von weitem zu.

Am Strand war nichts zu sehen außer dem einen Paar Fußspuren, das zielstrebig zum Steg führte. Zu beiden Seiten, in einiger Entfernung, sperrten Stacheldrahtrollen den Zutritt, die Leonhard gestern erwähnt hatte. Es war alles noch fremder, als es ihnen in der Nacht erschienen war.

Leonhard empfing sie auf dem Steg, und eine Zeit lang ließen sie alle drei ihre Steine flitschen, und Rosalie schaffte tatsächlich einen Achter. Sie hatte ihren schwarzen Rollkragenpullover angezogen und Schuhe und Strümpfe und zog alles sofort wieder aus, weil es an diesem Morgen schon so heiß war und man viel besser mit dem Arm ausholen konnte ohne den lästigen dicken Pullover. Auch Georg hatte sich seiner Schuhe entledigt, sein kariertes Hemd hing ihm aus der Hose, er warf seine Steine in einem Winkel zum Wind, den er für optimal hielt, aber Rosalies Achter blieb unübertroffen, während Leonhards Bademantel im Wind flatterte, die Sonne sengte ihm ins Gesicht, auf die Beine und in den Nacken; seine helle Haut färbte sich rötlich.

Beim Frühstück im Speisesaal waren sie nicht allein. Sie saßen unter dem Fasan, die Hosen hochgekrempelt, Waden und Füße mit Sand paniert, und Leonhard noch immer im Bademantel. Diesmal aber war die Ecke von Luchs und Marder gefüllt, ein Fähnlein älterer Herren mit strengen Gesichtern frühstückte fast wortlos, nur selten tuschelten sie kurz mit den beiden Wirtschafterinnen, ohne sich jedoch allzu familiär mit ihnen zu machen, und ab und an warfen sie Leonhard einen harten Blick zu. Als alle zu Ende gegessen hatten, kam einer der Luchse doch noch zu ihrem Tisch. Die letzte Höflichkeit, zu der er sich an diesem Morgen durchrang, war die Frage, ob er sich zu ihnen setzen dürfe.

»Na klar, machen Sie es sich nur gemütlich.« Leonhard hatte Krümel am Mund.

»Sie gehören zusammen?« Der Luchs saß kerzengerade im Polster, angespannt wie ein Inquisitor.

»Kann man so sagen«, sagte Leonhard. »Wir sind...«

»Aber der Erbe sind Sie allein?«

Der Luchs stellte weitere Fragen, teilnahmsvoll mit hartem Gesicht. Er hatte eine sichere Verhörtechnik, wahrscheinlich konnte er gar nicht mehr anders fragen. Als er schließlich gegangen war, ohne Georg und Rosalie eines Abschiedsblicks zu würdigen, sahen sie sich an. Es war klar, dass sich der Luchs als wahrer und legitimer Herrscher dieses Domizils verstand, und es war nicht schwer, sich vorzustellen, wie Luchs und Marder mit ihrer Jagdmessergesellschaft hier Hof gehalten hatten, mit Schäferhunden und sächsischem Timbre, scharf wie Lumpi, ein paar Russinnen im linken Arm, im rechten die Wodkaflasche.

In den nächsten Tagen erkundeten sie zu dritt die Orte Bansin, Ahlbeck und Heringsdorf. Es war erstaunlich zu sehen, wie schnell Leonhard Anschluss an die einheimische Bevölkerung fand. Ausnahmsweise hatte er sich ordentlich angezogen, jedenfalls in einer Weise, die Leonhard für ordentlich hielt. In Wirklichkeit passte der ausgemusterte Norwegerpullover nur zur Ostsee, nicht aber zum Wetter und wölbte sich ziemlich schlappig über seinem Bauch. Ungerührt fachsimpelte er vertraulich mit dem fleckigen Räuchermann in seiner weißen Kunststoffbude über Rauch- und Garzeiten, Makrelen und Aale. Der Mann rieb sich die Bartstoppeln, dass es knisterte, aber er hörte Leonhard tatsächlich zu, klebte die goldbraun geschrumpelten Fischleichen an spitze Eisenhaken, sorgfältig wie ein Dekorateur, und tat das Seine, das Gespräch in Gang zu halten. Als Leonhard die Makrelen bezahlt hatte, umständlich am Ende einer langen Suche nach Kleingeld, blickte der Räuchermann ihnen aus seinen großen nahezu wimpernlosen Augen nach.

Die Serviererin im Strandcafé war grau, sie ging weniger, als dass sie huschte, eine weiße Spitzenschürze, die sich an einen Schatten geklebt hatte. Gebeugt wackelte sie mit dem Tablett zwischen spärlich besetzten Tischen umher, seufzende Finger, die Milchkännchen rückten und Zuckerwürfel traktierten; aber Leonhard knackte auch sie. Er machte ihr Komplimente, bis sie errötete, und zum Lohn weihte sie ihn in ihre Sorgen um die Zukunft des Ortes ein, die neuen Eigentümer und Spekulanten, das Übliche also. Sie hatte Leonhard als einen der ihren erkannt, und so sehr Georg oder Rosalie sich auch darum bemühten, ihre Gunst zu erlangen, es blieb vergeblich. Eine Weile machten sie sich wechselseitig Vorwürfe und kritisierten ihren Tonfall. Rosalie meinte, dass Georg viel zu arrogant war, um das Herz der Einheimischen zu gewinnen. Georg wehrte sich. Eine Frau, die aussah wie Rosalie, den Kopf in den Nacken warf und laut über die Menschen um sie herum lachte, durfte sich nicht wundern, dass man sich ihr gegenüber verschloss.

Die ganze Mittagszeit über machten sie sich neue Vorwürfe; Leonhard grinste verschmitzt, wenn Rosalie oder Georg versuchte, ihn auf die jeweilige Seite zu ziehen, während sie zwischen alten Leuten auf der Promenade einherschritten und freudlose Familien sie streiften, das Einzelkind hintan, das nölte und sich langweilte.

Am Nachmittag hatten sie sich versöhnt. Hinter Bansin erstreckten sich grüne Felder mit Wohnwagen und Rentnern. Ein alter Mann in verblassten Shorts wusch Plastikge-

schirr in einer Zinkwanne ab, während seine Frau im Liege-
stuhl ihm aus einem Buch vorlas.

»Das ist wahres Glück«, sagte Rosalie gerührt. »Wenn
man sich zuhört oder sich vom anderen vorlesen lässt, nach
so vielen Jahren, in diesem Alter.«

Sie legte den Arm um Georgs Schulter und erinnerte ihn
daran, dass sie viel zu lesen haben würden in diesem Urlaub,
ihr ganzes Leben.

10

Der fünfte Tag brachte Besuch. Irene war am Vormittag mit
dem Zug eingetroffen, und am späten Abend kamen überraschend auch noch Franziska und Stefan.

Irene hatte, kaum dass sie angekommen war, Leonhard
für sich allein beansprucht, sie saßen Stunden in den Dünen und redeten miteinander, und nur gelegentlich konnte man Irenes Lachen irgendwo aus dem Sand hören, ein
sehr schrilles Lachen. Georg und Rosalie wunderten sich
über Leonhards Geschmack; selten hatten sie ein so überan-
strengtes Mädchen gesehen.

Franziska amüsierte sich derweil über das Forsthaus
und seine Bewohner, sie konnte sich kaum über die stump-
fe Freundlichkeit der Wirtschafterinnen beruhigen, beim
Abendessen tuschelte sie unausgesetzt über die Luchse am
Stammtisch, es war leicht zu sehen, dass ihre Gedanken die
gleichen waren, die auch Georg und Rosalie gehabt hatten.

Rosalie war etwas traurig gewesen, als Irene kam, und
auch ein bisschen irritiert, die anderen mit all den Taschen
und Rucksäcken in ihrem schon so vertrauten Forsthaus zu
sehen; sie bedauerte, dass ihr Dreier-Idyll nun ganz unvermittelt zu Ende gegangen war.

Franziskas scharfer Humor und ihr kehliges Lachen allerdings waren schnell nicht mehr vom Strand wegzudenken, ebenso wie Stefans sympathisches Lächeln und sein Talent, sich überall nützlich zu machen. Jeder suchte sich zwanglos eine eigene Nische. Stefan hatte eine Angel mitgebracht, eine echte Antiquität, wie man ihr unschwer ansah, aber zu ihrer Verwunderung gelang es ihm damit tatsächlich, Dorsche zu angeln, die Leonhard in der Forsthausküche fachmännisch ausnahm und eine entsprechende Senfsauce dafür zubereitete. Gemeinsam drehten sie den Fisch am Spieß über dem Lagerfeuer am Strand. Franziska erzählte richtig gute dreckige Witze und machte treffende Bemerkungen. Als sie über das geeignete Wort für die weißlichgelbe Farbe der Seevillen stritten, kam Franziska auf isabellfarben. Sie erzählte die Geschichte der spanischen Prinzessin Isabella, der Tochter Philipps II., die, als ihr Gemahl Anfang des siebzehnten Jahrhunderts Ostende belagerte, gelobt hatte, ihr Hemd erst nach Einnahme der Stadt zu wechseln. Da die Belagerung drei Jahre dauerte, hatte das Hemd die entsprechende Färbung angenommen. Irene lachte darüber so schrill, dass Franziska vielsagende Blicke in die Runde warf.

Es war nicht zu übersehen, dass Irene sich mit ihrer Rolle am Strand schwerer tat als die anderen. Sie war eifersüchtig, weil Leonhard ihr kaum mehr Zeit schenkte als Georg und Rosalie. Einmal kam sie gerade hinzu, als er Rosalie Komplimente machte, er lobte sie in ihrem kaffgelben Kleid.

Irene aber setzte sich demonstrativ neben ihn und fiel regelrecht in seinen Schoß. Sie küsste ihn mit Inbrunst, so, als wäre es das erste Mal.

Irene war ungemein fleißig, sie kaufte Lebensmittel in der Stadt ein und sorgte sich um alles. Sie sammelte den ganzen Tag: Reisig fürs Lagerfeuer am Abend, Kartoffeln von den

Feldern, Muscheln am Strand. Vor allem aber sammelte sie Leonhards kleine Aufmerksamkeiten. Von allen ihren Schätzen waren sie die größten.

Franziska erklärte die feurige Irene, wie sie sie nannte, für verrückt, und obwohl niemand etwas Feindseliges unternahm, war in den nächsten Tagen nur noch von der feurigen Irene die Rede. Georg bedauerte, dass Irene auf diese Weise wie ein Android unter ihnen lebte, der gar nicht wusste, dass er nicht dazugehörte. Rosalie dagegen meinte, dass die feurige Irene im Grunde selbst schuld daran sei, dass man sie nicht wirklich mögen könne. Außerdem sah sie es durchaus gerne, dass Leonhards Zuneigung zu Irene nicht größer zu sein schien als seine Verbundenheit mit ihnen beiden; und so hatte ihre Abweisung gleich zwei Motive.

Das Wetter war bisher durchgängig auf ihrer Seite gewesen; alle nutzten sie das Forsthaus fast nur zum Schlafen; Georg hatte mit Stefan und Franziska eine Art Strandhütte gebaut, in der die ganze Gruppe sich morgens zum Frühstück traf, gegen Mittag begann die Zeit des Lesens, die anderen gingen spazieren, man konnte weit an der Küste entlanggehen, unten am Strand und oben durch den Buchenwald. Gegen Abend brannte das Lagerfeuer und versammelte die Gemeinschaft um sich.

Die Blicke der Urlauber jenseits des Stacheldrahts waren vielsagend, und man konnte sich sicher sein, dass auch die Einheimischen inzwischen über die kleine anarchistische Kolonie tuschelten, die abends in der geblümten Wäsche des Forsthauses verschwand. Allein Leonhard blieb davon unbetroffen. Die Handwerker, Hotelbetreiber und Verkäuferinnen grüßten ihn im Ort wie einen alten Bekannten, so dass es nicht nur Georg und Rosalie schwer fiel zu glauben, dass er erst zwei Wochen hier war.

Nach zehn Tagen zeigte sich der Himmel das erste Mal bedeckt. Sie fuhren die Landzunge hinauf Richtung Peenemünde; Franziska, Stefan und Rosalie mit Franziskas Auto, Leonhard und Georg fuhren bei Irene mit.

Franziska und Stefan unterhielten sich lebhaft, zumeist war es Franziska, die lautstark auf ihn einredete. Rosalie starrte versonnen in die Landschaft aus Gras, Kühen und Rieddächern. Es gab Bücher, die hier spielten, ihre Großmutter hatte sie im Hängeregal über dem Fernseher verstaut, »Dass diese Steine Brot werden« fiel ihr ein, »Abendländische Tragödie«, »Wenn das Korn stirbt« und »Hoffen auf Morgen«.

Das Hinterland entließ sie, sie kamen zurück ans Meer. Rosalie lauschte dem Geplapper des Autos über schlecht geschuppte Panzerplatten, dann leiser ein Sandweg, der Wagen ruckelte und kam zum Stehen, sie stiegen aus. Bewachsene Dünen als Tarnkuppen, dahinter die graue See. Sie standen schweigend gegen die Brise und über bleichem Strandgut, verblassten Milchtüten und Knochenholz und kletterten wenige Minuten später dankbar zurück in die Autos.

Eine große schwarze Säurefabrik am Weg klapperte im Wind. Während sie vorbeifuhren, erzählte Stefan von Wernher von Braun und von der V2. Das Wort »Heeresversuchsanstalt« klang seltsam fremd, auch »Wunderwaffe« und »Versuchsserienwerk«. Irgendwann endete die Betonpiste, nichts als Kiefernwald und Sandgruben.

Wieder stiegen sie aus, diesmal war der Sand schwarz, das Luftwaffensperrgebiet lag völlig verlassen, die absichtslose Natur atmete teuflischen Gestank aus, den schweren muffigen Dunst der Bucht. Leonhard und Irene waren vorgegangen, und Franziska und Stefan ergriffen die Gelegenheit zu einem handfesten Streit.

Georg und Rosalie hatten sich auf eine Düne gesetzt

und blickten hinunter in den breiten schwarzen Krater. Sie schmierte sich Creme auf die Haut, sie war braun geworden in den letzten Tagen, ein schönes gleichmäßiges Braun, Georgs Hautton war unruhig, mehr Rot als Braun; trotzdem war es Rosalie, die sich eincremte.

»Der hat mich beschissen, der Sack.«

»Welcher Sack?«, fragte Georg.

»Der Verkäufer in Bansin. Das ist Sonnenschutzfaktor sechs, ich wollte zehn.«

»Du bist braun.« Der Sack war ein magerer alter Mann gewesen, mit Schnäuzer, in Schlappen, aber sehr freundlich; liebenswürdig sogar.

»Hat mich trotzdem beschissen.«

»Darauf kommt es nicht an.«

»Es kommt immer darauf an. Ein einziges Mal, dass du nicht aufpasst, und sie bescheißen dich.«

»Das ist egal.«

»Das ist, verdammt, nicht egal. Es ist nie egal, es kommt immer darauf an, jede Sekunde deines Lebens kommt es darauf an. Hier und jetzt. Gedanken, Menschen, Farben, Gefühle – es kommt immer darauf an.«

»Für Frauen«, sagte Georg leichtfertig.

»Was: für Frauen?«

»Für Frauen kommt es darauf an. Wenn eine Frau lebt, lebt sie ganz und immer. Und wenn eine Frau liebt…«

Rosalie lauerte.

»Und wenn eine Frau liebt«, sagte Georg, »liebt sie eben ganz und immer. Männer haben zwischendurch zu tun.«

Es war das Letzte, was er sagte, bevor Rosalie ihm mit dem Fuß einen solchen Stoß versetzte, dass er den Halt verlor und die Schräge hinunterrollte, sich mehrmals überschlagend, das Gesicht voll mit schwarzem Sand im Innern des Kraters anlangte und wild nach oben drohte, während

Rosalie lachte und lachte, dass ihr die Tränen übers Gesicht liefen und Sand, Krater und Wälle, all die Trümmer der Windkanäle, Versuchsserienwerke und Arbeitslager vor ihren Augen zerflossen, dass sie nichts weiter mehr sehen konnte als Wasser und nicht die Reste der Reichsbahngleise am Kraterrand, denen jede zweite Holzschwelle fehlte, zusammengezimmert zu Kisten für den V-2-Transport nach Baikonur, und nicht das noch immer im V-Stil segelnde Rohrweihenpaar darüber, das vor die blutrote Sonne flog, unter der soeben Franziska und Stefan auf der gegenüberliegenden Seite des Kraters erschienen und Rosalie heftig zuwinkten, Stefans Hemd aus der Hose und Franziskas Bluse noch immer aufgeknöpft; ihr Streit war offensichtlich beendet.

11

Eigentlich hatte Georg einen großen Greifvogel basteln wollen, aber Franziska, die dazugekommen war, als er die Stöcke für das Gestänge zurechtschnitzte, bestand auf einer Raute, einem richtigen Kinderdrachen mit Gesicht und Schwanz und Schleife, und duldete keinen Widerspruch. Stefan und Rosalie gingen angeln, die Dorsche beim ersten Versuch waren ein Glücksfall gewesen, es waren keine weiteren hinzugekommen; nun fuhren sie mit einem kleinen Boot hinaus, um ihr Glück weiter draußen im Meer zu versuchen. Nur Irene blieb allein, ihre redseligen Ausführungen über irgendwelche speziellen Themen, seltene Arien, unbekannte Komponisten, fernrussische Ballerinas und absonderliche Lieben, fanden keinen Abnehmer. Immer wieder blickte sie zu Georg und Franziska herüber, setzte sich aber nicht dazu.

Am kommenden Tag traf ein weiterer Besucher ein: Henning. Leonhards Aufenthalt auf der Insel schien wie ein Magnet zu sein, der allmählich auch immer entferntere Eisenspäne anzog. Henning war sehr enttäuscht, dass die Presbyter und Synodalen ihn nicht in seinem Kampf unterstützten, und dann war ihm Leonhard eingefallen und dass er noch nie Urlaub genommen hatte und dass die Sommerferien eine geeignete Zeit dafür waren. Jetzt stand er barfuß am Strand, einen Gitarrenkasten in der Rechten, die Schuhe und Strümpfe in der Linken, die er stolz drehte und wendete, er fühlte sich kühn und verwegen mit seiner hochgekrempelten Stoffhose und seinen nackten Füßen, ein Pilger auf weiter Fahrt, das Abenteuer hatte bereits mit der Zugfahrt begonnen, jetzt konnte kommen, was wollte.

Das Erste, was kam, war Franziskas Spott; der heilige Henning war ihr genau der Richtige. Sie grinste spöttisch in die Runde; fehlte nur, dass er jetzt am Strand die Gitarre auspackte und »Danke für diesen guten Morgen« spielte. Auch Henning bezog ein geblümtes Zimmer, die Wirtschafterinnen verzogen die Gesichter, als er schwer beladen an ihnen vorbeiruderte, er nickte ihnen freudig zu und wünschte einen strahlend schönen Tag. Bis zum Abend ließ er die Gitarre im Kasten, dann bewahrheitete sich Franziskas Befürchtung am Lagerfeuer.

Henning aber spielte erstaunlich gut. Er konnte eine Unzahl an Liedern auswendig und verzichtete dabei auf alle christlichen Weisen. Er klimperte fast das ganze Repertoire an Folk- und Fahrtenliedern durch. Die feurige Irene sang dazu, ein erstaunlich wohlklingender Sopran, der andächtig stimmte. Franziskas heisere Altstimme war weniger geübt, aber nicht ohne Reiz. Rosalie fiel hinter beiden zurück, gleichwohl machte Henning gerade ihr ein Kompliment. Sie freute sich überaus; erstaunlich, dass man sich über unberechtigte Komplimente immer mehr freute als über berechtigte. Stefan und Leonhard sangen, um zu singen. Georg konnte nur die Texte, nicht aber die Melodie und verlegte sich auf Souffleursdienste, die dankbar aufgenommen wurden, wenn alle außer Henning längst summten.

Das Forsthaus bot unerschöpfliche Vorräte, wie Robinsons Schiffswrack, vor allem an Jägermeister, der ihr neues Stammesgetränk geworden war. Eine ganze Kiste davon lag am Strand und leerte sich in erstaunlichem Tempo. Selbst Henning war nicht abgeneigt und genehmigte sich einen nach dem anderen. Die anderen wechselten zwischen Kiffen, Jägermeister und Beck's und gaben sich der Stimmung hin, den flirrenden Sommerfarben, dem leisen Zischen des Meeres, in das sie sich bis in die Dunkelheit ein ums andere Mal stürzten. Alle hatten ihre Jacken aus dem Haus geholt und ein paar Decken, sie rückten noch dichter im Sand zusammen. Geflüsterte Wörter wechselten hin und her, Kichern und Lachen, die warmen Klänge der Gitarre; Georg ruhte in Rosalies Schoß, die Augen geschlossen. Rosalie streichelte seinen Kopf. Sie zog an ihrer Tüte, legte den Kopf in den Nacken, sog den Grasgeruch ein und starrte wie benommen die Klippen hinauf zu den Lichtern des Forsthauses, in dem vielleicht nie zuvor soviel Leben gewesen war und vielleicht nie mehr sein würde. Aber Rosalie wollte nicht weiter an das Niemehr denken. Der Punkt, an dem sie gleich wieder auf der Erde landen würde, war gut markiert, der kleine Glutofen im Sand, den der Nachtwind fein zerstob, die hellen Laken drum herum und der zappelnde Kinderdrachen darüber.

An alledem nahm Leonhard den vielleicht merkwürdigsten Anteil. Obwohl er fast nichts unternahm, erschien er doch als der Mittelpunkt der ganzen Gruppe.

Die Kehrseite seiner Gelassenheit war, dass er sich nur

selten und schleppend um die Formalitäten kümmerte, um derentwillen er eigentlich hier war. Man musste ihn antreiben, zum Rathaus in Bansin zu gehen und die erforderlichen Papiere einzusehen. Noch immer fühlte er sich im Forsthaus als Gast, eine Rolle, die ihm weit mehr gefiel als die des Hausherrn. Oft lag er am Strand auf dem Rücken, die Augen geschlossen, und döste. Er konnte über Stunden daliegen, ohne sich zu bewegen, und es war unmöglich zu sehen, ob er wachte oder schlief.

Wenn er für jedermann ersichtlich wach war, las er zumeist in einem seiner Joseph-Conrad-Bücher, oder er erzählte Georg von Tasmanien. Die beiden saßen oft abseits und philosophierten, und auch Henning gesellte sich gerne dazu; er bewunderte Leonhard nahezu grenzenlos. Es machte ihn glücklich, Leonhard im Bademantel auf den Klippen stehen zu sehen, vom Wind umflattert, wie einen Priester auf einer Missionsstation im südlichen Inselmeer. Es war Leonhards autistische Leichtigkeit, die alle am Strand so liebten, die Art, wie er mit sich selbst stets in bester Gesellschaft zu sein schien.

Rosalie fragte sich, wie er es fertigbrachte, so unbekümmert zu wirken. Er hatte keinen Beruf und offensichtlich auch sonst keine Pläne oder Dinge zu tun. Es war unvorstellbar, wie man unter solchen Vorzeichen langfristig leben wollte.

»Wir haben auch keinen Beruf«, sagte Georg.

»Aber wir könnten einen haben«, sagte Rosalie. »Einen sehr guten vielleicht. Das ist ein Unterschied.«

Georg nickte. Es war ein Unterschied. Irgend etwas an diesem Unterschied aber schien kleiner geworden zu sein, seit sie Leonhard kannten. Jedenfalls für Georg.

Sie hatten sich beide vom Meer weggedreht und blickten zu den Dünen, wo Leonhard stand, einen Ast auf den Schultern, die Arme von hinten darüber fallen gelassen, ging er durch den Sand und drehte sich wie ein Wetterhahn, mal nach links und nach rechts. Er schien überhaupt nicht zu bemerken, dass sie ihn beobachteten.

An ihrem letzten gemeinsamen Nachmittag fuhren sie alle zusammen zur polnischen Grenze. Es sollten Wale an der Küste sein, aber die Wale kamen nicht.

Statt dessen war einfach nur Landschaft da. Georg vermisste die Wale, aber Rosalie fand die Landschaft auch ohne Wale schön. Er mochte die Natur nur bis zu einem gewissen Grad. Es war ungefähr gerade soviel Natur, dass man sich von ihr umgeben wusste, ohne sich als deren Teil fühlen zu müssen, zum Beispiel wenn es regnete. Landschaften selbst sagten ihm nicht allzu viel; sie sahen halt aus wie Landschaften.

Rosalie verteidigte die Landschaft mit Inbrunst. Wahrscheinlich hätten die Wale nur ihr glattes Meer zerstört, die rosane Spiegelfläche der Sonne.

Georg sah sich außerstande, dieses Staunen vor der Natur zu teilen. Ein Fehlverhalten entwöhnter Großstädter; die wahre Natur von heute war die Stadt. Rosalie hatte noch nie so einen Unsinn gehört, sie dachte an den Mönch Petrarca auf dem Mont Ventoux, den er ohne jeden Grund bestiegen und damit zum ersten Mal dokumentiert hatte, dass es gar keinen Zweck dafür brauchte, sich mit der Natur abzugeben: die Entdeckung der Landschaft. So jedenfalls hatte sie es in ihrem Studium gelernt, und sie war sich ihrer Sache sehr sicher, als sie zu Georg sagte:

»Du weißt überhaupt nicht, wovon du redest.« Und dann ging sie einfach davon und stapfte völlig wütend auf den nahe gelegenen Zirowberg.

Die anderen sahen sich an und folgten ihr langsam nach;

als Georg Rosalie zehn Minuten später eingeholt hatte, war die Gruppe zurückgeblieben. Er versuchte sie zu besänftigen und gab ihr nach und nach in allem recht, was sie gesagt hatte, aber sie blieb stur. Sie gingen den ganzen langen Weg vom Wasser herauf durch den schütteren Sand der Kiefernböschung. Und als sie die Spitze des Hügels erreicht hatten, waren Grillen zu hören. Rosalie setzte sich zu ihnen ins Gras. Das Sirren brach kurz ab, erneuerte sich dann aber und fand schnell zurück zu voller Kraft. Sie blickte hinunter aufs Meer. Es mochte sein, dass sie sich davon beruhigt fühlte oder von irgend etwas anderem, wie Georgs Arm, den sie jetzt nicht mehr zurückwies.

Auf der Rückfahrt im Auto redete Rosalie: »Du solltest kein Problem damit haben.«

»Ich sollte was nicht?«

»Du weißt, was ich meine.«

»So?«

»Ja, du weißt es. Du solltest einfach kein Problem damit haben, dass es Dinge gibt, von denen ich einfach mehr weiß als du.«

Es war Müll an den Strand gespült worden, Plastiktüten und leere Flaschen für Saft und Sonnencreme.

Franziska stemmte die Arme in die Hüften. »Was für beschissene Küsten gegenüber, an denen Idioten alles ins Meer schmeißen.«

Stefan lachte. »Das Gleiche denken die Leute an den Küsten gegenüber auch. Die Schiffe sind es, die das ins Meer kippen.«

Franziska schüttelte ungläubig den Kopf. Lautlos und klein fuhren die weißen Schiffe am Horizont, weitab gemalt ins blaue Meer.

Alle sahen den Müll als einen geradezu persönlichen Angriff. In stillem Einvernehmen sammelten sie ihn vom Strand auf. Gerne gaben sie sich anschließend der Illusion hin, dass die Welt nun wieder sauber und in Ordnung war.

Stunden saßen sie da, kifften und tranken Jägermeister und Bier. Dann stichelte Franziska Henning dazu an, eine Predigt zu halten, gegen die Wellen. Sie erinnerte ihn daran, wie Redner und Sänger alter Zeit bei Vollmondnächten in die Brandung gebrüllt und den Sturm herausgefordert hatten. Henning hatte genug Jägermeister getrunken, um das Flackern in Franziskas Augen nicht sehen zu können. Er stellte sich tatsächlich hin und predigte den Wellen von Jona und dem Wal. Die anderen feuerten ihn an und lachten und gaben sich der allgemeinen läppischen Stimmung hin.

Nur Rosalie hatte sich aus ihrer Mitte entfernt. Die Nähe der anderen war angenehm, fast schon ein wenig zu vertraut, sobald sie sie aber zurückgelassen hatte, sah sie die ganze Gruppe als eine Gemeinschaft von Fremden; Farbtupfer am verblassenden Strand, der Mönch Petrarca hätte wie sie auf den dämmernden Klippen gestanden und leise gelächelt. Eine halbe Stunde lief sie dort oben entlang, die Buchen wurden dunkler und dunkler; sie suchte einen Abstieg. Kaum Menschen mehr am Strand, sie trug ihre Schuhe in der Hand und legte sich auf einen langen Steg, weit hineingezogen ins Meer. Sie überdachte ihre Wut auf Georg, ihre Enttäuschung, streckte alle viere von sich und glaubte bald darauf wieder endgültig an ihr Glück.

Sie war wirklich glücklich und trug ihm nichts nach.

Es dauerte nicht lange, bis er neben ihr ruhte. Sie lagen auf *einem* Steg und in *einem* Meer. Nach und nach verschwanden die letzten Menschen und ihre Kinder; die Strandkörbe hinter ihnen wurden immer einsamer.

Der Tag verhüllte sich.

Noch am selben Abend entführte er sie in eine Bucht nahe der polnischen Grenze. Die Bäume nahmen zu, ein träger Sumpf umzingelte sie. Ein rostiger Bagger ruhte halb versackt im Schlamm der Kiesgrube wie ein totes Tier. Fledermäuse zappelten über sie hinweg, schwere Reiher mit langsamem Flügelschlag ruderten in die Nacht. Er griff sie fest und ließ sie nicht los, schubweise rollten die Wellen über den Sand, sackten zurück und verglitzerten. Sterne über Sterne, darüber noch mehr Sterne, das hörte nie auf; es war einer der Momente, um derentwillen es sie gab. Die Stunden erloschen. Rosalie lag in Georgs Arm. Sie begriffen ihr Leben hier und jetzt, zählten die Sterne, die ins Meer fielen, und erwarteten die Kinder wie den Regen.

Dritter Teil

In den Reihen der Arbeiterklasse

1

Am 31. Juli 1991 hat Sergej Krikaljow, Oberstleutnant der Roten Armee, die Erde zum 3774. Mal umrundet. Acht Monate ist es nun her, dass er das Kosmodrom Baikonur verlassen und seinen fortwährenden Rundflug in der Mir-Konfiguration begonnen hat. Noch immer hört er das Summen der Aggregate im Modul, seine Knochen verlieren Kalzium, dreihundertfünfzig Kilometer über der Erde, die er alle einundneunzig Minuten überfliegt, das immer gleiche Muster: Amerika, Eurasien, Amerika, einundfünfzigkommasechs Grad Inklination, wer will das schon wissen.

Die Bodenstation will es wissen, alle einundachtzig Minuten Position, die sehen sie selbst auf ihren Bildschirmen dort unten, zehn Minuten Liebesgrüße nach Kalinin, da gehen einem die Witze aus.

Kosmos macht Arbeit. Sechsmal ist er jetzt draußen gewesen. Er hat die Antenne repariert, die gar nicht richtig kaputt war, aber er hat gezeigt, dass er es eben kann, und das Annäherungssystem Kurs am Quant-Modul, das wirklich einen Defekt hatte. Einmal hat er einen vierzehn Meter langen faltbaren Gittermast aus einer neuartigen Titan-Nickel-Legierung montiert, für ein zusätzliches Steueraggregat, gut, dass das keiner so genau gesehen hat, Krikaljow mit der Antenne draußen am Quant-Modul, ein plumper Balletttänzer mit seiner Stange im All.

Nochmal kann er da nicht raus, er merkt, dass er nicht mehr viel Kraft hat, Muskelschwund, wie ein Gnu in der

Trockenzeit, zu weit weg von den fruchtbaren Wiesen der Heimat; er guckt gern Tierfilme, alle sechs Wochen schicken sie neue, zusammen mit Arzebarskijs Weltrettern aus Amerika, Helden in Jeans und Leder, und Elenas Briefen, zwei Tage trennt sie die Schwerelosigkeit von ihr zu ihm, aber sie riechen noch immer gut. Manchmal kriegt er jetzt richtiges Erdweh davon, vielleicht, weil er die Erde einfach zu viel sieht, weil es nicht dunkel wird in der Mir, weil nachts die Beleuchtung anbleibt und die Sonne immer wieder zeigt, dass sie nichts anderes kann, als zu scheinen, indem sie es alle neunzig Minuten tut, keine Wolken davor, die nur für die Erde da sind, damit es nicht langweilig wird.

Da ist die Arbeit ja gut, denkt Krikaljow, dass er nicht verrückt und nicht schlampig wird, wie die Doktoren in Kalinin sagen, weil sich sein Biorhythmus verändert hat und die Körpertemperatur sowieso. Morgens ist es am schlimmsten, da ist alles kalt, Füße und Beine und Hände und Herz. Eigentlich will er gar nicht gerne aufwachen, eigentlich muss er gar nicht aus dem Beutel krabbeln, denkt er, eigentlich kann ihn ja keiner dazu zwingen hier oben.

Krikaljow ist pflichtbewusst; ein treuer Diener seines sozialistischen Vaterlands und so weiter, schlüpft er in den drallen Overall, kämpft gegen die vielen Gummikabel, die seinen weichen Körper am Gehen hindern. Hart an seinem Leib ist nur die vereiste Backe, die nicht besser wird, aber auch nicht schlechter, der blöde Zahn, den er hier oben gar nicht braucht, um Soljanka aus der Tube zu lutschen, Gemüsebrei und Fruchtsaft; aber er erinnert ihn daran, dass es ein Leben danach gibt, in dem man Zähne braucht und Muskeln gut sind.

Die nächsten Stunden vergehen mit Arbeit, biologische und chemische Experimente, über die er nicht sprechen darf, außer mit Arzebarskij und später einmal, wenn er wieder unten ist. Fürs Mittagessen braucht er die Fußringe, immerhin gibt es einen Tisch, wo sich Tuben und Pulverdosen befestigen lassen, so dass sie das Zeug nicht immer in der Hand halten müssen. Wasser trinken müssen sie auch, das steht auf dem Plan, obwohl wieder keiner von ihnen Durst hat. Arzebarskij schwebt schon zurück zur Steuerung, Krikaljow lutscht weiter Tuben; Putzen und Staubsaugen können warten.

Arzebarskij ruft, sieben Meter entfernt an der Wand. Nicht die Steuerung, schon wieder diese Engländerin, bei der er keine Chance hatte und von der er gleichwohl endlos faselt, so dass Krikaljow Mordgedanken hegt und froh ist, dass Arzebarskij wieder runterfliegt. Er weiß, Arzebarskij wird seine Sachen zusammengepackt haben, seine Zahnbürste und seine Kassetten, bevor zum neunten Mal die Sonne aufgehen wird. Morgen wird er allein sein hier oben; er weiß nicht, wie das ist, aber es ist besser, besser als Arzebarskijs Frauen, Engländerinnen.

Arzebarskij fliegt wirklich, Krikaljow kann es kaum glauben, der ist einfach weg.

Ruhe.

Vorzeichen noch größerer Ruhe.

Irgend etwas hat nicht gestimmt beim Rückflug, wieso sind die Funkschiffe so still? Die müssen nicht ins Dock. Und keine Briefe aus Leninsk, keine aus Leningrad.

Krikaljow macht seine Meldung, wortkarg die Brüder in Kalinin. Erst dann schwimmt er an eines der dreizehn Bullaugen, von wo aus er hinausstarrt, durch das etwas eingetrübte Glas, in dem er sich spiegelt, ein hellblauer Pinguin. Er sieht sein Gesicht in der Scheibe, die vereiste Backe, aber die Augen hell wie immer, guckt er zwischen den fünfzigtausend Millionen Sternen hindurch, hinein in das weithin ausgegossene Weltall. Irgendwo da draußen gibt es einen roten Riesen, eine mächtig verglühende Sonne, die gerade ihre letzten Ressourcen verbraucht, sich dabei gewaltig aufbläht, feuerrot brennt, bevor sie fast schlagartig verpufft, ohne die allerfeinste Spur ihrer vormaligen Existenz.

In wenigen Wochen wird er die größte dem menschlichen Körper zuträgliche Verweildauer im Kosmos erreicht haben. Dann, hofft Krikaljow, wird die Zeit in der Schwerelosigkeit ein Ende haben, wird er mit der Sojus-Landekugel in der leeren kasachischen Steppe niedergehen. Bald schon wird er Elena wiedersehen.

2

Der Regen kam, die Kinder nicht, Wochen strichen durch die Stadt. Mit der Zeit wurde alles wärmer.

Nur die Zeit nicht.

Die Zeiten wurden kälter.

Sie bemerkten es zuerst daran, dass der Hausmeister nun überhaupt nicht mehr grüßte. Erst hatte er nur an den turnusmäßigen Hausflurputz erinnert, dann gemahnt. Wochen später beklagte er sich über das rhythmische Stöhnen ihres Bettes. Er machte Wind um Glasflaschen im Müllcontainer und Musik in den Morgenstunden. Als er endlich verstummte, standen die Zeichen auf Sturm.

Die Wohnung war ein bisschen kleiner geworden bei ihrer Rückkehr. Kleinere Küche, kleinerer Flur, sogar kleineres Schlafzimmer. Kinder wachsen, wenn man sie nicht sieht, Wohnungen schrumpfen. Die Farben hatten sich verändert, sie waren blasser. Ein paar Gegenstände, die Rosalie sehr gemocht hatte, erschienen ihr auf einmal belanglos und zufällig.

Sie hatte die Koffer abgestellt und stand vor der Stehlampe. Warum um alles in der Welt war ihr nie aufgefallen, wie hässlich die Lampe eigentlich war, verchromt, staubig, mit gelbem Schirm besetzt und vor allem hässlich? Sie hätte schreien können über die Hässlichkeit einer Lampe, die sie zuvor nie gestört hatte. Georg kam ihr zu Hilfe und versprach, die Lampe zu ersetzen, aber so sehr Rosalie die Lampe verachtete, zu einer ganz konkreten anderen wollte sie sich doch nicht entscheiden. Man musste etwas unternehmen, um das Schlafzimmer wieder wie vorher sein zu lassen, die Lampe allein konnte das nicht richten, und in genau diesem Moment kam auch noch der Hausmeister dazu.

Die Ruhe nach ungezählten bösen Blicken endete an einem frühen Morgen. Die Klingel schellte, Rosalie im Morgenmantel eilte zur Tür.

Die Kunstlederjacke des Hausmeisters glänzte auf dem Treppenabsatz.

»So, Fräulein«, begann er unverblümt, bevor er doch noch zu einem »Guten Morgen« fand. Er kramte einen Zettel aus der Hosentasche, ein mehrfach gefaltetes Schreiben der WBM.

»Anspruch auf Dreiraumwohnung nur für Familien mit Kindern oder drei Personen«, zitierte der Hausmeister sinngemäß und drückte Rosalie das verknitterte Papier in die Hand.

Sie war nicht unvorbereitet, Korkow war einige Tage zuvor bei Franziska gewesen. Das Wohnungsbauamt vergab alle Dreiraumwohnungen nach einem neuen Schlüssel, der für drei Zimmer drei Wohnberechtigungsscheine einforderte, und Franziska besaß nicht einmal einen einzigen. Zu allem Überfluss hatte das Amt auch noch den Hausmeister eingeweiht, der einen wohnungssuchenden Schwager besaß und auch sonst schlecht auf Franziska zu sprechen war. Im

Treppenhaus hatte sie erst gestern laute Schreie gehört, Korkows Brüllen und eine vor Wut aufschreiende Franziska.

»Zukunft seh ich da nicht. Wenn Sie verstehen, was ich meine, Fräulein.«

Rosalie verstand, was der Hausmeister wollte. Die Wohnung für seinen Schwager.

»Wir haben alle Scheine, die wir brauchen.«

Gelogen. Schach gegen Schach. Korkow musterte Rosalie und knurrte. Er war noch lange nicht am Ende.

Alles kam darauf an, ihn auf Distanz zu halten, aber genau das erwies sich als ausgesprochen schwierig, und nur wenige Tage später erwischte er Georg allein zu Hause und bohrte sich schließlich in ihre Wohnung wie ein Borkenkäfer.

Georg hatte ihn gar nicht hereingebeten, aber Korkow war Schritt für Schritt näher in die Wohnung getreten, und Georg hätte sich schon mit Macht gegen die braunglänzende Kunstlederwampe stemmen müssen, um das weitere Vordringen zu verhindern. Der Hausmeister war überaus neugierig, und in kurzer Zeit hatte er etwas von dem entdeckt, was er gesucht hatte: eine Kohlenkiste mit Briketts vom Winter. Brennstofflagerung in der Wohnung, streng verboten. Georg versuchte zu beruhigen, der Ofen war den Sommer über sowieso aus, die Kiste ungefährlich, der Keller von Vormietern zugestellt, aber Korkow bestand auf der Kohlenkiste; er bildete sich ungern mehr als eine Meinung am Tag. Als Rosalie Stunden später zurückkam, konnte sie sich nur schwer über Georg beruhigen. »Den blöden Korkow in die Wohnung lassen…«

Georg sah das weniger dramatisch. Der Hausmeister war unglücklich veranlagt…

»Ein Arschloch de luxe.«

»Oder auch ein Arschloch de luxe, aber er kann uns doch eh nichts.«

Rosalie beruhigte sich nicht. Jedenfalls nicht so schnell. Sie malte sich aus, wie der blöde Korkow Indizien gegen sie sammelte, und Georg hatte ihn darin dämlicherweise auch noch unterstützt. Am Ende schließlich regte sich auch Georg über Rosalie auf, dass sie sich so über ihn aufregen konnte, und es dauerte fast eine Stunde, bis sie sich wieder beruhigten, Rosalie in Georgs Arm und Georg in ihrem.

Es war ihr zweiter richtiger Streit gewesen, und die Erfahrung aller Liebenden lehrt, dass es bei zwei Streitereien nicht bleiben würde. Auf eine gewisse Weise verhielten sie sich damit nicht anders als das ganze Viertel. Die neuen Bestimmungen der WBM hatten die Besitzverhältnisse nicht besser geregelt, und die frühe Neugier zwischen Alteingesessenen und Zugezogenen war vielen kleinen Konflikten gewichen.

Die Klarheit nahm mit der Wärme ab. Waren die Zuwanderer einst so stolz darauf gewesen, anders zu sein, so zählten sie sich in diesem Sommer schon selbst zu den Einheimischen und teilten deren argwöhnischen Blick gegen alles Fremde. Georg hörte, wie ein junger Eingewanderter in der Bäckerei böse Bemerkungen über die Touristen machte; offensichtlich sah er sich selbst als alteingesessen, der Zeitpunkt seiner Einwanderung lag schon fast ein Jahr zurück, es musste ihm wie eine Ewigkeit vorkommen.

Der Stolz der Zugezogenen nahm der Urbevölkerung die innere Sicherheit. Sie war jetzt zweifach überlebt. Eine abgearbeitete Frau klagte über die gestiegenen Mieten und die gestiegene Kriminalität. Alles war gestiegen, auch die Zahl jener Ureinwohner, die einem Zeitungsbericht zufolge ihren Körper nach dem Ableben der medizinischen Forschung zur Verfügung stellen wollten. Die Körper waren noch nicht tot, die Zeitung benutzte sie schon zur Steigerung ihrer Auflage.

Es ging etwas vor sich im Viertel. Tagsüber bewahrten

Milieuschutzgesetze die Ruhe zwischen den gefledderten Trabi-Leichen, aber die Unruhe des Hausmeisters schien nicht ganz unberechtigt zu sein. Eines Nachts errichteten Arbeiter in der Straße ein erstes Baugerüst aus blinkendem Stahlrohr, in dem sich die Sonne spiegeln konnte, wenn sie wollte, und der helle Schein zuckte gleißend über das Pflaster und stach den Anwohnern in die Augen.

Solange die Leute aus dem Viertel nicht enthüllt gewesen waren, hatten sie sich selbst nicht als andersartig beschreiben können. Nun aber entdeckten sie, dass es ein größeres Land gab, zu dem sie nicht gehörten, und viele konnten sich keinen stärkeren Wunsch vorstellen, als die Decke wieder über sich zu ziehen. Das Baugerüst aber stand, und die Wirklichkeit war für immer neu bestimmt.

In dieser merkwürdigen Welt des Taumels bewegten sich Menschen wie Edgar mit erstaunlicher Zielsicherheit; sein Wohnungskontingent stieg unbeirrbar weiter an, als postiere er seine Spielzeughäuschen auf einem Spielbrett. Die Veranstaltungen in der Linienstraße wurden fast über Nacht zu einem bedeutsamen Ereignis. Auf die ersten Besucher folgten die Subkulturjournalisten, denen die Kulturjournalisten der städtischen Zeitungen folgten; Monate später feierten die Feuilletonisten der großen Tages- und Wochenzeitungen ihren Fund. Doch auch diese Entdeckung setzte Veränderungen in Gang, in der Linienstraße entstanden Spannungen.

Franziska kam weiterhin zu ihnen, aber sie besuchte inzwischen eigentlich nur noch Rosalie, und Georg zog sich unter Vorwänden zurück. Die Mädels redeten dann fast immer über die Linienstraße. Ab und an erledigte Rosalie schwierige Anschreiben für Franziska und verband sich so zumindest ein bisschen mit Franziskas *Wir*. Mitte August gab es in den Räumen der Galerie einen fürchterlichen Streit.

Zwei andere Gründer stiegen aus dem Projekt aus. Franziska regte sich fürchterlich auf, aber diesmal behielt sie jedes Detail für sich. Sie war unnahbar, und so kam es, dass Rosalie, die sich inzwischen ernsthafte Hoffnung gemacht hatte, zu ihrem großen Bedauern doch nicht mit in die Linienstraße einstieg.

Georg hingegen fand das nicht schade, obwohl er Rosalie nicht gerne traurig sah, sie bekam einen sehr schmalen Mund dabei. Vielleicht gab es einfach schon zu viel Kultur im Viertel, um überhaupt noch dabei sein zu wollen. Selbst die besetzte Kaufhausruine wurde um der Kultur willen erhalten. Georg hatte nie verstanden, wo die Kultur darin lag. Wahrscheinlich war es die Kunst, die jetzt den Innenhof versperrte: drahtige Menschen und Werke aus Eisen und Rost. Man sah den Besetzern an, dass sie Kultur geworden waren, die Veranstaltungen kosteten jetzt Eintritt. Auch das Nuscheln hatte weiter zugenommen.

Die Verbindung von Kunst, Kultur und Nuscheln beschäftigte Georg erneut. Die Kunst an der Kunst bestand darin, sie wie eine Nebensächlichkeit erscheinen zu lassen, es hing mit der verdrängten Einwanderung zusammen. Sollten die Zugezogenen schon ewig hier gewohnt haben, so war es kein Wunder, dass sie ihrem Sein und Tun keine gewichtige Bedeutung beimessen konnten, sie kannten es ja nicht anders. Da sie, gleich einer stillen Vereinbarung, sich nie für das Treiben der anderen interessierten, galten die wenigen unvermeidlichen Gespräche den gemeinsam verachteten Touristen, die das Ihre dazu taten, sie berühmt zu machen. Die Touristen selbst aber sahen sich mit den Zugewanderten in einer Linie. Entdecker und Pioniere allesamt, spähten sie in die kunstübersäten Keller und Hinterhöfe. Nicht wenige von ihnen blieben und folgten den Wegen der ersten Zugezogenen. Wie eine Zwiebel schichtete sich das Gewohnheitsrecht der Zugewanderten aus aufeinander folgenden Monaten. Viele Touristen zogen zu und erinnerten sich binnen weniger Wochen nicht mehr, Touristen gewesen zu sein; andere fanden ihre Bestimmung von nun an als Kenner und Fremdenführer.

Auch der Kachelhof, in dem Georg und Rosalie am ersten Tag so andächtig gestanden hatten, begann sich zu verändern. Man hatte die Kacheln auf dem Boden zusammengefegt, viele waren inzwischen geklaut. Die Balletttänzerinnen probten noch immer, aber ihre Schemen verhuschten nun hinter einem Baugerüst; nur die Musik ertönte weiter unzerhackt. Georg war traurig, er sah nicht ein, warum man den Hof sanieren musste. Er war perfekt, so wie er war, ein wunderschönes Fragment, das dem Betrachter viel Platz ließ.

»Die Zerstörung der Zerstörung.«

Rosalie dachte anders, immerhin entdeckte sie in alldem auch viel Bewegung und echten Schwung. Georgs Trauer sperrte das Leben aus, wie auch sie selbst. Ihre Gegenworte fielen bestimmter aus, als sie gedacht waren:

»Ich glaube, dass der Hof einmal sehr schön wird. Jetzt ist er doch tot, aber in einigen Jahren werden die Leute hier sitzen können, sich treffen und Wein trinken. Du glaubst doch nicht, dass man das ewig schön finden kann, so wie das hier aussieht.«

Georg zuckte die Schultern. Er war nun zusätzlich traurig, dass Rosalie ihm nicht in seiner Ansicht folgte. Sein Satz war eine Einladung gewesen, kein Ausschluss. Aber Rosalie fand, dass Georgs Haltung völlig unmöglich war. Wenn man dem Alten zu lange hinterhertrauerte, versperrte man sich die Gegenwart nur mit toten Gedanken, so wie ein Zimmer vor lauter Andenken erstickt, und irgendwann würde man sich überhaupt nicht mehr bewegen können bei lauter zugestellten Wegen. Georg fand Rosalie ungerecht, schließlich war sie es, die das Kontingent an Möbeln in ihrer gemeinsamen Wohnung monatlich erhöht hatte und vor Stehlampen Schweißausbrüche bekam. Das Schlimmste aber war: Sie hatte ihn zum Fall gemacht, zum Fall eines Menschen, der handelte, wie solche Fälle eben handelten: lebensunfähig, unrealistisch, von Schwermut verhängt. Er konnte ihr kaum beschreiben, wie blöd er sich dabei fühlen musste.

Rosalie brauchte entsprechend lange, bis sie es verstand. Zuerst kämpfte sie dagegen an, Georg überhaupt verstehen zu wollen, schließlich hatte sie ihm nichts getan, außer ihre ehrliche Meinung zu sagen. Erst nach einer Weile kam es ihr unwichtig vor, recht zu haben. Es gab sicher Wichtigeres, etwa die Vorfreude auf das herannahende Versöhnen. Doch obwohl Rosalie die ganze Situation einschließlich ihrer eigenen Beteiligung daran unnötig fand, blieb in Gedanken ein kleiner Rest davon zurück; die Erkenntnis von vorhin ließ sich nicht wieder zurückstopfen. Es gab Dinge an Georg, die Rosalie einfach missfielen. Sie vermutete, dass er sich nicht deshalb vor der Zukunft fürchtete, weil sie so unangenehm werden würde, sondern vielmehr deshalb, weil sie Zukunft war. Der Gedanke, nur im Hier und Jetzt zu leben, war damit reichlich teuer bezahlt und bekam auf einmal eine Motivation nicht aus Lust, sondern aus Angst. Die Folge aus alledem war Georgs zunehmende Antriebsschwäche beim Nichtstun, das ja viel ehrgeiziger war, als etwas zu tun. Immerhin musste man dazu allen Antrieb aus sich selbst heraus entwickeln, es gab keine vorgezeichneten Bahnen für den glücklichen Müßiggang, selbst den Dichtern war dazu kaum etwas anderes eingefallen als Spaziergänge und Schlaf. Rosalie wusste, dass das Leben, das sie gewählt hatten, nicht leicht war. Nur die Werbung kannte Menschen, die offensichlich nichts zu tun hatten, aber ungeheuer einfallsreich waren, ihr Leben mit feinen Zutaten interessant zu machen.

Und die Macht dieser rücksichtslosen Tyrannen auf den normalen Menschen war wirklich eine Bedrohung: Sie versprach, dass es auf die Zutaten ankam, nicht auf das Leben zwischen ihnen. Aber nur das Gefühl dazwischen war ein wahres Gefühl, glaubte Rosalie. Ein imaginärer Textmarker unterstrich in ihrem Herzen den Satz, es für jetzt und immer an kein Ding der Welt zu hängen, außer an den Mann, den sie liebte. Sie würde lernen müssen, viele Dinge noch leichter loszulassen, und vor allem anderen ihre Ansprüche gegenüber Georg. Eine leichte Aufgabe war das nicht. Sie hatte Arbeit damit, ihre Moral an ihr Lebensgefühl anzupassen, und das Lebensgefühl an die Moral, aber es gelang.

Im Supermarkt am Nachmittag traf Rosalie auf die feurige Irene, die nicht weit entfernt wohnte. Sie schwärmte noch immer vom Strand und von Rosalies kaffgelbem Sommerkleid, das Leonhard so beeindruckt hatte.

Rosalie ging nach Hause, nahm das Kleid aus dem Schrank und schenkte es ihr. Ihre Erinnerung steckte in ihrem Herzen, nicht in ihren Kleidern. Die feurige Irene freute sich maßlos. Sicher glaubte sie, dass sie das Kleid nur anziehen müsste, und Rosalies Schönheit würde sich auf sie übertragen.

Rosalie lächelte.

Zwei Tage später zerbrach die Sowjetunion.

3

Auf dem Panzer stand ein dicker weißhaariger Mann mit furchterregendem Gesicht. Man sah ihm an, dass er mit der Faust auf den Tisch schlagen konnte. Jetzt aber schlug er mit der Faust in die Luft, er schimpfte fürchterlich und verlas ein Blatt Papier. Als er aufgehört hatte, in die Luft zu schlagen, gingen die Arbeiter, die ihm zugehört hatten, wieder nach Hause; die Sowjetunion aber war nur noch Russland.

Es war ein bedeutungsvoller Tag. Rosalie hatte lange nachgedacht, und der Auslöser dafür war Leonhard. Er schrieb ihnen Karten, altmodische Karten mit blühenden Seebadmotiven und Grüßen aus Heringsdorf, und sie schrieben ihm die besten Karten zurück, die sie finden konnten: »Automatisches Bildröhrenwerk im Berliner Amt für Fernmeldewesen«; »Skulptur Traktoristin«; »Wir lieben unsere schöne Heimat« – ein gewaltiger Staudamm, quer durch ein grünes Oberwiesental. Und immer wieder Kosmonauten: Jurij Gagarin und German Titow auf der Kuhweide oder das Kosmonauten-Fries am Haus des Reisens. Sie hatten viel Spaß dabei, solche Karten in der Stadt zu suchen, und sie lachten über Leonhards Karten und seine sonoren Erfolgsmeldungen als Hotelbesitzer zur See. Eines Tages stand Rosalie lange da und betrachtete alle Karten, hübsch nebeneinander über den Herd gepappt. Es entging ihr nicht, dass ein Loch in ihrem Leben entstanden war, ein Loch, das nicht mit Postkarten geflickt werden konnte.

Die Lücke, die Leonhard hinterlassen hatte, machte sich überall bemerkbar. Sie hatten ihre Fahrradausflüge eingestellt, und wenn sie nach einigem Zögern doch noch einmal durch den Osten radelten, dann nur, um festzustellen, dass es ihnen kaum noch etwas brachte. Zwischen den Bahngleisen sprossen die gleichen Wiesenkräuter hervor, und die Menschen zwischen den Platten saßen in den gleichen viel zu leeren Zwischenräumen, aber es war nichts Rührendes mehr an ihnen, nichts, was ihre Neugier hätte wach halten können, nur noch Alltag und Trostlosigkeit; das Leben war eben meistens so.

All dies dachte Rosalie, während sie langsam dazu bereit

war, ihre Vorurteile gegen das Berufsleben und herkömmliche Jobs aufzugeben. Sie aß herkömmliche Brötchen von herkömmlichen Bäckern, und herkömmliche Straßenfeger reinigten die Straßen.

Georg sah sie an, sah, dass sie sich ein Stück von ihren Vorstellungen fortgedacht hatte in den letzten Wochen. »Gut, wir haben sowieso kein Geld mehr. Aber ein bisschen schade ist es natürlich schon.«

»Warum schade? Soviel wird sich nicht ändern, wir spazieren in Zukunft nun eben auch noch durch unsere Berufe, wir müssen uns ja nicht allzu ernst nehmen dabei.«

Georg zögerte, aber Rosalie war inzwischen vollkommen der Ansicht, dass man der Wirklichkeit ruhig einen gewissen Ernst beimengen sollte, die Träume blieben sonst zu dünnflüssig.

Georg war sich nicht sicher, ob das so war. Aber im Grunde hatte er nicht wirklich etwas dagegen, wieder zu arbeiten. In seinen alten Beruf allerdings wollte er nicht zurück. Wer angefangen hatte, so etwas zu sein, hatte aufgehört, etwas zu werden, und was immer Georg in Zukunft tun würde, es musste auf jeden Fall etwas ganz anderes sein. Er schlug die Morgenzeitung auf, und obwohl er gar nicht ernsthaft suchte, entdeckte er auf der Stelle die Anzeige. Der Tierpark im Osten der Stadt suchte einen Aushilfstierpfleger; es war genau das, was er nie hatte sein wollen.

Er wusste, dass Rosalie noch lange schlafen würde, als er um sieben Uhr aufstand, sich anzog und auf die Straße ging. Der Himmel über den Häusern, ein schöner Frühhimmel, darunter die Straße, die Synagoge zur Rechten. An der Mauer davor lehnte ein harmloser Polizist mit Maschinenpistole und gähnte sich auf die Füße.

Die donnernden S-Bahnen gaben einen unverwechselbaren Ton. Am Bahnhof Friedrichstraße traf Georg auf Franziska.

»Hallo, Schorsch«, begrüßte sie ihn. »So früh auf den Beinen?«

Sie war völlig übernächtigt und fror in ihrer Lederjacke, obwohl der Morgen nicht kalt war.

»Auf dem Weg zur Arbeit«, grinste Georg und legte den Kopf schief.

»Rosa hat's schon erzählt. Du wirst Zoodirektor.« Sie lächelte, aber sie sah angegriffen aus: eine gerupfte Krähe, die von einem Habicht gehackt worden war; es konnte nicht allein das Werk des Hausmeisters sein.

»Und du? Lange gemacht, gestern?«

»Die ganze Nacht gefickt«, sagte sie ungerührt. Franziska hatte einen neuen Freund, Dieter, sie verbrachten die Nächte miteinander. Eine präzise Erklärung für Franziskas gegenwärtigen Zustand war das nicht.

Die nächsten Sätze redeten sie in die S-Bahn hinein, während sie sich eine Bank suchten. Sie saßen nebeneinander auf dem Plastikpolster, Georg fuhr sich mit der Hand durchs Gesicht, es konnte nicht schaden, sich etwas vor Franziskas Mundgeruch zu schützen. Sie war sehr gesprächig und hatte ein Thema, dem er sich nicht entziehen durfte. Franziska war einem Verein beigetreten, der sich für ein Denkmal einsetzte; ein Denkmal *gegen* oder *über* die Shoa. Georg hatte nicht genau verstanden. Der Verein jedenfalls hatte einen berühmten Architekten gefragt, und der hatte sofort einen großartigen Entwurf gemacht. Bedauerlicherweise war der Entwurf so großartig ausgefallen, dass er nicht auf das Gelände passte, das der Verein im Auge gehabt hatte, und so hatte man den Entwurf ein wenig in Frage gestellt. Der Architekt war tief beleidigt und bereute seinen voreiligen Humanismus auf der Stelle. Weil niemand seine Pläne so umsetzen wollte, wie von ihm entworfen, hatte er sich mit großer Geste verweigert.

Eine merkwürdige Reaktion, dachte Georg. Das Denkmal sollte nicht für den Architekten sein, sondern für die ermordeten Juden.

»Bist du für oder gegen das Denkmal?«

»Ich weiß nicht«, sagte Georg. »Ich habe überhaupt nichts davon gewusst. Ich meine, ich interessiere mich auch nicht sehr dafür, Denkmäler und so.«

»Aber es geht um die Shoa.« Die Flecken an ihrem Hals waren jetzt sehr deutlich.

Jaja, das hatte Georg schon verstanden. Franziskas Interesse passte zum Viertel, das früher einmal sehr jüdisch gewesen war. »Aber ich weiß nicht, wofür Denkmäler gut sind.«

Ein Dutzend Schulkinder schikanierte sich zwischen den Sitzen, andere starrten lustlos in die Landschaft.

»Du bist also gegen das Denkmal?«

»Nein, wieso?«

»Nun, wenn du nicht dafür bist...«

»Wie ich schon sagte, das Denkmal ist mir egal.«

Die Schulkinder drückten sich um einen Penner. Er hatte sich aufgerichtet und musterte sie spöttisch.

»Ich sage es nicht gerne«, sagte Franziska. »Aber irgendwie seid ihr beide ja schon ein bisschen ignorant.«

»Ignorant?«

»Ja, ignorant. Man kann das doch nicht einfach alles verdrängen und sagen: Hauptsache, uns geht es gut.«

»Was heißt hier verdrängen?«

»Du weißt schon, was ich meine.« Sie zurrte ihre Jacke fest.

Der Penner sackte zurück ins fliederblaue Polster. Die dünnen Käferbeinchen klemmten sittsam nebeneinander, die Maserung seiner Haut erweckte den Eindruck, als gehörte sie zoologisch genommen dorthin, das weiße Haar mit einem unausmerzbaren Stich blonden Sonnenlichts: er sah aus wie Ernst Jünger, nur älter. Sein unmerkliches Grinsen legte einen diabolischen Zahn frei.

»Denkmal oder nicht Denkmal«, sagte der Penner.

Ein ekelhafter Kerl; aber er dachte, was Georg dachte.

Franziska würdigte ihr Gegenüber keines Blicks. Die S-Bahn hielt. »Nichts für ungut, Schorsch«, umarmte sie ihn und verschwand zwischen den Menschen.

Der Vorhof zum Tierpark war ein klogrün gekachelter Bahnsteig der Linie 5 nach Hönow; ein Plakatcowboy ritt in einem wilden Westen herum und rauchte dabei eine öffentliche Zigarette; Himmel, wie draußen, rostrote Berge; Landschaft, die auf das Verschwinden des Menschen wartete. Ostgesichter davor, überkommen, aufgerieben, mit Einkaufstüten verkleidet, von grellen Sweatshirts entstellt: wie hatte es all dieses falsche Leben im richtigen geben können?

Das Mosaik gegenüber war herausgebrochen. Jeder sucht sich das aus der Geschichte aus, was er will, dachte Georg. Es war ihm nie aufgefallen, dass Franziska sich für die Geschichte interessiert hatte, aber allem Anschein nach hatte sie es in den letzten Wochen getan und genau das gefunden, was sie darin gesucht hatte.

4

Die große Wiese lag grün in der Morgensonne; unendliche Weite breitete sich aus; die Flamingos darin waren zu klein.

Hier hatte vor langer Zeit ein Staat einen Traum gehabt, ein paar dicke Männer in weiten hellen Anzügen; zigarrerauchend waren sie durch den Schlosspark spaziert. Es war ein lauer Nachmittag im Mai gewesen, und die Blaukehlchen sangen. Die Männer blieben stehen und lauschten in sich hinein, und in ihren Herzen riss der Gesang der Vögel Massen aus dem Schlaf, mit Spitzhacken und Schaufeln, Werktätige aus allen Teilen des demokratischen Sektors von Großberlin. Das Nationale Aufbauwerk trat auf den Plan, Lotterien rührten ihre Trommeln, die neuen Aluminiumpfennige aus den kleinen schmutzigen Händen der Kinder wanderten in die großen schmutzigen Hände des Magistrats. Nur drei Monate später sahen die stolzen Arbeiter für einen Augenblick auf, die Massen traten zurück und schafften Platz für eine funkelnde schwarze Karosse. Der Präsident der Republik, ein kleingeflecktes Löwenkind im Arm, kutschierte breit lachend durch die Augustsonne des Eröffnungstags, inspizierte die sozialistisch befreite Natur und versprach den fleißigen Menschen, die ihre Herren besiegt hatten, den größten Tierpark des Erdballs.

Seitdem war einige Zeit vergangen. Georg ging einen breiten erdigen Weg durch eine grüngeschachtelte Allee. Die Septemberkälte hatte sich aus der Stadt hierhin zurückgezogen. Schultern und Nase hochziehend, stapfte er durch den Morgen. Das ganze menschenleere Areal erschien ihm absurd; außerordentlich hatte es inmitten des Staates geruht, der nie etwas anderes hatte sein können als eine zu kleine Antwort auf eine zu groß gestellte Frage.

Das Direktionsgebäude lag sorgsam versteckt. Zur Straße versperrte ein gewaltiger Bronzebison den Blick, zum Park hin tarnten es graue Bauplatten, Bagger, Sandflächen und Trümmerhalden. Morbid wie ein Gesundheitsamt, dachte Georg, wäre die aufwendige Vertäfelung im Treppenhaus nicht gewesen, mit Bildern garniert, auf Sperrholz aufgezogen in verblassten Farben: ein Okawangodelta, einsam trotz Reihern am Abend, blauschimmernde Gnus im Morgenstaub an irgendeinem Wasserloch in irgendeiner Serengeti, Giraffenköpfe schemenhaft über Dornakazien, leicht verwackelt.

Er blieb auf der Treppe stehen. Einen flüchtigen Moment fragte er sich, wer die Aufnahmen gemacht haben konnte und zu welchem Zweck, als er das mächtige Porträt eines Mannes in undefinierbarem Alter sah. Der große runde Kopf stak selbstsicher aus dem Anzug. Zeitlos greisenhaft lächelte der schwarzweiße Potentat über die rotbraune Vertäfelung hinweg in den Hausflur, in der unteren Ecke versteckte sich die Zahl 1956.

Aus dem oberen Stockwerk kam jetzt ein Mann herunter, die Schritte knallten im Treppenhaus. Nach einer letzten Biegung tauchte er unvermittelt auf. Georg erkannte den Mann sofort; es war, als wäre er aus dem Porträt gesprungen, Foto und Mann glichen sich bis in die Haarspitzen der einzeln über den kahlen Schädel gelegten Grannen. Unwillkürlich riefen sie das unangenehme Bild hervor, wie der Kamm beim Legen der geölten Strähnen stumpf über die ungeschützte Kopfhaut fuhr. Man durfte nicht so genau hinsehen.

Der Mann musterte Georg mit geübten Blicken. Kaum glitten sie über ihn hinweg, fühlte er sich schon einverleibt.

Sie standen ein paar Stufen tiefer vor einem Fenster, durch die ungewaschenen Gardinen fiel blasses Licht. Der Tierparkdirektor stellte sich als dieser vor. Georg erzählte ein wenig zögerlich von der Anzeige und dem Anruf, er konnte sich nicht erklären, warum sein Gegenüber sich in fünfunddreißig Jahren nicht verändert hatte, und suchte nach einem Makel. Der Tierparkdirektor betrachtete ihn streng wie einen Schüler vor der Zeugnisvergabe. Mit wenigen Sätzen skizzierte er Georgs zukünftigen Tätigkeitsbereich. Die Worte erreichten ihn kaum, fielen neben ihm auf die Fensterbank. Vergilbte Sanseverien hielten sich mit Mühe aufrecht, eine müde Schlingpflanze hatte den Kampf bereits verloren. Georg fragte sich, wer für die kleine grüne Faltpalisade und das liebevoll dazu gesteckte rosane Plastikschäufelchen verantwortlich war.

Der Tierparkdirektor bemerkte Georgs Abwesenheit und bedeutete ihm zu folgen. Ihre Schuhe knallten nun nebeneinander auf der Treppe, wie Vater und Sohn. Leicht und sicher ruhte sein Arm auf Georgs Schultern; die Geste eines Herrenausstatters; eines sehr selbstbewussten Herrenausstatters.

Georg spürte ein merkwürdig warmes Gefühl im Magen. Es sollte im Folgenden nicht verklingen.

Der Zoo legte sich seinem Herrscher zu Füßen. Die stummen Strandläufer nickten eilfertig im Schlamm ihrer Volieren, tiefleuchtende Pfauen rafften ihre Röcke und räumten die Wege, die Gibbons versammelten sich zur Morgenandacht.

Der Tierparkdirektor spazierte durch die Evolution, als wäre sie nichts. Seine Arme waren sehr schnell. Georg konnte ihnen mit Blicken kaum folgen. Er war ein alter Mann, aber er redete nicht wie einer, bewegte sich noch nicht einmal so, seine Gesten umspannten Kontinente, seine Augen waren wasserfarben, und für einen alten Mann lachte er sehr laut und selten böse. Seine Worte öffneten Georgs Blick, die große Gesten schlugen Lichtungen in den Wald, mit Bühnen ausstaffiert, auf denen Eisbären, Hyänen und Wölfe zirkulierten. Nur selten mischte sich die Welt jenseits der Tierparkmauer ins Bild, Plattenhochhäuser mit roten und blauen Balkons beflaggt hinter schweren Sandsteinkulissen. Eine dicke Lotteriefee, mit ihrem mobilen quergestreiften Häuschen zu einer untrennbaren Einheit verschmolzen, nickte ihnen ehrfürchtig zu, der Tierparkdirektor streifte sie milde.

Feierlich ruhte er in sich selbst, die Käfige und Kulissen waren sein Lebenswerk; der Lohn für die fleißigen Menschen, die nach getaner Arbeit in ihren freien Stunden den Park durchschritten. Er sprach vom Behagen der Besucher nach Feierabend und am Wochenende. Georgs Blick fiel auf eine lang gezogene Wiese, das Behagen konnte sich in aller Ruhe strecken. Mit den Tieren wollte der Tierparkdirektor die fleißigen Menschen belehren. Georgs Ansicht nach waren Biologiebücher besser dafür geeignet, sie hatten den Vorteil, dass sich die Tiere darin nicht versteckten. Gleichwohl respektierte er, dass der Park für Besucher zugerichtet war, die es in dieser idealen Form nicht gab.

Nach einer Weile lichtete sich der Wald, und die Sicht auf zwei kolossale Tierhäuser tat sich auf. Anders als die Freianlagen, die Felsenpanoramen und Wassergräben sahen sie überhaupt nicht aus, als wären sie hier gewachsen, vielmehr erschienen sie wie aus dem All gelandet; eine Sphinx das eine, das andere eine graue Burg.

Die Sphinx, orange und grün verkachelt im kalten Morgenlicht, war ein Meisterwerk der Ordnung und Disziplin. Der Architekt hatte sich viel Mühe damit gegeben, die Tiere in die Architektur einzupassen.

Georg folgte den ausgebreiteten Armen zu den Käfigen und Raubkatzen.

»So viele verschiedene.«

»Nicht nur verschieden, sondern auch alle zusammen an einem einzigen Ort.«

»Erstaunlich«, bemerkte Georg.

»Komplett. Alle Raubkatzen, alle Arten und Unterarten, geographischen Rassen und Varianten komplett in einem Gebäude. Das haben sie im Westen nie geschafft«, erklärte der Tierparkdirektor, die Hände in den Hosentaschen, den Oberkörper leicht zurückgelehnt. Es ging ihm gut.

Sieben gekachelte Käfige lagen hinter ihnen, sieben hatten sie noch vor sich. An der Rückseite des Hauses das gleiche Schauspiel. Vierzehn Käfige in einer langen Reihe. Darin Tiger, Löwen, Leoparden, Jaguare, Schneeleoparden, Pumas, Nebelparder, Luchse.

Der Tierparkdirektor erläuterte derweil die endgültige Konzeption. Ausgehend von den Beschlüssen sah die letzte Ausbaustufe vor, jeden provisorischen Käfig in eine Freianlage zu überführen. Die Gitter sollten eines Tages völlig absterben und der ganze Park ein Paradies für alles werden, was animalisches Antlitz besitzt. Niemand, versicherte er, wollte hier bloß Tiere vorführen, sondern Tierleben in seiner ungebändigten Freizügigkeit. Der Glanz in den Augen versprach unverzüglich zukünftige Gehege, mauerlose Freianlagen.

Als sie das Alfred-Brehm-Haus weiter abschritten, bemerkte Georg den gleichen Glanz freilich auch vor den Käfigen. Die Gitterstäbe spiegelten ihn wider, der Tierparkdirektor stolzierte an den Raubkatzen vorbei, als hielte er eine Parade ab. Die Katzen bewahrten die Ruhe, nur die Käfige standen stramm. Warum die Käfige ersetzt werden sollten, war Georg nicht klar. Sie sahen sehr ordentlich aus, das einzige Element, das nicht ganz stimmte, waren die Insassen, ihre Betrachtung bereitete unweigerlich eine gewisse Enttäuschung; sie lagen müde in ihren Käfigen, wie leergelaufen, und die Gitter schienen nur da zu sein, um die Raubtiere gefährlich aussehen zu lassen. Er wunderte sich darüber, dass der Tierparkdirektor die Käfige ausgerechnet mit Tieren bestückt hatte, die so schlecht zu ihnen passten. Da er die Provisorien zu lieben schien, die er abschaffen wollte, sprach Georg ihn schließlich darauf an.

»Ich weiß nicht, was Sie wollen«, sagte der Tierparkdirektor im Weitergehen, »um die Tiere geht es am allerwenigsten.«

Hinter den Raubtieren begann eine Wiese für Trampeltiere. Die Freianlage war so groß, dass sich die Kamele darauf an den äußersten Rand drückten.

»Sie sehen es ja selbst, sie brauchen keine Freiheit, sie sehnen sich noch nicht einmal danach. Wissen Sie, was Freiheit bedeutet? In der Freiheit müssen sich die Tiere ihr Futter selber suchen, ohne eine gesicherte Bleibe, was für ein Leben, und wenn es schlimm kommt, geht man in diesem Kampf ums Dasein drauf. Solche herrlichen großen Wiesen werden nicht für die Tiere gebaut, sondern für die Besucher geschaffen, die gerne mit Blicken darüberschweifen. Den Tieren«, versicherte der Tierparkdirektor abschließend, »reicht auch ein Stall.«

Georg nickte im Einklang seiner Schritte. Wenn er ihm schon mit Schritten einträchtig folgte, konnte er es auch in Gedanken tun. Der Tierparkdirektor hatte nicht nach dem Nicken gefragt, er schritt weiter aus, ohne Georg anzusehen. Mit der Freiheit war er fertig.

Minuten später tauchten sie in das gigantische Halbdunkel des Brehm-Hauses ein, tapsende Krallen, unbeirrt strichen die dicken Schädel der Katzen im immer gleichen Abstand am Gitter entlang wie aufgezogene Automaten. Die Stäbe erschienen nicht lebloser als sie. Der Tierparkdirektor erläuterte derweil weiteres Leben: Mandschu-Tiger besonders winterhart, Malaya-Leoparden vom Unterartentod bedroht. Er steuerte die riesige Tropenhalle an. Beklemmende Feuchte zwischen Palmwedeln und ausgeuferten Farnen, ungezählte Flügel streiften die Scheiben entlang, der Tierparkdirektor verweilte auf einer kleinen Brücke. Georg nutzte die Gefechtspause und ging zurück in den Umgang, suchte und fand ein Kachelklo, gut eingepasst zwischen zwei Raubtierboxen; ein sozialistisches Klo, das kein Geld kostete; ein Klo ohne Papier und mit einem dünnen Rinnsal kalten Wassers; er schmierte sich eine magere Handvoll davon ins Gesicht. Irgendetwas Hohles meldete sich in seinem Kopf, irgendetwas, das Schlaf suchte, etwas, das nicht richtig verstand.

Es dauerte einige Zeit, bis er zurück in die Halle kam. Die ausgeleierten Flügelglastüren wippten wie im Western; das Licht verwackelte diffus. Der Tierparkdirektor sah ihn nicht kommen. Er stand noch immer auf der Brücke und betrachtete sich im Teich; gespiegelt zwischen den Tortenböden der Seerosen fasste er sich prüfend an den Kopf, ob die Strähnen noch lagen.

Er konnte sich noch deutlich erkennen.

Auch Georg war jetzt auf der Brücke über diesem schwarzen Wasser, aus dem soeben der Tierparkdirektor verschwand und nur noch einzig und einmal in der Tropenhalle stand. Er nickte kurz ins Leere, als müsse er sich besinnen. Sein Gehirn rastete ein beim Thema Flughunde, die dutzendfach in der Halle hingen, sein Kopf wendete sich den Palmenblättern zu, der Arm fuchtelte folgerichtig nach oben. Georgs Blick aber schweifte für winzige Sekunden ab, hinter die Glasscheibe, wo zwischen mintgrünen Kacheln, violett schimmernden Keulen von Pferdefleisch und einem vergilbten Wandkalender der Reviertierpfleger saß mit eingeschlafenem Gesicht.

5

Das Leben ist etwas eigentümlich eingerichtet: Man kann es am besten durchkreuzen, wenn man ohne genaue Seekarte segelt. Wenn man jedoch anfängt, darüber nachzudenken, wie man am besten durchkommt, dann ist einem das Selbstverständliche mit einem Mal nicht mehr selbstverständlich, und die einfachsten Dinge werden schwer. Man sollte das bloß nicht tun, denn man bekommt die fürchterlichsten Neurasthenien davon. Und über Nacht weiß man schon gar nicht mehr, wer man eigentlich ist. Man muss noch nicht einmal wissen, was Neurasthenien sind, man bekommt sie trotzdem.

Rosalie wusste dies alles natürlich schon seit ihren ersten Seminaren und vielleicht auch schon länger. Das Problem war nur, dass einem das nichts nützt, wenn man vor zwei sündhaft teuren Paar Schuhen steht und sich nicht entscheiden kann und weiß, dass eigentlich schon jedes der beiden Paare für sich allein gesehen zu teuer ist.

Es ist der Moment, in dem man denkt, dass man lieber wieder arbeiten möchte.

Dachte Rosalie.

Das Büro der Agentur befand sich vis-à-vis einer planen Ebene im Zentrum der Stadt. Der Weg führte an einem gewaltigen Kasten vorbei, in dem man gerade den Staat verkaufte, der der Freiheit so lange getrotzt hatte. Unkraut hatte das Terrain weiträumig erobert; blühende Landschaften überwucherten die Trümmerfelder zu beiden Seiten der Straße, die Plattenbauten hielten sich dezent im Hintergrund. Zwischen verwitterten Häuserwänden klebten Plakate aus alter Zeit, darunter in schnörkelloser Schrift gesprüht: *Vorwärts in de Maiziere!*

Die Fabrik am Rande des Platzes beherbergte eine Reihe neuer Mieter. In Friedenszeiten hatte die nordkoreanische Botschaft hier ein Kino betrieben, ein paar Schriftzeichen wiesen darauf hin und eine Erklärung auf deutsch. Rosalie fiel auf, dass sie keinen einzigen nordkoreanischen Film kannte, als sie die Glastür durchschritt.

Ein schwarzgekleidetes Mädchen nahm sie in Empfang; ihr Lächeln zielte ins Leere. In dem Raum, der früher voll mit Nordkoreanern gewesen war, standen rote Plastiksessel; sie sahen unbequem aus. Möglicherweise sollte man sich nicht allzu lange in ihnen aufhalten.

Das Mädchen verschwand geschäftig in einem Nebenraum, der die Hauptsache zu enthalten schien. Stimmen murmelten von dort aus in die Loft. Rosalie setzte sich zwecks Füllung in einen Plastiksessel und saß eine Weile dekorativ darin herum.

Wie viele Angestellte in der Botschaft und wie viele Filme im Jahr?, dachte Rosalie. Kino nach Feierabend, Kino während der Dienstzeit. Welche Filme guckten Botschafter? Kulturfilme, Propagandafilme?

Wichtige, gut bebrillte Nordkoreaner auf Holzbänken trinken Bier oder Sake, der Projektor gurrt und säuselt, sie tauchen ins Dunkel. Es mussten Jalousien über den Fenstern angebracht gewesen sein, oder es gab Kino, wenn es regnete oder spät war. Dann gurrte und säuselte der Projektor, die Nordkoreaner trinken und kichern, flüstern übermütig und nordkoreanisch. Das Projektorlicht färbt alle Anzüge blau wie die Kulturrevolution. Eine kleiner fester Mann gebietet Ruhe. Fleckensalat; das erste Bild kommt. Notdürftig bebrillte Mädchen mit Spaten auf hartgefrorenem Rübenacker, dahinter schlecht wehende rote Fahnen. Musik wie im China-Restaurant, eine schneidende nasale Stimme. Schriftzeichen im Bild, der Film wird grünlich und unscharf. Dann marschieren Soldaten, sie singen. Einer von ihnen ist der Held des Films. Ein Brille- und Spatenmädchen schaut sehnsuchtsvoll auf den Krieger, die Sonne sinkt rot hinter den Hügel, die Fahnen färben sich dunkel. Jetzt wehen die Herzen.

Das Mädchen stand vor ihr und sah sie an. Ihr Blick war tadelnd.

Rosalie erschrak etwas. Das Mädchen war nicht allein. Eine kleine Schar bunt und lustig angezogener Männer war in den Raum geschwirrt. Der Agenturchef erschien, ein großer grauer Anzug, Rollkragenpullover, Fönfrisur, laubgrüne Brille. Er war Eile und Beschäftigung. Um ihn herum wuselten Werber wie um eine Termitenkönigin. Nach einer Weile rückte er gekonnt beiläufig in Rosalies Nähe und gab ihr eine entbehrliche Hand.

Rosalie zögerte und griff zaghaft zu.

»Kommen Sie mit«, sagte der Agenturchef lächelnd; er hatte soeben bemerkt, dass sie eine schöne Frau war.

Im Nebenraum wartete beschäftigungslos ein Mädchen mit sandblonden Haaren. Der Agenturchef wies ihnen ein unpraktisches Sofa zu, das den Loftstühlen in nichts nachstand. Kaum hatten sie sich daraufgesetzt, waren sie schon ein Teil davon. Rosalie fühlte ihre Persönlichkeit in den samtschwarzen Bezug sickern.

Die Stimme des Agenturchefs gehörte dem Raum. Er sprach mit einigen Rosalie unbekannten Gesten. »Rosalie und ... Sandra«, nuschelte er ihre Namen, während er durch und über Papier streifte. »Ihr wollt also hier anfangen.«

Es war keine Frage, eher eine Feststellung.

»Ja.«

Der Agenturchef nickte. Seine grüne Brille wirkte wie eine Behinderung im Gesicht, unaufhörlich zwang sie ihn, sich mit ihr zu beschäftigen. »Nun denn, wollen mal sehen, was ihr bisher so gemacht habt.«

Sandra erzählte von Hamburg, wo sie herkam, man hörte es am Tonfall; Rosalie erzählte von ihrem Studium, ihrer Neugier auf die Stadt und ihrer Begeisterung für alles Neue.

»Und dann interessiere ich mich ... für Kunst.«

»Toll«, sagte der Agenturchef und hatte augenblicklich Wichtigeres zu tun. Er blätterte wiederum geschäftig in einem haltlosen Stapel Papier, kreativ verstreut auf seinem großen Glastisch.

Er streckte sich und erklärte: »Wir wollen hier viel Spaß miteinander haben.«

Ein Satz wie aus einer Ferienfreizeit. Irgendetwas in ihm schien beständig zu hüpfen. Auch die Sätze machten Sprünge, immer wieder sprangen sie ins Englische. Die englischen Wörter waren so beabsichtigt, dass sie geläufiger erscheinen sollten als jede Alltagssprache. Der Agenturchef lief zu großer Form auf. Etwas Galaktisches, Kosmisches kam auf sie zu, das Zeitalter des Virtuellen hatte begonnen mit Bits und Bytes. »Das Global Village ... ubiquitäre Welten ... säkularisierte Geschichte im elektronischen Raum ... Nomaden der Zeit ... Media bashes the hardware.« Die festen Orte schwanden nur so dahin; der Agenturchef verstreute überall schöne Worte, wie Raumspray.

Die Worte nebelten Rosalie ein. Sie dachte an Usedom, wie es wohl wäre, jetzt dort zu sein. Ob das Strandhaus noch stand? Die letzte Karte von Leonhard lag zwei Wochen zurück, wie mochte es ihm wohl gehen inzwischen?

Der Agenturchef kam zum eigentlichen Thema. Die Agentur wollte sich ganz der Gegenwart widmen und damit in Zukunft Geld verdienen. Die Stadt hatte ein großes Bedürfnis nach Symbolik, man wusste halt nur noch nicht, nach welcher.

Eigentlich hatte Rosalie gedacht, dass die Symbole der Inhalte wegen da waren, für die sie standen, aber offensichtlich war es bei Städten umgekehrt.

Es gab auch einen entsprechenden Anlass für die Symbolik, die Stadt war eine Kapitale geworden. Aber eben nicht zum ersten Mal, was die Sache nicht leichter machte; die besten Slogans waren schon verbraucht. Der Agenturchef entdeckte darin eine große Herausforderung; er wollte ein

Team gründen für neue Bilder und neue Slogans. Rosalie dachte, dass man es am leichtesten hatte, wenn man die weitere Entwicklung der Stadt erst einmal abwartete, anstatt Slogans zu erfinden, die später vielleicht nicht zutrafen, aber die Slogans, belehrte der Agenturchef, hatten ein Eigenleben.

Rosalie zögerte. Sie wusste nicht recht, ob die Aufgabe ihren wahren Talenten entsprach, der federnde Optimismus des Agenturchefs hatte ihren Glauben an sich selbst geschwächt.

»Du weißt erst, was du kannst, wenn du es versucht hast«, sagte der Agenturchef. »Die Welt braucht optimistische Menschen. Außerdem«, fügte er hinzu, »fragt sie hinterher nicht nach.«

Er führte die beiden Mädels in ein anderes Zimmer, wo eine Frau am Schreibtisch saß, den angestrengten Blick auf einem Monitor, und verabschiedete sich. An der Tür drehte er sich noch einmal um und zwinkerte den Mädels aufmunternd zu.

Rosalie und ihre Mitbewerberin sahen sich an. Sandra in Sandblond streifte Rosalie mit einem Lächeln; eine Wachsschönheit wie aus einem Kabinett.

Die Frau am Schreibtisch war in den mittleren Vierzigern und versprühte einen ganz anderen Ernst als ihr Chef. Sie entnahm Rosalie eine Hand und verabreichte ihr einen Filzstift. Beide Bewerberinnen bekamen Fotos mit schäumendem Bier, Bierflaschen und glücklichen Biertrinkern zu sehen, dazu fünfzehn Minuten und einen Auftrag; einen schönen Spruch, passend zu den Bildern.

Rosalie kaute am Stift; selten hatte sie sich so leer gefühlt, so unbeteiligt an allem, was um sie herum vorging. Wieder dachte sie an Usedom, Vögel, die aufflogen, der weiße Nebel im Feld, Leonhard zwischen den Ähren, die ungezählten Lagerfeuer am Meer, Georg, der fragte: »Geht es uns gut?«

Die Kreativ-Direktorin warf ihr einen prüfenden Blick zu. Rosalie tauchte auf: Bier in der Flasche, Bier im Ährenkranz. Sie nahm den Filzstift und schrieb langsam auf das Papier:

Alles andere ist alles andere.

Die Kreativ-Direktorin wartete auf Sandra. Sie nahm ihre beiden Zettel, teilnahmslos ohne jede Spur von Interesse, und verschwand im Nebenraum.

Nach kurzer Zeit kam sie wieder durch die Tür; sie legte die Filzstifte zurück.

Beide hatten sie den Test bestanden.

Am Abend erzählten sich Georg und Rosalie ihren Tag; sie tranken denselben Rotwein wie in den ersten Wochen und lachten über die Welt und die vielen merkwürdigen Menschen darin. Es erschien Georg, als sei Rosalie plötzlich von einem neuen Schwung beseelt, so wie in den ersten Monaten, auch wenn es jetzt ein paar neue Töne darin gab, die er nicht kannte. Rosalie benutzte ein paar dieser neuen Wörter aus der Agentur, und Georg konnte schwer unterscheiden, wann sie etwas ironisch meinte und wann nicht.

Für Rosalie aber stand fest, dass sie dieselben geblieben waren wie zuvor. Sie nahmen sich vor, sich alles zu erzählen, damit sie es auf diese Weise gemeinsam erlebten und einander niemals verloren. Sie tanzten Tango im Schlafzimmer, Rosalies Raubtierparfüm schwebte über dem Bett, die Kerzen starben im Stehen.

Eine Stunde später lagen sie noch da, ineinander verbissen wie die Säbelzahntiger. Fast hätten sie da vergessen, dass sie beide am nächsten Morgen früh aufstehen mussten und dass nun auch sie in die Reihen der Arbeiterklasse aufgenommen waren, die schweren eisernen Werktore sich für sie geöffnet hatten.

6

Die nächsten Tage gingen sie morgens gemeinsam aus dem Haus, das Frühstück hatte sich verkürzt, aber noch immer brannte eine Kerze in der nun täglich dunkleren Küche. Durch die Fenster beobachtet, hatte es den Anschein, als seien neue Mieter eingezogen, so ungewöhnlich war die morgendliche Beleuchtung im zweiten Stock.

Georg und Rosalie ahnten beide, dass ein neues Leben für sie angefangen hatte, aber sie hatten in Wirklichkeit gar keinen Schimmer davon, was für ein Leben dies war. Georg schrieb einen langen Brief an Leonhard, über die Arbeit im Tierpark, und dass es ihn dort an Leonhards Linoltiere erinnerte, so dass er im Geist immer ein bisschen bei ihm war.

Gemeinsam planten sie, Leonhard zu besuchen, sie dachten oft an Usedom, schon in Kürze wollten sie für ein Wochenende hochfahren.

Das Gesicht des Reviertierpflegers war aufgewacht und verteilte nun wortkarg herrische Anweisungen. Ein Mann seines Gewerbes hatte nicht viele Worte zu verlieren. Wie es schien, entsprachen den knappen Worten ebenso knappe Gedanken, sein Selbstverständnis kam nicht von ungefähr, der Reviertierpfleger befand sich im Lot.

Der militärische Ton ergänzte die Wärteruniformen, graue Hosen, hellgrüne Hemden und dunkelgrüne Jacken. Die Uniform verband Georg mit den anderen. Der Tierpark enthielt eine große Zahl von Kollegen, die Georg so blass blieben wie er ihnen. Sie wussten nicht viel über ihn; er stellte ihnen keine Fragen, die über die praktischen Kunstgriffe seines Tagewerks hinausgingen. Er lernte schnell, die Fleischrationen der Großkatzen abzuwiegen, die Wege vor dem Brehm-Haus zu fegen, ein morsches Brett im Gatter der Zebras auszuwechseln. Den Umgang mit seinen abweisenden Kollegen lernte er nicht.

Die anderen Tierpfleger sahen bloß, dass Georg kein gelernter Tierpfleger war, auch wenn er sich geschickt anstellte. Sie sahen, dass er pünktlich zur Arbeit kam, dass er sich ordentlich rasierte, dass er stets allein seine Butterbrote verzehrte, dass er mitunter unnötig gut aussah, jedenfalls für einen Tierpfleger in grüngrauer Uniform. Sie konnten es sich mit seiner Herkunft erklären, von der sie nichts wussten, außer wo sie lag. Sie sahen auch, dass der Tierparkdirektor meist lange und offenbar grundlos mit Georg sprach.

Das konnten sie sich nicht erklären.

Georg selbst sah nie, wenn sie über ihn sprachen, aber er wusste, dass sie es taten. Der Tierpark hatte in den letzten Monaten viele Mitarbeiter verloren, und ausgerechnet Georg hatte man neu eingestellt. Die meisten seiner Kollegen legten wenig Wert auf einen Sieger, der Georg nun einmal war; ein grundloser Sieger, wie sie meinten, es war wenig Besonderes an ihm. Georg beschäftigte es nicht; mehr schon beschäftigte ihn die Art, wie der Kaffernbüffel sich jeden Morgen erneut weigerte, sein enges Nachtkabuff zu verlassen und auf die großzügige Freianlage zu treten, auf der er, den lieben langen Tag als großer schwarzer Farbtupfer herumstehend, so dekorativ beabsichtigt war.

Ein erheblicher Teil des Tages gehörte den Beeten. Der Zustand der Gartenanlagen war dürftig, viele Flächen hatten sich völlig verselbständigt und überließen freifliegenden Wiesenkräutern die Gestaltung. Die Werkzeuge im Geräteschuppen waren sehr zahlreich und forderten, der Leiter der Gartenabteilung bestand darauf, ihre tägliche Benutzung. In der ersten Reihe ein Spalier schneidiger Spaten, dahinter ältere schartige Schaufeln, müde und gekrümmt, flankiert von hartnäckigen, biegsamen Rechen. Auf dem Boden lauerten einige selbstbewusste Rollen; Wasserschläuche, die sich oft widerspenstig gebärdeten.

Die Arbeit auf den Beeten füllte Georgs Nachmittagsstunden aus, der Morgen gehörte den Fütterungen. Beim Rosen schneiden und Jäten war es, wo der Tierparkdirektor ihn auffand, wenn er nach Mittag mit ruhigem Bauch und gestärktem Rücken den Park inspizierte, die Haare wie immer adrett über die Glatze gelegt.

Heute allerdings tropfte sein schwarzer breitkrempiger Hut im Regen, der lange Kradmeldermantel glänzte nass wie Perlmutt. Sie schritten wacker aus, der Tierparkdirektor trotzte dem Wetter. Auf diese Weise war er schon zu Friedenszeiten mit Jurij Gagarin und Ho-Chi-Minh durch den Rhododendron spaziert und hatte Weltall, Erde, Mensch besprochen. Er führte ihn in den hinteren Parkteil, jenseits von Georgs Revier. Die breiten Spuren der Planierraupen hatten den Boden zermatscht, Pfützen spiegelten Bagger und Himmel und reichten unmittelbar an ein frisch angelegtes Areal.

Georg bewunderte die Gehege und anschließend die Tiere darin. Die Rentiere bestanden nur aus Details; fürs große Ganze fehlte ihnen die Linie oder der Schwung. Andere hingegen, die Pinguine oder die Giraffen, wurden ganz von einer leitenden Idee bestimmt.

Die gleichen Tiere, die Georg auf den Freianlagen bestaunte, fanden sich auch hinter den Kulissen in engen Pferchen. Der Tierparkdirektor wies auf eine winzige Voliere. Ein Fasan mit Tüllschwanz, zusammengesteckt aus Brokaten und Batisten, lungerte vornehm darin herum. Seine Zucht war wichtig für das internationale Ansehen des Tierparks und bisher erst einmal geglückt. Der Fasan musste unter Verschluss gehalten werden, sein Käfig war zu klein, kein Besucher würde das verstehen. Georg wunderte sich über den Sinn eines Renommees, das unter Missachtung der naheliegenden Gefühle der Menschen erzeugt wurde, die diese Achtung empfinden sollten.

Einige Anlagen weiter staunte er erneut über die Weltsicht des Direktors. Ein paar Antilopen, Große Kudus, waren vorübergehend hier abgestellt. Gern wäre der Tierparkdirektor sie losgeworden. Vielleicht fand sich ein anderer Zoo; aber das war nicht leicht. Früher war das einfach:

»Giftinjektion.«

»Töten?«

»Kudus sind häufig. Sie vermehren sich zu schnell«, sagte der Tierparkdirektor ungerührt. »Früher durften wir sie töten, heute nicht mehr.«

Die jetzigen Zeiten waren schwieriger. Nicht nur die Kudus bereiteten Sorgen. Er haderte auch mit den Besuchern; es waren sehr wenige geworden, und sie sahen jetzt anders aus. Neonfarben, Löwenmähnen und Stelzvogelhosen stachen unangenehm zwischen den Käfigen hervor. Es waren nicht ganz die Besucher, die er im Auge gehabt hatte, als er an die fleißigen Menschen dachte, die in ihren freien Stunden den Park durchschritten, ordentliche Menschen, Väter in Anzügen und Kinder in Kleidchen, wie auf den Schwarzweißfotos im Tierparkführer. Der Tierparkdirektor traute den fleißigen Menschen immer weniger. Er schimpfte über die schlechte Erziehung ihrer Kinder: alles anfassen, alles zertrampeln.

»Keinen Respekt mehr vor Mauern und Zäunen.«

Am liebsten hätte er die Besucher ganz abgeschafft; aber das war nicht möglich. Zu aller Not brauchte der Tierpark ihr Geld, seine Existenz hing von ihnen ab: von Stelzvogelhosen, Löwenmähnen und Kindern, die nicht auf den Wegen blieben. Es hatte sich viel verändert in sehr kurzer Zeit.

Der Regen hatte aufgehört. Der Tierparkdirektor schnaufte, er saß fest auf der Bank unter den Eichen, den unsterblichen Eichen des uralten Parks. Sie waren älter als das Schloss, älter vielleicht als der Park selbst, vor den Zeiten angepflanzt, kein Mensch wusste, von wem. Die nassen Blumen rochen durch den Tierpark, der Tierparkdirektor atmete jetzt ruhiger, seine Augen schlossen sich, langsam und stetig, von einem inneren Mechanismus bewegt wie eine Blüte.

Georg stieg vorzeitig aus und stöberte noch eine Zeit lang beim Buchhändler seines Vertrauens in der Karl-Marx-Allee. Schließlich fand er ein Buch des Tierparkdirektors. Es enthielt einige drollige Geschichten über »Verhängnisvolle Irrtümer« bei Wasserkäfern und ein Kapitel über den »Tierpark als Asyl«. In einer neuen Auflage würde vielleicht auch Georg darin erwähnt sein.

In der Allee war es inzwischen finster, ein Lichtschein fiel aus dem Haus, gleich neben der Buchhandlung, ein hochprächtiger Kronleuchter; eine Frau putzte im Regen ein leeres Schaufenster. An der Ecke eine Bank; sein erstes ehrliches Gehalt für eine ehrbare Arbeit. Georg lehnte in einem Hauseingang und schrieb einige Gedanken auf die Rückseite seiner Kontoauszüge. Er freute sich, dass sie dadurch einen Sinn erhielten, der nicht von der Bank, sondern von ihm selbst bestimmt wurde.

Am Leninplatz parkten jetzt Autos zwischen den Häusern; das Denkmal davor galt nicht mehr. Ein Bauwagen war vor den schräg beleuchteten roten Granit gerollt.

Als sie am späten Abend ins Bett gingen, deutete Georg auf das Buch, schräg neben der Kerze auf der Nachttischkiste.

»Vielleicht hast du mal Lust hineinzugucken? Es zeigt viel von meiner Arbeit.«

Rosalie streckte eine müde Hand aus. Kleine Schwarzweißfotos auf dem Umschlag, alles Tierporträts, wie aus einer Kartei. »Im Tierpark belauscht«, zitierte sie den Titel. »Klingt nach Stasi.«

Sie blätterte ein wenig darin herum, nicht einmal eine Minute, dann legte sie das Buch auf den Boden und drehte sich auf die Seite.

»Und?«

»Nicht heute Nacht«, sagte Rosalie und schloss die Augen.

Georg sah sie an, ihren ruhigen gleichmäßigen Atem. Er dachte daran, wie sie ihm nach seinem ersten Abend im Tierpark so aufmerksam zugehört hatte; wie sie mit ihm gelacht hatte; er dachte: vielleicht muss sie meine Arbeit gar nicht verstehen. Was verstehe ich schon von der Agentur? Er dachte: vielleicht ist es auch einfach zu viel verlangt.

Er gab ihr einen Gutenachtkuss, sie murmelte träge; er löschte die Kerze, stemmte die Fäuste unter das Kissen und vergrub sein Gesicht: Erde. Himmel. Die Kopfkissen waren Schwäne und die Schwäne Kopfkissen.

7

Am nächsten Morgen war von dem Traum nur noch der Himmel übrig geblieben. Darunter bewegte sich der Hausmeister. Er eierte um Georg herum wie ein aus der Bahn geworfener Trabant.

»Wissen Sie, junger Mann«, redete er Georg an, »so geht das ja nun nicht.«

Es war ihm nicht entgangen, dass Georg und Rosalie neuerdings regelmäßig zur Arbeit gingen, die Wohnungstür im ersten Stock klappte merklich zu, wenn sie daran vorbeikamen, und öffnete sich leise nach Verlassen des Blickfeldes.

»So, und jetzt?«

»Jetzt, was?«

»Sie gehen zur Arbeit.«

»Ja, denken Sie nur«, sagte Georg, »ist das nicht schön?« Korkow knirschte. »Beide werktätig und trotzdem eine Wohnung mit Wohnberechtigungsschein.«

Das also war die Pointe. Die Arbeit in der Agentur und im Tierpark hatte sie um den Anspruch auf ihre Wohnung gebracht, auf eine *geförderte* Wohnung jedenfalls, eine solche, wie sie hier überall in der Straße verfielen.

»Wenn ich wüsste, was Sie das angeht«, sagte Georg. »Als Hausmeister hat man seine Pflicht.«

»…für einen sauberen Hausflur und aus dem Hof geräumte Mülltonnen zu sorgen.«

Sie blickten sich an. Georg wusste nicht, welchen Einfluss Korkow im Zweifelsfall auf die WBM haben konnte; bemerkenswert war, dass er selbst es auch nicht wusste.

»Sie werden noch hören.«

Georg zuckte die Schultern. Er würde sich keine Angst machen lassen, nicht vom Hausmeister.

»Nicht von Ihnen«, sagte Georg.

»Das werden wir sehen«, orakelte Korkow. Seine Fußspitzen wippten.

Hässliche Schuhe, kackbraun mit einer Lasche.

»Sehen werden wir das.« Neue Satzstellung, sehr laut, fast auf den Zehenspitzen.

Georg drückte die Tür zu und ging in die Küche, stellte das Radio an und ließ es vor sich hin spielen. Rosalies Würfelschnecke lag angebissen auf dem Teller. Eine halbe Stunde später stand er am Alexanderplatz, eingekachelt in Klogrün, und wartete auf die Bahn.

Der Hausmeister aber schrieb noch am selben Morgen einen sehr bösen Brief an die WBM.

Rosalie am Abend wusste nichts von dem Brief, aber sie machte sich ernsthaft Sorgen. Georg wendete ein, dass das Wohnungsbauamt viel zu faul und beschäftigt war, sich um vergleichbare Kinkerlitzchen zu kümmern. Er munterte sie auf, stets an das Beste zu denken, ihr harmonisches Zusammenleben, das sich von solchen Kleinigkeiten nicht trüben ließ, und nach einiger Zeit verschwanden die Befürchtungen.

Rosalies Tage füllten sich mit einem immer vertrauter werdenden Wechsel von einstudierten Gesten, aus Bürostuhlgeschiebe, Besprechungen und Konferenzen zwischen Computern und Ficusblättern, Schreibtischtelefonaten und versteppten Kaffeetassen vor Fenstern ohne nordkoreanische Jalousien, alltäglicher werdenden Wörtern und Gesichtern, von hingeworfenen Bemerkungen und Konzepten. Sie konnte sich nicht erinnern, jemals so wenig nachgedacht zu haben und gleichwohl so beteiligt und angespannt gewesen zu sein. Manchmal, wenn sie bis spät in den Abend gearbeitet hatte, dachte sie an ihr Leben zuvor, es war sehr schnell in eine weite Ferne gerückt. Kaum vorstellbar, dass es die gleichen Sommer gewesen waren, das gleiche Licht, die gleiche Luft hinter den getönten Scheiben. Aller innere Sinn schien daraus entschwunden, und doch hatte sie noch nie so viel äußeren Sinn gespürt, so viele Bestimmungen, denen sie willig folgte.

In der Krausnickstraße veränderte sich das Leben. Es waren nun die äußerlichen Dinge, die ihr Leben bestimmten, die regelmäßigen Arbeitszeiten im Tierpark, die unregelmäßigen in der Agentur. Nur selten schafften sie es noch, sich etwas für den Abend vorzunehmen, immer öfter ließen sie ihre Morgenpläne fahren, wenn sie müde von der Arbeit kamen, und mit den Wochen gaben sie es auf, weiterhin leere

Pläne zu machen. Georg war ein wenig beunruhigt. Zuweilen wirkte alles, was sie neuerdings taten, sehr vernünftig; und gleich darauf wieder wurde er unsicher, ihre Arbeit kam ihm gespenstisch vor, etwas Ungreifbares, das von außen in ihre Beziehung eindrang und über sie bestimmte. Es waren nicht die Menschen, die das taten, nicht der Tierparkdirektor, die Tierpfleger und alle die wiederkehrenden Namen aus Rosalies Agentur; es war etwas, das sich nicht wirklich beschreiben ließ.

Auch Rosalie bedauerte, dass sie mit einem Mal so wenig Zeit füreinander hatten, zugleich aber gab ihr der Mangel an Freizeit ein angenehmes Gefühl von Tüchtigkeit. Es machte Georg etwas traurig, dass Rosalies Arbeit in der Agentur, die ihm in ihren Erzählungen eher widersprüchlich und blass blieb, die Zeit ihrer Renovierungsarbeiten, der Fahrradausflüge mit Leonhard und den Urlaub auf Usedom offensichtlich gleichrangig ersetzt hatte. Er selbst hingegen wartete Woche für Woche auf Leonhards Rückkehr. Es war eine seltsam tiefe Empfindung, mit dem Tierparkdirektor zu reden, zwischen den Tieren zu stehen, sie zu riechen; aber er war sicher, dass es ihm nicht wirklich etwas bedeutete. Er würde sich von alledem verabschieden, wenn es sein musste, in einer einzigen Sekunde. Ein kleines Zeichen von Rosalie hätte ihm genügt.

Das Zeichen blieb aus, es kamen andere. Von ihrem ersten Geld kaufte sich Rosalie einen roten Ledersessel mit Drehfuß, ein Designerstück aus den späten 50ern; sie hatte ihn in einem neuen Laden auf der Alten Schönhauser entdeckt und war sofort begeistert gewesen. Den ganzen Abend hüpfte sie vor Freude durch die Wohnung. Auch Georg fand den Sessel schön, aber irgendetwas daran störte ihn. Die Ablehnung wuchs, als Rosalie den Sessel nach und nach in jedes

Zimmer stellte, um auf diese Weise herauszufinden, wo er am besten zur Geltung kam. Georg meinte, dass der Sessel vermutlich dann am besten zur Geltung kam, wenn niemand daran dachte, ihn so aufzustellen, dass einsehbar war, wie sehr es auf Geltung ankam. Er dachte an Leonhards improvisierte Zimmer: Gemütliche Wohnungen sind solche, bei denen die Bewohner nie an die Wirkung denken, die die Räume auf andere ausstrahlen; wie es aufgesetztes Verhalten gibt, gibt es auch aufgesetzte Sessel, wahrscheinlich sogar aufgesetzte Wohnungen. Er hatte eine unbestimmte Angst davor, dass in ihrer Wohnung gerade etwas verloren ging, möglicherweise sogar zwischen ihnen beiden.

Mitte September kam ein langer Brief von Leonhard: Er schrieb von vielen neuen Scharmützeln mit der Jägertruppe und davon, dass er sich manchmal nachts im Bett nicht mehr sicher fühlte. Er schrieb es, als ob es ihm gar nichts ausmachte, dass sie ihn offensichtlich bedrohten. Vieles war sehr amüsant, aber auch für Leonhard schienen die schönen Tage vorbei zu sein, und Georg schöpfte neue Hoffnung, dass er bald zurückkommen würde. Vielleicht würde dann wieder vieles wie vor zwei Monaten sein, und vielleicht würden sie dann wieder mit ihren Fahrrädern fahren.

Rosalie las den Brief nach Georg, und als sie fertig war, blickte sie eine Zeit lang unschlüssig vor sich hin. Sie dachten beide zurück an den Juli, dachten ein wenig neidvoll an Leonhard, aber Rosalie erschien es, als läge diese Zeit schon sehr weit zurück: »Meinst du nicht, wir sollten das mit dem Wochenende in Usedom sein lassen? Wir haben so wenig Zeit im Augenblick, und außerdem habe ich den Eindruck, dass er ohnehin nicht mehr lange dort bleibt.«

Georg nickte, eine kurze Zeit überlegten sie noch hin und her. Dann begruben sie auch diese Absicht.

8

Das eingesparte Wochenende sollte ihnen endlich wieder
Zeit für gemeinsame Unternehmungen bringen, doch als es
so weit war, standen sie spät auf und vertrödelten den Vormittag mit Einkaufen. Ihre Berufstätigkeit erforderte jetzt
Großeinkäufe, die für die ganze Woche reichen mussten, der
Spaß, durch die kleinen Läden im Viertel zu streichen, war
verflogen.

Am Nachmittag kam Franziska vorbei und überzeug-
te Rosalie davon, in die Linienstraße zu gehen, ein neuer
Künstler stellte dort aus, am Abend war Eröffnung. Georg
hatte wenig Lust mitzukommen, er dachte an seine erste Begegnung mit Edgar und den Nuschlern, an Rosalies Fremd-
heit, wenn sie sich dort wohl fühlte. Alleine aber wollte er
sie auch nicht gehen lassen.

Der Abend kam, und Rosalies schlechte Laune wuchs gewaltig. Das ganze Wochenende wurde ihr zur Katastrophe;
sie sorgte sich um ihre Haare und ihre Haut.

Georg fand Rosalie schön, bedingungslos, mit Haut und
Haaren, aber Rosalie stürzte ins Badezimmer und verzweifelte viele lange Minuten vor sich hin. Sie blieb so beharrlich wie entschlossen vor dem Spiegel stehen und vollendete
sich; sie hatte sich angewöhnt, nicht immer gleich auszuse-
hen, und sie mochte ihre Verschiedenheit. Zugleich spürte
sie, dass Georg ihr darin nicht folgte. In der vergangenen
Woche hatte er auf ihr Drängen endlich ein Auto gekauft,
ein Auto freilich, das Georgs Kriterien genügte: Es durfte
nicht auffallen, wenn es in einer Parklücke stand; nicht mit
anderen Autos daneben und nicht ohne sie. Sie ahnte, dass
es etwas in Georg gab, das sie nicht wirklich verstand, und
sie wusste nicht, ob es ihre Neugierde entfachen, ihr Angst

oder einfach nur ein bisschen schlechte Laune machen sollte. Jedenfalls brauchte sie mehr als eine halbe Stunde vor dem Spiegel, kämmte eisern ihr Haar zu Ende, klapperte so lautmalerisch wie energisch auf ihren Absätzen durchs Treppenhaus und sprach bis zur Linienstraße nur wenige unwillige Worte.

Die Vernissage übertraf Georgs Erwartungen, es waren viele Monate vergangen, seit er das erste Mal hier gewesen war, wiederum jedoch fühlte er sich nach wenigen Minuten genauso unwohl. Schon im Eingang hatte Rosalie ein paar Leute getroffen, die sie kannte; Arbeitskolleginnen aus der Agentur. Die aufgerissenen Augen und Mickymausstimmen konnte er ignorieren, Rosalies ebenso gespielte Kinderfreunde bei der Umarmung nicht. Seine schlichte Begrüßung der Mädels besorgte den Rest; sie mieden ihn sofort, und obwohl er noch immer dabeistand, würdigte ihn auch Rosalie keines weiteren Blicks. Georg fühlte sich ausgestoßen; ein fürs Foto hinzugezogener Geldbriefträger auf einem Familienfest.

Er ärgerte sich darüber, dass Rosalie so wenig mit ihm zusammen auftrat. Gerade heute wäre es ihm wichtig gewesen. Auf der Suche nach Bier entdeckte er einen Typen aus dem Viertel, der in unmittelbarer Nachbarschaft wohnen musste, man hatte sich flüchtig gegrüßt. »Schön, dich zu sehen.«

Der Typ starrte ihn an.

»Wusste gar nicht, dass du auch hierhin gehst.«

Der Typ fühlte sich unter Druck. »Nicht zum ersten Mal.«

Georg nickte beschwichtigend. Das Gespräch verlief zäh, war aber besser als nichts. Der Typ sprach leise, das obligatorische Nuscheln verstärkte sich durch geheimniskrämerische Gesten; nie nahm er die schützende Hand vor dem Mund weg, stets raunte es undeutlich darunter hervor. Fast hatte Georg sich gewundert, dass überhaupt ein Mund da war, als der Typ die Hand nahm, um nach einem Glas zu greifen.

Unweit von sich fand Georg Rosalie wieder. Sie fuhr sich durchs Haar, legte den Kopf in den Nacken und lachte; sie wirkte spielerisch und leicht, ihr Gegenüber, ein dunkelhaariger schöner Mann in kariertem Anzug, schien sie zu inspirieren. Georg näherte sich zaghaft von der Seite und erkannte den Künstler, dessen Porträtfoto auf vielen Tischen herumlag.

»Hallo.«

Georg stellte sich dazu. Rosalie verriet keinerlei Interesse an ihm. Der Künstler gehörte ihr ganz allein, von ihr selbst erworben, und Georg sah zu, dass er wieder Wein zu suchen hatte. Sollte er Rosalie eifersüchtig machen? Überall Leute, die so langweilig aussahen wie die Kunstwerke um sie herum. Ein Mädchen stach kurze Zeit daraus hervor. Sie war fast eine Schönheit, aber irgendetwas schien auch hier nicht zu stimmen. Er suchte ihr Gesicht ab, die kräftige ernste Stirn, Augen wie Augen, die etwas vogelhafte kleine Nase, Grübchen, das mochte er, das Kinn abgetreppt; das abgetreppte Kinn war das Problem. Er sah Franziska an der Treppe stehen mit einem Typen, der nicht Stefan oder Dieter war, und stellte sich dazu. Franziska redete über die Shoa, ihre Stimme wechselte zwischendurch auf schrill, erneut forderte sie Georgs Meinung, hörte aber nicht zu. Einige Sätze lang machte er sich fahrige Gedanken und flüchtete anschließend aufs Klo.

An der Pissschale neben ihm stand Edgar; die graue Stoffhose auf den Knien, den Kopf vornübergebeugt, die dunklen fettigen Locken an der Wand.

Totenstille.

Georg schaffte kaum mehr als ein Tröpfeln.

Eine endlose Weile legten sie sich wechselseitig lahm, ohne zu einem Satz zu finden, der ihrem Beisammensein einen alternativen Sinn gegeben hätte.

Zeitgleich wendeten sie sich ab, Georg hielt sich ein paar Schritte zurück; Edgar wusch sich die Hände, lange und gründlich wie ein Arzt. Erstaunlicherweise drehte er anschließend den Kopf und sprach Georg an, zeigte sich sogar auffällig informiert. Er wusste viel über Georg: abgezogene Dielen, Mutterbesuch, Usedom, erwähnte Leonhard, die Konflikte mit dem Hausmeister.

Georg war überrascht. Hatte er Edgar so schlecht eingeschätzt? »Bist also jetzt im Tierpark?« Beiläufig gefragt. Georg war unsicher. Was konnte einen Impresario daran beeindrucken? Edgar sah ihn aufmerksam an.

Georg machte ein paar Andeutungen.

Edgar schien merkwürdig interessiert am Tierpark zu sein. Er steuerte einige Georg unbekannte Details bei, von der Schlangenfarm, und dass man die Schlangen dort mit den Händen aus den schlecht verschlossenen Terrarien nehmen konnte.

Georg wunderte sich über die Kenntnisse, die Schlangenfarm sagte ihm nichts. Edgar nuschelte einiges mehr, von fehlenden Zäunen, geklauten Wildgänsen und vom Tierparkdirektor, für den das hart war.

Der Tierparkdirektor.

Eigenartiges Gefühl, hier, so weit außerhalb des Tierparks, vom Tierparkdirektor zu hören. Und ausgerechnet von Edgar.

»Ist wohl nicht leicht, jetzt.«

»Nein«, sagte Georg.

Schulterzucken.

»Wir haben eine Menge Arbeit«, sagte Georg ernst.

Edgar verzog kaum merklich den Mund. Er hatte das *Wir*

gehört in Georgs Worten, wahrscheinlich hörte er nur das *Wir*. Es hatte ihn nicht verblüfft, weil es nichts gab, das Edgar verblüffte, aber es verleitete ihn zu einem winzigen Zögern.

»Ich glaube euch«, sagte er lächelnd. Ein anderer Klobe-sucher lenkte seine Aufmerksamkeit auf sich, ein hübscher Junge, kaum zwanzig.

»Wir werden demnächst…« Georg unterbrach sich. Edgar hatte jede Lust an ihrem Gespräch verloren, ein matter Gruß.

Georg stand da.

Das kalte Wasser tröpfelte aus dem Hahn.

Rosalies Gespräch begann unangenehm zu werden. Noch immer bemerkte sie, dass der Künstler ein schöner Mann war, aber er redete jetzt sehr kompliziert und begann allen Ernstes, seine Kunst zu erklären, erzählte von Ebenen, die Rosalie nicht zu unterscheiden lernte; wann immer sie etwas sagte, bewegte sie sich auf der falschen. Der Künstler setzte seine Ausführungen fort; die Ebenen purzelten nur so durcheinander. Rosalie schenkte ihnen keine weitere Beachtung. Sie hatte den Künstler gemocht, die Art, wie er seine Bilder erklärte, mochte sie nicht.

Jemand stand neben ihr, ein Freund des Künstlers, ein großer schlanker Mann, Anfang dreißig, in einem gedeckten dunkelbraunen Anzug; seine Augen hatten sie freundlich beobachtet, während sie dagestanden hatte, ohne etwas zu bemerken.

»Und? Den Gesprächspartner erreicht?«

Rosalie war irritiert.

»Am Reichstag. In der Telefonzelle.«

Sie erinnerte sich.

Der Flachsblonde lächelte sie an. Im Nu hatte er zwei volle Weingläser in der Hand und drückte ihr eines davon in die Hand.

»Rainer.«

»Rosalie.«

»Rainer und Rosalie, das passt.« Der Künstler drängte zurück ins Gespräch. Rosalie drehte ihm den Rücken zu. Sie sah kurz zu Rainer auf, wieder lächelte er.

»Schön, dich wiederzusehen. So ein Zufall.«

»Vielleicht sollst du mich heute Abend schon wieder retten«, flüsterte Rosalie. Der Künstler hatte sich abgewandt.

»Retter in der Not, das scheint meine Rolle zu sein.« Er hatte ein sehr einnehmendes Lächeln, helle Augen, das war ihr gleich aufgefallen, der Haaransatz war hoch, aber das störte nicht, er hatte den Kopf dafür. Es war unmöglich, sich seinem Charme zu entziehen.

Rainer war Architekt, das Büro in Hamburg, aber er kam oft in die Stadt, seine Gruppe hatte an zahlreichen Wettbewerben teilgenommen, wenn sie etwas gewannen, würde er ganz hierherkommen, die Stadt war faszinierend, er freute sich darauf. »Und du?«

Rosalie erzählte ihr Leben, die schönen Teile.

»Dein... Freund?«

Ja, der war auch hier. Irgendwo unten wahrscheinlich. Sie suchte ihn nicht.

Rainers Charme blieb. Ihr Freund musste ein glücklicher Mann sein.

Konnte Georgs schlechte Laune sich noch steigern, dann tat sie es in der nächsten Stunde. Die Beck's-Kisten waren geplündert; er musste jetzt auf Wein umsteigen, es waren Kartons gelagert, wenn er noch wüsste, wo er sie gesehen hatte. Die Suche führte ihn aus dem Schutz der Säule in die Mitte. Es ging nicht weiter, umringte ihn, all diese diffusen Menschen, die hier waren, um hier zu sein. Ein Komiker von einem Nachrichtenmagazin war dabei; einer mit einem polnischen Namen, unaussprechbar schon nach drei Beck's. Er war Spezialist für böse Sätze, was man ihm unschwer ansah.

»Jeder muss sein Ding finden«, sagte der Pole.

Georg konnte sich nicht erinnern, sein Ding je verloren zu haben. Der Pole redete jetzt über Bücher; sie waren schlecht oder wichtig. Schöne Bücher gab es nicht mehr. Ein untersetzter Dichter mit patzigem Kinderkopf machte sich dicht neben dem Kritiker geltend. Er redete haupsächlich über Sex, spuckte seine Sätze wie eine schlecht gelaunte Kröte. Eine Schar Claqueure nickte zu seinen Ausführungen und lachte an markierten Stellen.

»Stasi.«

Die Art, wie der Dichter das Wort aussprach, verriet, dass er sie nicht mochte. Dafür liebte er das Aussprechen; die Stasi begegnete einem in jedem zweiten Satz. Man musste die Stasi nicht mögen, um etwas von ihr zu haben. Wahrscheinlich würde der Dichter es einmal zu etwas bringen.

Georg fühlte sich flau. Er hätte lachen mögen über diese Farce, wenn nicht alles auch irgendwie ernst war, wenn er nicht gewusst hätte, dass all dies einen Betrieb ergab, in dem kluge Menschen Geld, vielleicht sogar viel Geld verdienten; Menschen wie Edgar, die eines Tages ganz nüchtern, ganz ruhig von ihren wilden Jahren erzählen würden, in einen Designersessel gestreckt, warum nicht in New York, vielleicht auch in Kassel: der große kleine Mann im Sessel, der all dies gemacht, gelebt und durchquert hatte. Auch das sicher eine Farce, aber eine ganz andere als das Gequatsche drum herum, von dem nichts blieb für den nächsten Tag, das keinem Morgenstrahl im offenen Fenster gewachsen war und doch zugleich einmal wichtige Geschichte sein würde.

Er musste Rosalie finden.

Es war wirklich schade, dass Rainer gehen musste. Der Künstler hatte es so gewollt, irgendwo war eine andere Party, wahrscheinlich eine noch viel bessere.

Rainer zögerte, Rosalie sah, dass er sich nicht leicht damit tat aufzubrechen: Rosalie. Der Künstler. Rosalie. Er sah sie lange an; der Künstler zog ihn am Arm, er ging. Sie blickte ihm nach, wie er zwischen den Umstehenden verschwand.

Er hatte ihr nicht einmal seine Telefonnummer gegeben.

Sie ging rüber zu Edgar, sie hatte gesehen, dass er sie aus den Augenwinkeln beobachtet hatte.

Er führte sie in einen Abbruchraum, eine Art Anbau, schummriges Licht, Ecken mit braunen Cordsesseln. Sie unterhielten sich, Rosalie redete, Edgar war ein guter Zuhörer, sehr wach und entspannt, sie wusste nicht, was sie ihm alles erzählte, es war sehr dicht. Unter der Decke kräuselte Schwamm.

Es dauerte eine halbe Stunde, bis Georg sie fand. Rosalie im Sessel, Edgar im Sessel.

Edgar lächelte.

Rosalie blickte ernst. Sie fühlte sich gestört.

Georg bestand darauf zu gehen.

»Du siehst, dass ich mich unterhalte.« Edgar lächelte ihr anteilnehmend zu.

»Wir gehen«, wiederholte Georg.

Edgars Lächeln verschwand; nicht ein kleiner Rest davon blieb zurück.

Rosalie zögerte, erhob sich mit einem Kopfschütteln. Sie überlegte, ob sie Georg alleine gehen lassen sollte.

Er bestand darauf, dass sie mitkam. An der Tür drehte sie sich noch einmal um, Edgar redete bereits mit anderen, er winkte ihr flüchtig nach. Sie traten hinaus in den Hof.

Georg versuchte vergeblich, sie zu beruhigen, legte ihr den Arm um die Schultern.

»Lass den Quatsch.«

Rosalie war nicht zur Liebe aufgelegt. Sie hatte einiges auf dem Herzen, das sie ihm an den Kopf schmeißen wollte. Georg hatte sich unmöglich benommen, nicht nur ihr gegenüber, auch gegenüber Edgar. Er wusste ja gar nicht, wie gut Edgar von ihm gesprochen hatte, wirklich nur Gutes, sogar nach dem Tierpark hatte er gefragt.

Georg nickte. So konnte man das auch sehen.

»Was hat Edgar dir getan?« Rosalie war stocksauer. Gleich auf der Straße setzte sie ihre Wut fort. Es war einfach nicht zu begreifen, warum Georg so vieles von dem, was sie sehr ernst fand, so leicht nahm und vieles, was Rosalie leicht nahm, dermaßen schwer.

»Das kommt nur, weil du das alles viel zu ernst nimmst.«

Ich nehme alles viel zu ernst, dachte Georg. Vor allem jetzt, in diesem Augenblick. Zum Beispiel Rosalie. Warum konnte er sie nicht einfach lassen, wie sie war, und warum konnte sie es nicht mit ihm?

»Du nörgelst ständig, du stehst herum wie Falschgeld, du kommst mit keinem zurecht, du kleidest dich schlecht. Ich habe den Eindruck, dass du dich im Augenblick überhaupt schlecht zurechtfindest.«

»Ich mache eine sinnvolle Arbeit«, sagte Georg.

»Eine sinnvolle Arbeit«, wiederholte Rosalie. Es war noch nicht einmal eine Frage.

Die Wiederholung verfehlte nicht ihren Zweck. Tiefster Verrat. Georg verspürte kein Bedürfnis, das Gespräch fortzusetzen.

Sein Zustand blieb auf dem Niveau der letzten Stunden; Rosalie hatte sich blendend gefühlt, jetzt fühlte sie sich ebenso schlecht. Wortlos gingen sie nebeneinanderher. An der Ecke Krausnickstraße trafen sie auf Franziska, auch sie war nach Hause gegangen, Arm in Arm mit dem Typen von vorhin. Sie klammerte sich regelrecht an ihm fest, ihre Stimme klang rau von Alkohol, als sie ihnen eine gute Nacht hinterherrief.

Vor dem Haus stand der Wagen des Hausmeisters, genau vor dem mittleren Fenster; es musste ihm viel inneren Halt geben. Rosalie kam der Hausmeister gerade recht.

»Das Schwein.«

Sie sah den Schatten hinter der Gardine, glaubte zu sehen, wie Korkow bis tief in die Nacht sein Auto bewachte. Heftig winkte sie zum Fenster hinauf.

»Wichser, da oben.«

Georg überlegte: Was war gegen eine schöne junge Frau zu sagen, die nach Mitternacht auf der Straße in ein dunkles Fenster schimpft? Er stand tatenlos daneben, Korkow blieb unsichtbar, es war kalt. Es war nichts dagegen zu sagen. Eigentlich konnte er sich freuen. Der gemeinsame Feind hatte sie wieder vereint; Rosalies Laune gegenüber Georg hatte sich gefangen. Es war ihr ein wenig unangenehm, dass sie ihn vorhin so peinlich gefunden hatte und dass sie ihm das gesagt hatte, das mit dem Rumstehen und der Arbeit.

Georg war dem Hausmeister für seine Dämlichkeit richtig dankbar.

Zwecks Versöhnung gingen sie miteinander ins Bett, fielen versuchsweise übereinander her. Erotik ist ein beständiger Kampf gegen die Zoologie. Oder genauer: der Zoologie gegen die Zoologie. Die Zoologie der Bilder, Psychozoa, gegen die Zoologie der Nacktheit, Physiozoa. Es war nicht leicht, ein gemeinsames Tempo zu finden, Georg war schneller, der Friede hatte ihn beflügelt. Er versuchte sich abzulenken, Kochrezepte, irgendwas aus der Zeitung, aidskranke Robben im Ozonloch.

Die Verzögerung gelang, er brachte sich raus; die Fortsetzung ein zäher Sex, eigentlich war der Faden gerissen. Am Ende huddelten sie zwei halbherzige Orgasmen hin.

9

Wenn das Wetter schön war, schien die Sonne direkt auf Rosalies Schreibtisch. Es war noch immer September, und sie genoss es, hinaus auf die Straße zu sehen, wenn das Licht die Häuser färbte, die Baumkronen im Tiergarten. Manchmal kam es einem vor, als könnte nichts diese Helle trüben, als müssten die Menschen sich einfach nur freuen, dass sie dabei zusehen konnten.

Der Sonntag nach ihrem Streit war ruhig gewesen, Rosalie hatte Wäsche gewaschen und die Leinen überall durchs Schlafzimmer gespannt; Georg hatte gespült und war spazieren gegangen; am Abend hatten sie ferngesehen.

Nun saß sie wieder in der Agentur; auf der Tischplatte die neuen Vorschläge für die Konferenz, zusammengesammelt aus der letzten Woche; allerhand Gedanken, wirklich Brauchbares hatte sie nicht. Sie ärgerte sich darüber, dass man die Stadt nicht zuvor auf ihre Eignung für eine übergreifende Idee geprüft, oder noch besser, die Hauptstadt gerade danach ausgesucht hatte. Außerdem ärgerte sie sich, dass sie keine zureichende Unterstützung bei ihrer Arbeit hatte. Es war ein Witz, dass man sie ausgerechnet mit Sandra in ein Team gepackt hatte; die Präzisionsschönheit im Stahlrohrsessel am anderen Schreibtisch war wirklich eine entscheidende Hilfe. Zu gerne hätte Rosalie gewusst, wie Sandras Bierwerbung ausgefallen war; unmöglich, sich eine verborgene Gabe vorzustellen, die zu ihrem Gesicht gepasst hätte, ihrem Körper, den Bewegungen.

Die Konferenz zog sich über den Vormittag. Alle hatten sich versammelt, unter ihnen Rosalie: korrekt, nervös, professionell. Sie tranken Kaffee, die Kreativ-Direktorin fuhr sich durchs Haar, der Agenturchef lauerte, der Strategic-Planner, rasiermesserglatt, ein weißer Kittel, wie ein Forscher im Labor, präsentierte ein Thesenpapier. Er zauberte immer neue Begriffe hervor, die irgendwie zueinander zu passen schienen; es war, als bediene sich der Strategic-Planner fortwährend aus einer Parallelwelt, die nur ihm selbst zur Verfügung stand. Rosalie fragte sich, was er eigentlich sah, wenn er die Welt sah. Erst gestern hatte sie gelesen, dass jetzt sehr viele Menschen die Stadt verließen und ins Umland zogen; dass die Stationsvorsteher der S-Bahnen nun »Zurückbleiben, *bitte*«, sagen mussten, und dass mehrere von ihnen darauf den Dienst quittiert hatten. Der Verkehrssenator war aus dem Westen in die Stadt gekommen. Er schien recht eigenwillige Vorstellungen von einer Metropole zu haben; offensichtlich hatten sie etwas mit Höflichkeit zu tun. Die Stationsvorsteher sahen das anders; ein General, der lernen sollte, seine Arbeit als Dienstleistung zu verstehen, wäre sich nicht blöder vorgekommen als ein Stationsvorsteher, der von seinen Fahrgästen sich etwas wünschte.

Jeder Satz über die Stadt musste etwas von diesen Gefühlen haben, entschied Rosalie. Irgendetwas, das auch tatsächlich mit dem wirklichen Leben zu tun hatte. Sie blickte hinaus. Vor dem Fenster stand noch immer das Wetter, warm und geduldig; die U-Bahn-Schächte atmeten schwer.

In der Mittagspause ging sie in die Leipziger Straße, ein neues Geschäft bot Kaffee im Stehen. Die Straße war breit, hatte aber noch immer wenig Verkehr, die meisten ihrer Zufahrtswege waren blockiert. Das Reichsluftfahrtsministerium stand da und bedrohte das deutsche Volk mit seiner Geschichte. Eine Hand fasste sie an der Schulter.

»Mensch, Rosalie!«

Sie fuhr herum. Der Typ, der noch immer seine Hand auf ihrer Schulter hatte, war ein ehemaliger Klassenkamerad.

»Hast dich überhaupt nicht verändert, Rosi.« Er strahlte über das ganze Gesicht.

Rosalie suchte nach dem Namen und verharrte bei Frank.

»Du auch nicht.«

»Danke, danke«, wehrte Frank ab. »Sag mal, was machst du denn hier?« Das *du* sehr lang, auffällig betont; es klang nach *ausgerechnet du.*

Sie gingen in den Kaffeeladen, Frank voran, zielsicher und mit Schwung, aber augenscheinlich irritiert. Rosalie fand das richtige Ende der Schlange und besorgte den Kaffee. Mit wenigen Worten skizzierte sie die Ereignisse, keine Nacherzählung, nur Inhaltsangabe. Frank mit Igelfrisur, Brille, weiter Hose mit Hosenträgern, brauchte entschieden länger, war gleich nach dem Abi in die Stadt, wegen Wehrdienst und so, total heimisch hier.

»Coole Stadt.«

Rosalie nickte.

»Geiler Kaffee.«

»Hm.«

»Weißt du noch, Rosi, früher in der Schule, der Kaffee vom Hausi?«

Rosalie wusste noch.

Frank erzählte vom Kaffee, vom Hausi, vom Schülercafé gegenüber vom Hof; Schulzeit, in Anekdoten verpackt. Manches, erinnerte sich Rosalie, war ähnlich gewesen, anderes schien erfunden.

Sie knibbelte an ihren Fingernägeln, mimte Vergesslichkeit.

Die Anekdoten zogen jetzt weite Kreise und landeten in der Stadt; Friedensdemonstrationen, Hausbesetzungen, man konnte meinen, dass Frank dabei gewesen war.

Rosalie ergänzte ein paar Sätze über die Stadt; sie erwähnte Georg, ihre Wohnung im Osten.

Weltläufiges Nicken.

»Im Osten?« Kopfschütteln.

Frank stellte Behauptungen auf: Man musste im Westen leben in dieser Zeit, überhaupt im Westen leben, oder auswandern, man wusste das, wenn man lange genug hier war. Der Osten der Stadt war provinziell, immer gewesen, jetzt kamen noch die Baustellen hinzu. Überhaupt wunderte er sich darüber, dass man wegen des Ostens so ein Geschiss machte, der Westen hatte so lange Widerstand geleistet, nicht der Osten. War Frank als Wehrdienstverweigerer in die Stadt gekommen, fühlte er sich jetzt um seinen Status als Frontkämpfer betrogen. Schützengrabenromantik auch in der Kneipenlandschaft. Irgendwo in einem Keller im Westen hatte David Bowie gehockt, aber das war vorbei. Frank sprach von der Bowie-Kneipe, als hätte er selbst sie betrieben. Er war Grafikdesigner, noch im Studium, machte irgendwas mit Computern.

»Na ja, das meiste kannst du nicht mehr kennen«, bedauerte der Klassenkamerad betagt.

Rosalie pulte den Zucker auf.

»War schon was ganz Besonderes hier.«

Sie trank ihren Kaffee.

»Eine unglaubliche Szene.«

Hinter der Theke türmten sich die Kaffeepakete, hochglänzend in einem dunklen Regal.

»Aber die Schule früher war auch irre. Erinnerst du dich, die alte Bentlage?«

So irre wie der Westen?

Frank hatte zurückgefunden zu den Anekdoten. Gerne hätte Rosalie sich dagegen verwahrt, derart intimer Teil seiner Gedanken und Erinnerungen zu sein. Sie flüchtete mit einer Ausrede, bezahlte den Kaffee.

»Ich ruf dich an«, drohte er vor der Tür zum Abschied.

»Versuchs nur«, dachte sie grimmig, winkte kurz hinterher und beeilte sich über die Leipziger Straße in das schützende Grün des Tiergartens. Jugos mit Skateboards kurvten am S-Bahnhof Potsdamer Platz über eine selbstgebaute Rampe unnützer Mauersteine; Rosalie setzte ihre Sonnenbrille auf. Wie froh sie war, nicht mehr dieselbe zu sein wie zu Schulzeiten, das blasse Mädchen, das sie gewesen war. Der Schulkamerad dagegen, Frank, oder wie er hieß, blieb ihr wie aus einer seiner Anekdoten entsprungen. Hatte er wirklich geglaubt, was er ihr erzählte? Dieser nachtragende Kult um eine Szene, die so rasant an Wert verloren hatte? Sicher, es musste immer Dinge geben, die andere nicht teilen konnten, diesen frühen David-Lynch-Film, den man natürlich wieder nicht gesehen hatte und der wahrscheinlich gerade deswegen der beste war. Wie einfach das war, sich durch die Leistung anderer als etwas Besonderes zu fühlen. Als ob es die Szene im Westen, die Bowie-Kneipe und das andere nur gegeben hatte, weil dieser Frank dabei gewesen war, falls er es überhaupt war. Was konnte der schon dazu beigetragen haben; erinnerte sich David Bowie noch an diesen Frank? Und überhaupt: Wehrdienstverweigerer im Westen der Stadt, wenn sie so was schon hörte; all das erschien ihr so abgestanden, so selbstverliebt und spießig. Dieser steinalte Westen: Die Häuser waren längst gestrichen und saniert, das Leben ordentlich wie ein Omacafé, geradezu abwegig, dass man das jemals verherrlicht hatte. Wie erbärmlich, unter solchen Umständen darauf zu beharren, schon vorher da gewesen zu sein. Von aller Schulerinnerung verlassen, als Spießer enttarnt, stand der Schulkamerad nackt und bloß da, irgendein Frank eben, nicht wert, dass sie ihn weiterhin zu ihrer Vergangenheit zählte.

Sie ging im Tiergarten spazieren und fühlte sich gut, der Schulkamerad hatte sie gestärkt. Der Siebzehnte Juni zog über die Gläser ihrer Sonnenbrille, autoumbraust in gesättigter Luft das Rondell; der Engel darauf flatterte heftig mit den Flügeln, der Düsenmaschine hinterher, Kurs Mallorca, El Urinal: die Diktatur des Proletariats, wo das Glück oder so aus der Strandburg winkte; da sollte schwer was los sein.

Rosalie streckte sich im Sonnenschein. Noch vor wenigen Wochen hätte sie gedacht: Das Licht scheint auf Georg & Rosalie. Im Augenblick aber freute sie sich darüber, dass nur sie hier stand; glücklich damit, allein zu sein, während das Leben um das Rondell kreiste, der blutrote Marmor leuchtete, der Engel hoch oben nicht von der Stelle kam, und der nette Junge auf dem Fahrrad sie anlächelte.

Es war der Tag, an dem Rosalie Rainer wiedersah. Sie hatte früher Schluss gemacht, wollte nach Klamotten sehen, vor allem nach Schuhen, es würde bald Herbst werden, schneller als man dachte, aber sie fand nichts, was ihr gefiel. Um vier Uhr zehn stand sie am Bahnhof Zoo und wartete auf die S-Bahn nach Hause. Auf den Treppen zum Gleis lümmelten sich ein paar urbane Türken; ein Rudel Punks aus Richtung Strausberg Nord lärmte auf dem Bahnsteig und forderte Begrüßungsgeld; ein Rentner schimpfte und fluchte, die Punks quittierten es mit Kopfschütteln: »Det hattes unter Erich nich jejeben.«

Rosalie schenkte den Jungs keine Blicke, sie lehnte an der Stellwand mit den Fahrplänen, den karierten Rock über dem Knie, die Ärmel des Pullis hochgezogen, die Arme verschränkt. Und dann war Rainer neben ihr.

»Fahren wir zu dir, oder gehen wir in den Zoo?«

Rosalie blickte erstaunt.

»Scheint, dass ich dich wieder vor trüben Gedanken retten muss.« Wieder lächelte er. Er war sehr überzeugend.

Rosalie sah die S-Bahn einfahren, sah Rainer, der sie ansah. Die S-Bahn hielt, Leute stiegen aus, dann ein. Rosalie zögerte. Die S-Bahn fuhr ab.

Jetzt lächelte auch Rosalie.

»Dann«, sagte sie, »gehen wir in den Zoo.«

Der Zoo war sehr voll, überall Eiswagen und die dazugehörigen Kinder. In den Tierhäusern hallten die Stimmen der Kinder laut. Rosalie hakte sich ein. Die Wege mündeten ineinander, irgendwie gingen sie ständig im Kreis. Die niedlichen Tiere brachten sie zum Schmunzeln, Rainer steuerte sie gezielt an; allgemein taten Rosalie die Tiere leid, sie beachteten sie nicht weiter. Kreuz und quer Teiche, Brücken und Winkel, man konnte sich auf die Bänke setzen; es gab Herbstlaub.

Die Luft war ein wenig frischer geworden, die Menschen verstreuten sich. Rainer ließ sich zurückfallen, die Arme ausgestreckt auf der Lehne, der schwache Wind pustete in seinen Haaren; Rosalie schlug die Beine über. Länger als eine halbe Stunde saßen sie nebeneinander und erzählten sich irgendetwas von sich, sie konnte seinen Arm spüren, dicht an ihrem Nacken. Behutsam achteten sie darauf, dass jeder Schritt, jedes kleine Zeichen, mit dem sie ihren Abstand verringerten, vom anderen bemerkt wurde; sie waren abwechselnd dran, keiner zog zweimal, am Ende saßen sie sehr dicht auf der Bank, Rosalie fröstelte, Rainers Mantel war Kopfkissen, Decke. Es wurde schnell wärmer; sie musste an Sex denken; sie entschuldigte sich, ging ins Zoorestaurant, auf die Toilette, wusch ihre Hände, schob die Ärmel hoch und strich sich kaltes Wasser auf die Unterarme und in den Nacken. Sie schminkte sich neu, zog die Lidstriche nach.

Sie dachte nicht ein einziges Mal an Georg, der jetzt zwischen anderen Tieren stand. Sie dachte an Rainer, und wie lange sie noch in diesem Zoo bleiben konnten, die Sonne war weg, die Tierhäuser geschlossen, eine alte Frau redete mit den Elefanten, der Wärter am Ausgang schielte Rosalie unverblümt auf den Rock. In der Nähe der Kirche gab es Cafés, das eine so blöd wie das andere. Rainer blieb ruhig und heiter, es war egal, wie das Café aussah, sie bestellten Kaffee. Sie lächelten. Rainer erzählte, dass er zurück nach Hamburg musste, dass er schon morgen fahren würde, es gab viel zu tun. Es gab auch viel zu tun, wenn sie ihn dort vielleicht einmal besuchte, vielleicht könnten sie durch den Jenischpark spazieren, vom Hügel mit dem weiten Blick über die Elbe sehen, wo haushohe Schiffe Container durch den Sonnenglast trugen, die Elbe blinkte, bis es Abend wurde, die Containerschiffe gähnten. Rosalie konnte den Park sehen, die Elbe und die Schiffe, sie sah Rainer auf dem Hügel stehen in seinem langen Mantel, aber sie wusste nicht, ob sie sich selbst dort sah. Sie trank ihren Kaffee und gab sich einen Ruck, küsste ihn auf die Wange. Vor dem Café umarmte sie ihn, flüchtig, sie drehte sich nicht um, stand Minuten später wieder auf dem Bahnsteig, sie fuhr nach Hause.

Georg war schon da, aß Spiegeleier zu Abend, las irgendwas in einer Zeitung. Sie begrüßte ihn flüchtig, dann länger, stellte ein paar Fragen, damit er nicht fragte, lenkte ihn und sich von sich ab. Sie hatte ein schlechtes Gewissen, das sie nicht hätte haben brauchen, es war nichts passiert, ein schöner Nachmittag, Zoo und Herbstlaub, dagegen war nichts zu sagen, eigentlich hätte sie es Georg sogar erzählen können. Wenn sie ein schlechtes Gewissen hatte, dann deswegen, weil sie es nicht tat.

In der Küche stapelte sich Geschirr, sie spülte und trocknete ab, bis draußen die letzten Fenster erloschen, nur die trübe Straßenlaterne hatte noch Licht.

Im Bett überkamen sie Skrupel, dann Traurigkeit. Georg schlief. Sie hätte es erzählen müssen: Am liebsten hätte sie ihn geweckt, um doch noch mit ihm zu reden.

10

Das weiträumig eingefasste Granitfelsenpanorama, das einen Hain mächtiger Kastanien in den Hintergrund drängte, enthielt 2000 Kubikmeter Wasser und fünf Eisbären.

Die Eisbären hatten es selten so schön.

Kein Besucher hatte sich vor ihnen versammelt. Der Morgen gehörte den Kastanien, dem Tierparkdirektor, Georg und den Eisbären allein.

Georg und der Tierparkdirektor saßen auf derselben Bank. Seite an Seite. Noch schöner war es hier nur, wenn sie nicht da gewesen wären. Es war der Tag, an dem er Georg zum ersten Mal von seiner großen fernen Geliebten erzählte: der Weißen Oryx. Die Weiße Oryx lebte in Arabien und war sehr selten. Genau genommen war sie sogar so selten, dass es sie schon nicht mehr gab, mit Ausnahme einiger weniger Exemplare im Besitz eines Scheichs. Er hatte sein Leben lang Oryxantilopen vom Jeep herunter erschossen, ihre Bestände schmolzen wie Schneereste in der Wüste, und der arabische Waidmann saß nun auf den letzten verbliebenen Tieren wie ein Drache auf seinem Schatz. Die ganze Welt wollte eine solche Oryx aus dem Besitz des Scheichs haben, hatte sich aber bislang völlig vergebens um sie bemüht.

»Bis heute.«

Die Glatze glänzte vor Schweiß und Freude. Der Tierparkdirektor nahm Schwung und wiederholte:

»Bis heute.«

Er platzte vor dramaturgisch verborgenem Stolz, sein Anzug spannte sich bedrohlich. Heute war der Tag. Vor zwei Stunden hatte der Tierparkdirektor den lang ersehnten Anruf bekommen und mit ihm den Zuschlag: Die Weiße Oryx würde Arabien zum ersten Mal verlassen und eine Reise antreten.

In den Tierpark.

Der Tierparkdirektor lehnte sich noch weiter zurück.

»In den Tierpark. Wir werden sie züchten, hier bei uns. Bis dahin müssen wir uns weiter um die Herde in Arabien kümmern. Natürlich brauchen wir noch ein Männchen.«

Georg wusste nicht, ob er richtig verstand. Weil der Tierparkdirektor die Weiße Oryx züchten wollte, setzte er sich für den Erhalt ihres Bestandes in der Wüste Nifud ein.

Der Tierparkdirektor war sehr zufrieden. Er sprach ruhig und selbstsicher, es hätte ihm nicht besser gehen können. Seine Worte sortierten Georgs Gedanken, versicherten die große Bedeutung der Transaktion für alles Mögliche, das große ökologische Gleichgewicht.

»Das ist noch nicht alles.«

Der Reviertierpfleger war zwischen den Birken aufgetaucht und baute sich am Rande des Bassins auf. Er hatte eine Axt mitgebracht und zerteilte einige Klumpen tiefgefrorenen Fisch.

»Nicht alles?«

»Na ja, die Weiße Oryx ist zweifellos der Höhepunkt. Aber wir schreiten weiter voran. Wir werden den Tierpark zukünftig ausbauen als ein Refugium für alle bedrohten Arten dieser Welt; gemäß den Beschlüssen. Wir sind ihre letzte Zuflucht.«

Der Reviertierpfleger warf kleine Pakete zusammengefro-
renen Fisch ins grüne Wasser. Die Eisbären näherten sich
geduldig; wilde Möwen flatterten dazwischen. Nur ein einziges Mal drehte er den Kopf vom Fisch weg hinüber zur
Bank.

Am Nachmittag lauerte er Georg im Brehm-Haus auf. Der
Reviertierpfleger begann in aller Ruhe, Umschau zu halten.
Dann breitete er sein breitestes Lächeln aus. Die Gelegenheit
war günstig. Er zündete sich eine Zigarette an.

»Der Tierpark wird aufgelöst. So oder so«, redete er
Georg an.

Sie standen vor der Sandkatzenvitrine hinter dem Haupt-
eingang. Die Sandkatzen lagen in einer abgewetzten Holz-
kiste mit rundem Schlupfloch, man konnte sie nicht sehen.

Georgs Blick war die erwünschte Frage.

»So oder so«, wiederholte der Reviertierpfleger maliziös,
während er an seiner Zigarette zog, »entweder sie schlucken
uns, oder sie verkaufen uns an eine Versicherung. Die baut
dann Hochhäuser hier, alles eine Frage der Zeit.«

»Ich weiß nichts davon«, sagte Georg weitläufig. Dass
ihn der Reviertierpfleger auf diese Weise an seinen Befürchtungen teilhaben ließ, bedeutete nichts Gutes. Er war nicht
der Mensch, der sich unaufgefordert Verbündete suchte,
und Georg nicht der Mensch, der ihm zu diesem Zweck ein-
fallen konnte.

Der Reviertierpfleger äugte ebenso misstrauisch zurück.

»So, du weißt also nichts?« wiederholte er dunkel. »Du
weißt nichts, obwohl man dich jeden Tag mit dem Alten
quatschen sieht. Aber du sagst, du weißt nichts. Na schön.«

»Ich weiß nicht, wovon Sie reden.«

»Du weißt sehr genau, wovon ich rede.«

»Wir reden nicht über den Tierpark.«

Der Reviertierpfleger sah ihn an, als leugne Georg ein Verbrechen, dessen er seit Jahren überführt war.

Saftiges Lachen.

»Sie reden nicht über den Tierpark. Hör dir das an. Der Alte redet nicht über den Tierpark.« Das breite Lachen verschwand. Seine Augen verformten sich zu Schlitzen: »Der Alte redet immer nur über den Tierpark.«

Georg hob die Schultern.

»Ich weiß nicht, ob du das weißt: Der Alte ist krank«, sagte der Reviertierpfleger scharf, »verdammt krank sogar.«

Georg sah ihn nicht an. Die Rückwand der Sandkatzenvitrine war ein irritierendes Muster aus weißen und grauen Steinchen. Er versuchte, sich mangels sichtbarer Sandkatzen daran festzuhalten. Sein Blick verschwamm.

»Was ist das eigentlich?«, fragte der Reviertierpfleger etwas leiser und schenkte seiner Zigarette ungeteilte Aufmerksamkeit, »ich meine, zwischen dir und dem Alten?«

»Was soll da sein?«

Der Reviertierpfleger blieb bei seiner Zigarette. Er schnippte die Asche ab, sah Georg an, sah auf die Zigarette, sah wieder Georg an, grinste wie ein Hütchenspieler kurz vor dem Aufdecken des falschen Bechers.

»Und was zahlt er dir dafür?«

»Zahlen... was?

»Du hast mich verstanden. Fürs Spitzeln.«

»Was soll der Quatsch?« Georg wurde wütend.

»Na, irgendeinen Grund wird der Alte schon haben.«
Pause.

»Ist auch egal«, sagte der Reviertierpfleger schulterzuckend. »Der Alte kann mich sowieso mal, geht doch ohnehin alles den Bach runter.«

»Wenn Sie meinen«, sagte Georg, der wusste, was der Reviertierpfleger meinte. Wieder vermied er es, sein Gegenüber anzusehen. Seine Augen wanderten von der Vitrine zu einem bombastischen Mosaik: die ausgestorbenen Vorformen der Großkatzen in der Erdneuzeit. Es zeigte die vielen Risse, die die Beben der vergangenen Jahrmillionen der Erde zugefügt hatten, ebenso wie das mühselige Zusammensetzen kleiner Steinchen durch die Paläozoologie; am meisten aber versinnbildlichte es den Zustand des Tierparks als Ganzes, der nur aus gemessener Entfernung ein heiles Bild abgab. Zu Friedenszeiten musste der Park eine Attraktion gewesen sein, eine Attraktion, die funktionierte: Kinderferienlager, Interflugtouristen, Tierparkfeste. Es war nicht viel übrig geblieben davon. Wie Mahnmale standen die großen Tierhäuser zwischen Birken und Unkraut, vergessene Symbole, dass sich der Staat in seinem Lauf von Ochs und Esel nicht aufhalten lasse. Doch der Staat war aufgehalten worden. Georg hatte gesehen, wie die Wärter Zäune mitgehen ließen für ihre Datschen, der Werkzeugvorrat war lange abgetragen, der Zustand der Quartiere jämmerlich, die Dienstzeiten bestanden nur aus Papier. Der Reviertierpfleger hatte ihm die Augen geöffnet; von nun an konnte er nicht mehr an der Wahrheit vorbeigehen wie an den Beschilderungstafeln mit Bildchen, Schulterhöhen, Ausrottungsquote und Tragzeiten. Georg hatte nie beobachtet, wie ein Besucher eine der vielen kleinen Tafeln gelesen hatte; vermutlich spielten sie untereinander Quartett.

Er war den äußeren Ringweg entlanggegangen, ohne irgendjemanden zu sehen, und stand jetzt vor den Riesenseeadlern in ihrem drahtverhauenen Flüchtlingscontainer, die Augen an ihre stummen bernsteinfarbenen Augen geheftet, die von Anadyrland träumten und vom Ochotskischen Meer, wie Georg auf der Beschilderungstafel las; Namen, fern wie aus einem Kinderbuch.

Von Anadyrland bis ans Ende der Welt.

Rosalie hätte es sich leicht machen können mit dem, was sie getan hatte; sie war durch den Zoo spaziert, mit Rainer, nichts weiter; sie hatten einen Kaffee getrunken. Es war wichtig, dass sie das Ereignis nicht überbewertete. Immerhin war es jetzt schon drei Tage her, und der schöne Nachmittag erschien ihr bereits unwirklich. Es konnte nur eine Frage der Zeit sein, bis es gar keinen Unterschied mehr machte, ob etwas real war oder bloß erfunden. Gleichwohl sollte sie etwas tun, das ihre Gedanken in eine andere Richtung lenkte. Sie sollte zusehen, dass sie Georg wieder mehr in ihr Leben einbezog; vielleicht sollte sie ihn an ihrer Suche nach den passenden Sätzen für die Stadt beteiligen; vielleicht war das eine Lösung.

Am Sonntagmorgen gingen sie endlich wieder Arm in Arm, er machte ihr Komplimente, sie blickten gemeinsam auf den Palast der Republik. Der Palast stand auf einem Platz, der tagsüber von der Sonne und nachts von Springbrunnen beleuchtet wurde. Georg fand das Haus schön, sehr ausgewogen in der Proportion; Rosalie fand es schrecklich, nichts daran sah so aus, wie man sich von Kindheit an einen Palast vorstellte. Georg hatte ihre Schönheit gelobt, jetzt lobte er den Palast, es war nicht leicht, ihn zu verstehen.

»Ich finde ihn schief«, sagte Rosalie. »Vor allem den Namen. Republiken brauchen keine Paläste.«

Georg verteidigte das Bauwerk. Eine Zeit ist vergessen, wenn man ihre Anatomie nicht mehr begreift, keine Rückschlüsse mehr zieht aus ihrer Architektur; vor zwei Jahren hatte der Palast noch gegolten, jetzt war er unverständlich. Das war sehr schade, der irreparable Zorn der Zeit würde sich seiner annehmen.

Rosalie drängte zum Gehen. Sie war froh darüber, sich keine weiteren Gedanken über die Kiste machen zu müssen. Bald würden Bagger über den Platz fahren, den Panzer so oft platt gewalzt, stramme Füße so lange festgestampft hatten; es würde nicht schade darum sein.

So enttäuscht Rosalie über Georgs fehlende Hilfe war, so wenig konnte sie ihm deswegen Vorwürfe machen. Es hatte keinen Sinn, ihn weiter an ihrer Ideensuche zu beteiligen, unmöglich, in seinen Worten irgendeine Zukunft zu erkennen. Einmal erwähnte Georg, um wie viel klarer die Menschen im Osten die Welt sahen, wenn sie von der Mitte der Stadt als Mitte sprachen, statt Zentrum zu sagen wie im Westen; Architektenjargon; das Zentrum des Westens aber lag gar nicht im Zentrum, nicht einmal im Zentrum des Westens.

Rosalie war unmerklich zusammengezuckt, als Georg von den Architekten gesprochen hatte, sie gewann den Eindruck, dass er inzwischen nahezu von allem das Gegenteil dachte wie sie. Man musste sich fragen, ob es wohl an ihr lag oder an etwas anderem. So etwa ärgerte sie sich inzwischen sehr darüber, dass sie noch immer kein Telefon hatten, damit sie für die Agentur hätte erreichbar sein können; Georg sah darin eher einen Vorteil. Irgendetwas hatte unmissverständlich begonnen, ihre Ansichten zu trennen. Sie wusste, dass sie sich Zeit nehmen musste, ihn zu verstehen, und sie wusste, dass sie im Augenblick weder Kraft noch Lust dazu hatte.

Beim Abendessen fragte Georg, ob sich irgendetwas für sie verändert hätte, ob ihr das Leben, dass sie führten, vielleicht gar nicht mehr gefiel. Rosalie wusste nicht, was sie sagen sollte. Es gab viele Dinge, die ihr missfielen. Aber sie blieb dabei, dass es ungerecht war, ihn dafür zu verurteilen. Sie sah seine fragenden Augen, während er zugleich ganz ruhig seine Suppe löffelte.

»Ich liebe dich«, sagte Rosalie, »aber im Augenblick geht mir vieles andere durch den Kopf.«

Eine Woche vor der Katastrophe sah Georg den Reviertierpfleger an der Haustierkoppel stehen. Es war früher Nachmittag, der Reviertierpfleger hatte einen Flachmann geleert
und gestikulierte lautstark damit herum.

Goldgelbe Bäume entwarfen eine Gemäldelandschaft, auf
einer Lichtung daneben der Familienfriedhof der letzten
Schlossbesitzer, bemooste Steine, ausgestorbene Generäle,
Herren von Treskow, die so vieles hatten geschehen lassen,
das Sonnenspiel im Herbstlaub, die Jugendstilschwäne auf
den Teichen, das Gestapolager hinter den Birken.

Kaum ein Besucher drang bis hierhin vor; aber heute hatte sich gleich ein Dutzend Wärter im Halbkreis um den Reviertierpfleger versammelt. Dieser hatte inzwischen Georg
entdeckt und winkte ihm spöttisch zu.

Georg ging zum Friedhof hinüber und begann, Laub zu
harken. Es würde noch viel Laub von den Bäumen fallen,
es würde sehr viel Laub zu harken sein bis zum Winter. Er
konnte nicht sagen, worüber sie redeten, die Entfernung zer-
stückelte ihre Stimmen. Gelegentlich fielen Seitenblicke, der
eine und andere Blick über die Schulter auf Georg. Er harkte das Laub mit dem Rechen, unbeteiligt, so als ob es nichts
gäbe als seine Arbeit ringsum. Auf dem Boden wanderten
langsam die Mistkäfer.

»Blühende Landschaften«, krächzte der Reviertierpfleger.
»Keinem wird es schlechter gehen.«

Er feuerte Salve um Salve, der Chor markierte die Treffer
mit Lachen.

Es dauerte eine Zeit lang. Dann ging diese Zeit vorüber;
die Wärter dünnten sich aus. Georg harkte sich über den
Friedhof. Die Birken waren voll Moos und Flechten. Der

Reviertierpfleger hatte das Gatter losgelassen und sich aufgerichtet, die geballte Faust gen Himmel gereckt, mit gespreizten, leicht eingeknickten Beinen, wie ein Reiterstandbild ohne Pferd. Die Kavallerie war schon abgeräumt, gleich würde der höhnische Obrist ihrem Abgang folgen.

Die Hand lag sehr schwer in der seinen, sie drückte noch nicht einmal richtig zu. Georg wusste nicht, wie lange der Tierparkdirektor schon hinter ihm gestanden hatte, er hatte ihn nicht kommen sehen, nicht einmal kommen hören.

Er fühlte sich seltsam erwischt, ohne dass er etwas getan hatte.

»Vielleicht sollten Sie mitkommen.«

Auf dem Weg zur Direktion streiften sie eine weitere Schar untätiger Tierpfleger. Der Tierparkdirektor warf ihnen einen unschönen Blick zu. Er schwitzte nicht viel, aber er schwitzte, es war nicht warm.

»Wenn Sie möchten, werde ich Ihnen Fotos zeigen. Ich habe eben welche bekommen. Selbst Fotos sind selten.«

Georg nickte.

»Sie lässt sich nicht gerne fotografieren. Sie ist scheu. Aber jetzt haben sie Bilder von ihr gemacht. Wir werden sie am Eingang aushängen, es wäre eine Arbeit für Sie.«

Georg war erst das zweite Mal in der Direktion, die Treppen, lange Flure. Das Telefon, leise gestellt, schnarrte im Direktionszimmer, der Tierparkdirektor bedeutete Georg zu warten.

Allein im Vorzimmer: Er wusste nicht, wie viele hundert Fotos hier hingen: überall Tiere, Baustellen in Schwarzweiß, Lotte Ulbricht vor Kamtschatkabären, man staunte sich wechselseitig an. Ein einzelner Kasten stach besonders hervor, sehr große Fotos, dazu die Überschrift in gestochener Handschrift: »Kosmonauten unter uns.« Jurij Gagarin in Uniform, Valentina Tereschkowa in schwerem Mantel mit

Pelzkragen; Oktober 1963. Dazu der Tierparkdirektor, Seite an Seite mit Kosmonautengeneral Kamanin. Die Bildunterschriften waren kleine Kunstwerke: »Ein Goldstirnblattvogel nimmt Jurij Gagarin einen Mehlwurm ab.« Die funkelnde Goldstirn von Gagarins Armeemütze war leicht zu finden, der Blattvogel nicht. Seine Frau sprang ins Auge: die Haare sehr korrekt nach hinten gebürstet, etwas Gebändigtes, dazu dunkle und warme Augen; er hätte ihr die kantige Brille abnehmen mögen.

Kurz darauf öffnete sich die Tür zum Direktionszimmer, der Tierparkdirektor kam zurück. Seine Gesten waren fahrig. Zweimal ging er im Vorzimmer auf und ab, die Hände in ausgebeulten Hosentaschen vergraben; dann blieb er stehen, wie festgewachsen mit einem Mal. Seine Hand zog eine Brille aus dem Hemd und setzte sie auf. Seine Stimme klang unbeschwert, als er Georg anredete. Das mit den Fotos, ein anderes Mal; vielleicht sollten sie wieder raus an die Luft.

»Der Anruf...«

»Jaja.«

»Ich meine...«

»Ich bin umgeben von Irren«, sagte der Tierparkdirektor, als sie ins Freie traten, in dem bleigraue Kraniche sich wüst umspreizten. Juristisch lag nichts gegen ihn vor.

»Ich verstehe«, sagte Georg.

»Du verstehst gar nichts«, sagte der Tierparkdirektor.

Es war das erste Mal, dass der Tierparkdirektor Georg geduzt hatte. Georg freute sich, dass der Tierparkdirektor sein Freund geworden war.

Später, das Laub verwehte vor dem Schloss, hörte Georg noch immer die Stimmen der Tiere, eindringlicher als je zuvor. Er sah den Reviertierpfleger gehen, sah ihn gehen in seiner langsamen leeren Art, betrachtete die Saigas, ihre grotesken Nasen wie verwachsene Drüsen am Kopf. Die Saigas sahen aus wie das Schwarzweißfoto im Tierparkführer auf Seite zweiundzwanzig; nur farbig, ein verwaschenes Grau. Die Übereinstimmung befriedigte Georg. Der Tierparkdirektor hatte die Schöpfung aufgeräumt und jedes Tier an seinen Platz gestellt; schöner als hier konnten es die Saigas nicht haben. Ein stiller Stolz durchflutete Georg, sein Mann zu sein. Mit einem wie dem Tierparkdirektor an seiner Seite konnte ihm nichts passieren.

Nie zuvor hatte sich Georg für Tiere interessiert, hatte sie geradezu als überflüssig empfunden. Die Überflüssigkeit begann nun, ihn für die Tiere einzunehmen. Das Faszinierende an ihnen war, dass sie einfach da waren. So wie die Saigas vor ihm auf der Abendwiese: einen halben Meter hoch, graufellig und vor allem da. Sie sahen überhaupt nicht nach einem Grund aus. Er konnte ihr Leben spüren, ihr kurzes Zittern sehen, bevor sie den Huf ein klein wenig vorzogen, einen winzigen Schritt machten, um gerade zu stehen, nur zu stehen und nur vor sich hin. Er merkte, dass er begann, das Leben von einer anderen Seite anzusehen, ein Leben, das seine Hand nicht weiter ausstreckte als bis zur Tierparkmauer, vor der Georg saß und den Geiern nachsah, wie sie an den Felsen vorbeistrichen, mit weichem rahmweißen Flügelschlag, wo er die Beete harken, die Vögel füttern und abgleiten konnte, ohne dass jemand ihn dabei aufschreckte, wo er nach Feierabend – ein Wort, das erst hier zu einem Wort wurde – noch vor den Adlern saß, zwischen den Gazellen hindurchstrich, die aus seinem Eimer fraßen, der Schneeleopard hinter dem Gitter ihm kaum merklich einen matten Gruß zuwarf. Die Blätter des Ahorns, zackig gespreizt wie Gartengerät, die großen Reptilienfinger der Kastanien, das wirre Blättergeflirr der Pappeln, tuschelten im Wind; gewisperte Geschichte. Er hörte die Stimmen, das Gedächtnis der Elemente, wie in der Wüste, wo der Wind der Sand ist, der sich bewegt. Die Sandriffel der Stimmen erzählten von den Bäumen, der feuchten Erde, dem Sand unter den Steinen, einer langen Dauer hinter ihm. Er hörte das Nachflüstern tausender Tiere; das nasse Seufzen der Rinder, der süße schwere Schweiß der Nashörner, das unstete Winseln der Hyänen, die Weite der Zeit. An sich selbst hörte er nur noch den Atem, wie er hier auf der Bank vor dem Schloss saß und der Gegenwart anderer Stimmen lauschte, hörte Hundegebell, geschnarrte Befehle, das saftige Kreischen einer Fistelstimme unter hellem Hut, hörte das Klatschen der Massen, ihren anschwellenden Gesang, hörte die Stimmen der Täter und der Opfer, die sanfte Arbeit des Regens an dem verblassten und verwitterten Plakat einer früheren Zeit.

Einige Dinge geschahen, während Georg des Nachts auf der Bank im Tierpark saß. Grundstücke wechselten ihren Besitzer, das Volk verlor Milliarden in einer einzigen Nacht. Die weltweit größte Sammlung von handgeschriebenen Lebensläufen und abgefangenen Liebesbriefen wurde enttarnt und zerfiel in die unansehnlichen Staubpartikel menschlicher Schwäche und Begehrlichkeit. Junge Männer beschmierten den Auferstehungsfriedhof am Berg mit den Haken gekreuzigter Vorväter; ein einsamer Baukran wanderte über Nacht auf den riesigen leeren Platz, auf dem Eisendraht, Krallen und Transparente dem sanften Rasenhügel des gefallenen Führers so lange gute Nacht gesagt hatten.

Von alledem unberührt, saß Georg noch lange im Tierpark. Allein in seiner Welt; einer Welt voller Regenpfeifer, die aufflogen, in den Drahtnetzen am Trümmerberg, den Blick hinaus aus dem Park zu den von schwarzer Nacht stillgestellten Zügen des Rangierbahnhofs; eine Welt voller Sterne, die man so selten nur sah. Er dachte an die anderen Galaxien, die immer fremd bleiben würden, so fremd vielleicht wie diese Welt ringsum: Die Käfige waren gestreiftes, unbegriffenes Leben und Nacht.

12

Georgs Optimismus war, dass die Welt, in der sie lebten, die beste aller möglichen Welten war, und Rosalies Pessimismus die Befürchtung, dass Georg recht hatte.

Für Georg hatte die neue Ordnung ihres Lebens etwas Beruhigendes, aber Rosalie verlebte inzwischen schlaflose Nächte. Sie litt, und sie machte sich Sorgen. Sie litt, weil sie Angst vor der Routine hatte, weil sie sich diese Angst zum Vorwurf machte, weil sie sich von einer Banalität beunruhigen ließ. Sie litt darunter, abgezählt zu sein, verrückt zu sein und gewöhnlich zu sein. Bei alledem dachte sie immer weniger an Georg, eigentlich nur, wenn sie gemeinsam aufstanden und sich vor dem Badezimmerspiegel hin und her schoben, und abends, wenn sie aus der Agentur kam; manchmal hatte Georg für sie mitgekocht, manchmal nicht.

Immer wieder in letzter Zeit hatte sie an ihren Hund denken müssen, wie es ihm wohl ging und dass er ihr fehlte. Und dann entdeckte sie diesen anderen Hund in einem Zoofachgeschäft in der Budapester Straße. Er war merklich größer als die anderen Hunde, ein Dalmatiner mit sehr unregelmäßigen Flecken und einsamen Augen; er würde sich schlecht verkaufen lassen, er war nicht mehr klein.

Rosalie wusste, dass er gewonnen hatte, als sie am Geschäft vorbeigegangen war.

Ein großes Tier in der Krausnickstraße machte nicht viel Sinn, außerdem war sie berufstätig.

Sie drehte sich um. Sie ging zurück. Sie kaufte den Hund.

Georg lehnte Schröder sofort ab, die Nähe zu einem Haustier empfand er als peinlich, eine beiderseits unwürdige Situation. Mehr noch beunruhigte ihn, dass Rosalie ganz offensichtlich dabei war, ihr früheres Leben zu zitieren, das sie einst als falsches Bewusstsein enttarnt hatte, und dass sie diesem falschen Bewusstsein inzwischen wieder sehr nahe war.

Rosalie hingegen fand überhaupt nichts schlimm an Schröder. »Du bist nur eifersüchtig, weißt du das? Weißt du, wie eifersüchtig du bist?«

Georg schüttelte den Kopf.

»Sag mir, was daran spießig ist. Was ist spießig an einem Hund?« Es war ihr unbegreiflich. Hatte Georg nicht den ganzen Tag mit Tieren zu tun? Wie konnte er dann etwas gegen den Hund haben? Was war das für eine perverse Tierliebe, die verschlossene Käfige brauchte, um sich zu öffnen?

Georg schüttelte wiederholt den Kopf, griff das Buch des Tierparkdirektors von den Schlafzimmerdielen und setzte sich in den Sessel. Was davon würde sie jemals verstehen; was davon würde sie verstehen wollen? Im Übrigen hatte er ein Recht dazu, den Hund zu missachten, sie hatte es nicht einmal für nötig befunden, ihn zu fragen.

Der Streit um den Hund schwelte weiter; Georg übersah das Tier völlig. Schröder setzte seine Annäherungsversuche lange fort, er umschnüffelte Georg und leckte ihm die Hände, wann immer sich eine Gelegenheit dazu bot; er brauchte erstaunlich lange, bis er einsah, dass die Kontaktaufnahme fruchtlos war. Rosalie kämpfte jedes Mal mit ihrer schlechten Laune, es fiel ihr kaum leichter als Schröder, Georgs Ignoranz zu ignorieren. Vor Monaten hätte sie sich nicht vorstellen können, dass Georg so auf eine ihrer Ideen reagiert hätte wie jetzt auf Schröder. Wie viele Abwechslungen hatten sie das erste halbe Jahr in der Stadt gehabt, dazu die ganze Arbeit, gemeinsam zu renovieren; niemals hatten sie sich in dieser Zeit wirklich gestritten, niemals waren sie auch nur der kleinsten Andeutung ausgewichen, eine Sache oder ein Gefühl miteinander zu teilen. Jetzt aber, wo ihr Leben in einem gleichmäßigen Rhythmus verlief, fiel ihnen alles schwerer. Es entsprach überhaupt nicht ihrer Vorstellung, nicht dem, wie es sein sollte. Und während sie das dachte, erschrak Rosalie, denn tatsächlich, ein Wie-es-sein-sollte war in ihre Welt gekommen, in die Welt von Georg & Rosalie. Ihre Liebe hatte einen Abstand. Georg und Rosalie: Das *und* hielt sie auf einmal weit auseinander.

Warum ging nicht alles so weiter wie früher? Warum kann man nicht leben und lieben? Wenn man liebt, vergisst man das Leben, man taumelt durch einen schlaftrunkenen Morgen, und wenn man wieder zu sich kommt, hat man aufgehört zu lieben. Man lebt wieder und hat das Gefühl, dass etwas fehlt. Man kann tun, was man will, man ist immer ein bisschen um etwas betrogen. Sie würde nicht tatenlos zusehen dabei, sie würde etwas tun. Sie sah Georg über seinem Buch sitzen, sah Schröder vor dem Ofen schlafen, das trübe Licht im Zimmer.

Sie nahm sich fest in die Arme.

Am nächsten Morgen. Der Kaffee plätscherte in die Tasse. Sie deckte die Teller und Messer, aus dem Kühlschrank kam Lachs unter Alufolie, Käse, das Brot kam aus der Kammer. Das Frühstück war reichhaltiger geworden, von Würfelschnecken kann man nicht leben; die Teller waren neu, von Rosalie gekauft, natürlich von ihr, Georg kaufte nie etwas. Der Minnesänger im Radio sang vom Ficken, ohne das Wort zu gebrauchen. Rosalie schmierte die erste Scheibe. Georg kam hinzu, müde, noch im Schlafanzug, sie dachte bereits an die Agentur, dachte, dass es ihr eigentlich keinen Spaß machte, dorthin zu gehen, und dass sie es dennoch tun würde, dass es immerhin besser war, dort zu sein als einfach zu Hause. Sie dachte an die bildschirmbunten Worte des Strategic-Planners, den jungenhaften Optimismus des Agenturchefs. Auf Georgs Lippen aber bildeten sich auch heute Morgen unendliche Nuancen von Grau; Felle, Hörner, Steine und Beton, dazu eine neblige Sorge, grau wie der Osten, das Wetter, der Tierpark.

Früher hatte sie Georgs Lächeln gesehen, nun aber sah sie seine Zahnlücke, selbst den Zahnbelag, der sich ins Brötchen drückte: Du musst dir unbedingt deine Zähne putzen vor dem Frühstück. Sie drehte das Radio weg.

»Hör mal...«

»Ja?«

»Ich wollte nur sagen...«

»Ja?«

Und dann sagte sie es ihm, sie sagte es frei heraus, ganz unschuldig, nebensächlich, als ob nichts wäre. Eigentlich war auch gar nichts.

»Ist gut«, sagte er. Ganz gleichmütig.

»Ich bin am Abend zurück. Es kann spät werden, aber ich beeil mich.«

»Also, tschüs.«

Auf dem schwarz glänzenden Regenmantel waren Tropfen verlaufen; sie war also schon mit dem Hund draußen gewesen. Der Regenmantel stand ihr gut, irgendwie süß und verwegen. Georg würde sich in sie verlieben, wenn er sie jetzt draußen auf der Straße sehen würde, das erste Mal. Ihre Haare waren wieder länger geworden, wie früher, beim Fahrrad fahren mussten sie flattern. Die Fahrräder standen im Keller; vielleicht würden sie wieder mit ihnen fahren, wenn Leonhard wiederkam. Er dachte, dass er ihr zeigen musste, wie sehr er sie liebte.

Er räumte den Tisch ab und spülte das Geschirr. Dann zog er den dicken Pullover an, nahm seine Jacke vom Haken, blickte zurück auf den Sessel, vor dem jetzt ein kleiner weißglänzender Couchtisch ruhte, davor der Hund; Einsamkeit, die gerade anbrechen wollte.

Er zog die Tür zu.

Auf dem Bahnhof Friedrichstraße kreuzten sich die Züge, Osten gegen Westen. Georg fröstelte, blickte über die Dächer. Der Fernsehturm, allein über der Stadt; Rauch, der aus Schornsteinen kam, mit einer Lücke, sich wegwölbte, wie auf einer Kinderzeichnung; der safrangelbe Himmel mit Drähten verspannt. Auf der Antenne kauerte ein zerlumpter Bussard.

13

In dem stillen Abteil, um die frühe Morgenstunde, war sie nicht wirklich, der Zug wäre auch ohne sie gefahren, nur diffus und vage ihr unbestimmtes Spiegelbild im Fenster; die Morgendämmerung würde es mit sich fortnehmen.

Eine Frau mit lackierten Fingernägeln las mit entsetzlich interessiertem Gesicht in einer Illustrierten, das dicke rotblonde Mädchen mit den dreckigen Fingern und einem kleinen mageren Silbermond im Ohr kramte in einem zerfledderten Lederschulranzen, zusammengehalten durch einen riesigen Aufkleber, *Kein Blut für Öl,* und Rosalie saß ihr gegenüber und tat etwas Unrechtes.

Etwas Unrechtes gegenüber Georg.

Sie fuhr mit dem Zug.

Nach Hamburg.

Zu Rainer.

Zu einem anderen Mann, bei dem sie nicht schlafen würde, aber mit ihm zusammen den Tag verbringen, durch den Jenischpark spazieren, vom Hügel mit dem weiten Blick über die Elbe sehen, wo haushohe Schiffe Container durch den Sonnenglast trugen, die Elbe blinkte, bis es Abend wurde, die Containerschiffe gähnten, der Tag verschwamm, und Rainer wird Rosalie zurück zum Bahnhof bringen, ein trauriges Lächeln in den Augen und einen Dank auf den Lippen für den wunderschönen Tag.

Sie durfte ihn nicht umarmen.

Jedenfalls nicht richtig fest und nicht richtig lange. Sie musste sehen, dass sie nicht zu nah war, den Wind um sich herum noch spürte. Diesen Wind, der in diesem Tag war, jetzt gerade draußen auf den Feldern, in diesem namenlosen Dorf, über dem schemenhaft die Silhouette eines Mädchens mit Ranzen und diesen bestürzend dreckigen Fingern lag, von der Scheibe schamhaft verschwiegen.

In den meisten Fenstern brannte noch Licht, überall Menschen, die man nicht sah. Wenn es heller wurde, kamen die Wäscheleinen auf die pastellfarbenen Balkons, anderswo starben sie aus, hier am Bahngleis aber waren sie zeitlose Begleiter. Hinter Spandau war es heller; Hausdächer zwischen Böschungen, das kleine Glück in den selbstverbauten Eigenheimen am Waldrand.

Die dreckigen Finger zeichneten jetzt gestochene Noten auf ein Blatt Papier. Ein Friedensmarsch oder eine Friedenshymne, dachte Rosalie feindselig.

Es war kühl, ein schmaler Fahrtwind zwängte sich durch das knapp geöffnete Fenster. Das Mädchen hatte die Schuhe ausgezogen, die nackten Füße mit den dicken Fesseln stemmten sich aufdringlich in die Mitte des Abteils.

Die ganz normalen Zwischenräume der Städte füllten das Fenster aus. Der Zug fuhr jetzt sehr langsam über altes

Gleis. Bauernhöfe schwammen in gleichem Abstand vorbei, ein dicker Mechaniker im Blaumann stand wie ein Bulldozer an der Straße. Nach einer Weile weitete sich das Gleis, ein Gefilz von Schienen, überzogen von biblischem Rost, die verlotterten Bahnhäuschen, schäbig und abgerissen, wie Wachttürme in der Drahtlandschaft. Ein ausgehöhltes Nähmaschinenwerk diente dem Wind als Schlafplatz. Wo eine leere Fabrik ist, ist auch jemand, der die Scheiben einschlägt.

Wenn Rosalie in zwei Stunden in Hamburg sein wird, wird Rainer am Bahnhof stehen. Er wird ihr ein Kompliment machen und ihr die Tasche abnehmen, sie ihn anlächeln, er wird sich darüber freuen und selbst lächeln. Vielleicht wird er sich Hoffnungen machen, dass Rosalie über Nacht in Hamburg bleibt, was sie nicht tun wird. Sie bleibt nicht in Hamburg. Nicht heute nacht.

Sie durfte nicht auf ihn hören.

Hören.

Sie hörte wieder. Hörte das meilenverzehrende Geratter der Zuges. Man hatte gerade damit begonnen, die Strecke auszubauen. Irgendwann sollte der Zug nur noch zwei Stunden brauchen, diese namenlose Landschaft zu durchschneiden.

Die Frau sah von ihrer Illustrierten auf, blickte unverwandt auf ein paar Kühe. Plattenbausiedlungen, auf die Felder geklotzt, im Hintergrund. Rosalie konnte sich nicht einen einzigen Lebensumstand ausdenken, der sie dazu verdammen könnte, auf diesem Acker in diese Platten zu treten, drei Kinder zur Hand, die schwere Einkaufstasche über der Schulter, während ihr das Gewicht von Büchsen mit Billigfleisch, Würstchen und Tütensuppen auf der Haut scheuerte. Erst vor wenigen Tagen hatte sie von der RAF gelesen, von denen, die hier in solchen Häusern versteckt waren, von misstrauischen Bezirkssekretären hineingezwängt, in Städten wie Schwedt und anderswo, wo man sie in der Papierfabrik hatte arbeiten lassen, sortieren und pressen die Frauen, Stapler fahren die Männer. Immerhin, sie hatten sich diesen Sozialismus gewünscht, gemordet sogar, um die Menschen des Westens in die Platte zu sortieren. Im Grunde, dachte Rosalie, war das nur angemessen gewesen: jemanden mit dem zu bestrafen, was er sich am meisten wünscht.

Die Frau rieb sich jetzt die Augen und versank erneut zwischen den bunten Zeilen und Bildern ihres Magazins. Bussarde kreisten wie Jagdbomber zwischen den Wolken. Es gab nichts auf diesem Feld, wohin sollten sie abwerfen?

Eine Stunde später war Rosalie auf dem Weg in den Speisewagen. Sie konnte die letzte Zeit genauso gut dort verbringen, einen Kaffee trinken, aus einem anderen Fenster auf dieselbe Landschaft starren, dieselben Gedanken haben, versuchen, jetzt bloß nicht an Georg zu denken, den Dienstmädchengesprächen der Vertreter am Nebentisch lauschen, die ihr bereits erste Blicke zuwarfen, als sie mit vom Zug unsicher geschütteltem Gang an ihnen vorbeikam. Glaubten sie wirklich, dass sie zu ihnen passte, dass sie genau wie sie war?

Der mit dem übermäßig korrekten Binder strich sich durchs dünne Haar, der Koffer mit Stahlbeschlag funkelte trostlos zwischen seinen Beinen, die matten Augen folgten Rosalies Bewegungen, schielten auf ihren Hintern, was sie wusste, ohne es sehen zu müssen, wie sie es so oft schon gewusst hatte, wenn sie es nicht sah, und der Blick des Mannes nicht merkte, dass er längst aufgefangen war, längst begriffen und erledigt, lange bevor er wirklich die Rundungen erreicht hatte, die zu begehren es ihn zwang. Wie konnte man bloß so werden, wie konnte man genau so werden? Werden wie ebensolche Männer, die ebensolche Ermattungen, ebensolche Autos, ebensolche Magenkrankheiten, ebensolche Ränder unter den Augen und Ängste hatten, bei ebensolchem Sex die Kleider ganz, die Gedanken halb abstreiften, mit angezogener Handbremse Ichliebedich spielten. Wahrscheinlich rochen ebensolche Männer sogar ebenso.

Rosalie betrachtete sie aus den Augenwinkeln, während sie den Kaffee bestellte, dachte noch ein wenig weiter, dachte, dass ebensolche Männer vielleicht gar keine Wahl hatten, anders zu sein, und ebensolche Männer wussten das, sie verliehen dieser Welt überhaupt keinen Wert, aber sie sicherten ihren Bestand. Für diese stille Aufgabe hatten ebensolche Männer schon als Kinder vorgebeugt, ihr wahres Ich als stille Reserve zurückgelegt und später unter der Vielfalt der Gewohnheiten, den stinkenden Wäschestapeln aus schmutzigen Gedanken und den luftdichten Plastiksäcken mit abgelegten Vorsätzen verlegt.

Sie streckte sich, der Zugkellner brachte vorsichtig schlenkernd den Kaffee. Der Morgenschatten des Zuges schwärzte den Schotter zwischen den Masten wie eine Teerwalze; die Landschaft wurde jetzt richtig schön.

Ob die Vertreter ihr ansahen, dass sie dabei war, etwas Unrechtes zu tun? Ob Männer dafür einen Blick hatten: die Frau gegenüber, nein wirklich, diese schöne Betrügerin. Wenn sie sich vorbeugte, spiegelte sich ihr Gesicht in dem rahmenlosen braunen Wandspiegel neben den Kleiderhaken. Rosalies dezente Schminke sah noch immer vorteilhaft aus, ihre Haare saßen, wie Haare sitzen müssen, ihre Augen waren immer schön, ihre Lippen ohnehin, aber man sah ihr die Fahrt an, die Stunden in der schlechten Luft des Abteils, es würde gut sein, wenn der Zug tatsächlich nur noch zwei Stunden brauchte, nicht diese endlosen vier auf dem alten Gleis, von Baustellen gestoppt und gegängelt. Irgendwann waren die Vororte da, tausendwabige Türme, Reihenhauskolonien und Blocks. Sie wusste, dass sie jetzt bloß nicht an Georg denken durfte, jedenfalls nicht bis zum späten Abend. In wenigen Minuten musste die Elbe kommen, dann der Bahnhof, die Leitungen hedderten in tausend Richtungen, Signaltürme marschierten im Gleichschritt. Sie dachte, dass alles schon gut werden würde, dachte an Rainer, sein Gesicht auf dem Bahnsteig, dachte, dass, was immer auf sie warten würde, nichts Gewöhnliches sein konnte, kein Gefühl der anderen, keine Empfindung der Masse.

Rainer holte sie vom Bahnhof ab, und es war wirklich merkwürdig, dass er es war, und nicht ein Traum, ein Wesen aus Rosalies Fantasie. Er trug einen langen Mantel, der im Wind flatterte, der von den Zügen kam oder vom Meer, wer in Hamburg konnte das wissen; es fiel ihr auf, wie stark ihre Vorliebe für Männer in langen Mänteln war, vor allem, wenn sie groß waren wie Rainer, der sie umarmte. Sie spazierten im Jenischpark, das Wetter war tatsächlich auf ihrer Seite, die Elbe unter dem Hügel blinkte wie versprochen. Sie fassten sich an den Händen, redeten viel und manchmal auch gar nicht, ihre Hände hielten sie zusammen. Was sollte man darüber noch sagen?

Am späten Nachmittag saßen sie im Barlachmuseum, quadratisch und hell wie ein japanischer Tempel. Rainer hatte sehr schöne Zähne; mit ihnen erzählte er in seiner ruhigen warmen Art vom Leben in Hamburg, in dem Rosalie fehlte, und von seinen Zukunftsplänen; ein Leben am Meer, in Kalifornien, es gab Chancen, dass sein Büro ihn dorthin schickte.

Wenn Rosalie die Augen schloss, konnte sie ein großes helles Haus sehen, weiß mit blauen Fensterläden, einen immergrünen Garten, ein Meer, Tage aus Licht; spatzenhaftes Kindergezwitscher darin. Aus den Fenstern, zur See gewandt, fächerte der Duft von Wein und Zwiebeln in den violetten Samt der Abendluft. Regungslos saßen die Möwen draußen auf den Schaumkronen der Wellen, kalt und geduldig.

Sie spürte den gewünschten Wind.

14

»Lass uns spazieren gehen!«

»Spazieren gehen, wohin?«

Georg und Rosalie kannten das ganze Viertel; keine Straße, nicht einmal ein Laubweg, den sie noch nicht gemeinsam betreten hatten, keine Bäckerei, deren Brötchen sie nicht kannten, kein Hinterhof, Durchgang oder Ausblick, den ihre Augen nicht entdeckt hatten.

Mitte Oktober kam der Tag, an dem sie nicht mehr wussten, wo sie hingehen sollten. Man hätte eine zusätzliche Himmelsrichtung einführen müssen.

»Wohin?«

Die Entscheidung spazieren zu gehen hing wie ein Fluch über dem Tag. Verglichen mit dem verzögerten Versprechen verkam jede andere Beschäftigung zur Ausrede. Das Wetter hielt sich dankbarerweise eine gewisse Zeit im Ungewissen und trübte die Zeit, die sie darauf warteten, bis es sich entschied. Als es schließlich heller wurde, war es fast schon zu spät rauszufahren. Georg zögerte ein paar übertriebene Minuten, den Fernseher auszumachen, und als Rosalie unwillig aus dem Badezimmer kam, wo sie noch einmal letzte Hand an ihre Schönheit gelegt hatte, war es endgültig zu spät.

Sie fuhren trotzdem.

Das Auto klapperte zögerlich über die Halbinsel und sonderte Geräusche ab, die Rosalie beunruhigten. Georg versuchte die Spannung zu nehmen und rezitierte ein paar schlecht auf sie abgestimmte Verse. Es minderte ihren Unmut nicht. Sie fragte sich, ob die Sorgen, die sie sich über ihr Zusammenleben machte, nicht untertrieben waren. Wie konnte er so gedankenlos weiterleben und sich zugleich jenseits aller Beschreibung verhalten? Was trieb ihn dazu? Jede Gefühlsregung musste schließlich eine Richtung haben, aber Georg befand sich unentwegt im Leerlauf. Sie hatte geschätzt, dass er manchmal diese sehr übertriebenen Dinge tat, zum Beispiel sich neben sie zu setzen in der Straßenbahn bei ihrer ersten Begegnung. Aber das war jetzt vorbei.

Sie saßen nebeneinander im Auto; unendlich weit voneinander entfernt. Wahrscheinlich war ihr vieles an ihm nur deshalb so leicht und heiter vorgekommen, weil sie ihn nicht richtig gekannt hatte. Seine Verrücktheiten standen in einer ordentlichen Verbindung zueinander, und Georg, so glaubte Rosalie jetzt, nahm sie selbst überhaupt nicht leicht, vielmehr sehr ernst. Es war ein System von Dingen, die ihm etwas bedeuteten. Rosalie aber hatte nur das Verrückte an ihnen geschätzt, der Inhalt, wenn man ihn ernst nahm, verlor schlagartig seinen Reiz und hatte etwas Beklemmendes. Je besser sie sie kannte, umso schwerer fiel es ihr, Georgs Wesenszüge zu idealisieren. Wie sah wohl der Idealzustand von zunehmendem Grau aus? – Schwarz? Weiß? Die schlechte Laune, die sie beim Losfahren gehabt hatte, ließ sich nicht vertreiben, nicht von Georg, nicht von diesem Scheißauto, in dem es nicht warm werden wollte, und nicht von ihrem Blick durchs Autofenster. Drum herum Ödnis, verhangene Welt, erst Gewerbegebiet, dann Soldatenfriedhof. Geboren, gelobt, gestorben: ein ganzes Feld voller Scheißbiografien. »Wieso eigentlich an diesen blöden See?«

Sie fuhren, und sie kamen an. Zaghafte Hoffnung auf Himmelsblau verbreitete sich zwischen Wolken. Schröder rannte sofort zum Wasser.

Wieso ging der Scheißkofferraum mit den Wanderschuhen darin nicht auf?

Auch Georg versuchte es, ruckartig mit Kraft, der Kofferraum wollte nicht aufgeben, die Kiefer eisern zusammengepresst, ein weiterer Versuch und noch einer, bis es klappte.

Es ging zum See, vertäute Boote am Steg, Schröder planschte bereits am Ufer.

Das Blau zog jetzt doch nicht über den Himmel. Ein Bautrupp versenkte Schutt und Steinklötze im See, roter Porphyr, ukrainischer Granit; gewaltige Rumpfscheiben, Bauchstücke, die Keulen, der nackte Schädel kullerte vom Schlepper, das gequälte Lächeln des kahlen Kopfes im Fall; Schreie. Kreischen. Möwen machen melancholisch, sie riechen nach Meer, vor allem in der Stadt, in zwei Monaten ist es Winter.

»Vielleicht solltest du mal ausführlich über dich nachdenken, Georg.«

Die Bauarbeiter schlossen die Ladefläche.

»Ich denke immer über mich nach. Ich denke über mich nach, wenn ich allein bin, und ich denke über mich nach, wenn ich jetzt mit dir hier spazieren gehe. Ich denke überhaupt über mich nach. Ausführlich.«

»Ich will nicht dramatisch werden«, sagte Rosalie. »Aber irgendetwas zwischen uns stimmt nicht mehr so. Das ist dir doch auch aufgefallen.«

Es war Georg aufgefallen. »Es gibt gute und es gibt schlechte Zeiten, eine Beziehung muss das verkraften, vielleicht sollten wir lernen, leichter damit umzugehen.«

Leichter umgehen.

Wie ging man leichter damit um? Georgs halbherzige Umarmungen, die ihr manchmal so unangenehm werden konnten; die gekürzten Reden, verselbstständigten Worte und Gefühle. Ihre ganze gemeinsame Liebe: Es war ihr überhaupt nicht mehr klar, auf welche Weise sie an ihrer gemeinsamen Liebe beteiligt war.

Das Laub wehte durcheinander; irritierte Stöckchen dazwischen, Schröder schnüffelte überall herum, die Nase am Boden.

»Trotzdem verstehe ich beim besten Willen nicht, warum du so ruhig bleibst.«

»Was gibt es da schon groß zu verstehen. Im Augenblick läuft es etwas schlecht, irgendwann wird sich das wieder ändern. Es ist doch kein Wunder, wenn man viel zu tun hat und der Kopf nicht frei ist, das kommt bei jedem mal vor.«

»Aber wir sind nicht jeder.« Rosalie war unzufrieden; sie würde es bleiben.

»Hör auf mit dem Unsinn; bei uns ist das nicht anders als bei allen anderen Menschen auch.«

»Du scheinst dich ja prima damit abgefunden zu haben. Ich hatte einmal gedacht, dass das etwas ganz Besonderes ist mit uns beiden, etwas Kosmisches. Nicht das, was alle anderen auch empfinden.«

»So war das nicht gemeint.« Georg machte jetzt größere Schritte, um Schröder auszuweichen, den es immerzu zwischen seine Beine trieb. »Ich meine nur, dass der andere nicht wie ein Thermometer an die eigene Temperatur angeschlossen sein muss. Manchmal ist es vielleicht gar nicht schlimm, wenn ein bisschen Abstand entsteht, und dann kommt man sich wieder näher.«

»Und wie viel von dem, was du da sagst, glaubst du wirklich?«

»Ich glaube alles wirklich. Sehr wirklich sogar.«

»Und es geht dir gut dabei? Fühlst dich richtig wohl mit deinen Erkenntnissen? So wohl, dass du nicht einmal das Bedürfnis gehabt hast, mit mir darüber zu reden.«

»So genau hab ich mir das vorher nicht überlegt. Aber

jetzt glaube ich, dass es schon irgendwie so ist, wie ich sage.«

»Ich will wissen, ob es dir gut geht.«

»Mir geht's gut, Rosalie, wirklich.«

Das Gespräch setzte sich fort ohne irgendeine Bewegung, die Rosalie gefallen hätte. Am Ende redete nur noch Rosalie, sie sprach von ihrer Unzufriedenheit, dem Alltag, den Routinen und dass sie angefangen hatten, sich miteinander zu langweilen.

Georg machte sehr lange Pausen, er nickte und stimmte ihr zu, ohne irgendetwas Beunruhigendes darin zu sehen.

Rosalie war irritiert. Sie wollte keine stärkeren Worte für ihre Befürchtungen suchen, die schwächeren perlten an Georg ab. Die Luft wurde kälter, neuer Wind kam auf, ein paar größere Eichen quietschten. Das Ausflugsrestaurant unter dem blassen Himmel lag wie ein Steinschiff im Wasser, den ganzen langen Herbst, den Winter aus Schnee, Wiesen und Kälte.

Sie kamen wieder an der Stelle vorbei, wo man vor Stunden Steine und Schutt versenkt hatte, das Wasser hatte sein dunkles Tuch darübergespannt. Nur ein einziger Ast stak hervor, ein trauerndes Blesshuhn rupfte darauf Federn: ein Ast aus Stein, fünf Finger stark. Lautlos mahnte der rote Neptun aus Schlamm und Untergrund; wäre, auch wenn sie die Augen verschlossen, weiter fort bei ihnen geblieben. Der Ufersand färbte sich mit Sonnenblut, Spuren darin, nichts als Tapsen und Spuren; ein sich in kleinen Kreisen verlaufender Hund.

Wenig später waren sie zurück am Auto, Rosalie verstaute Schröder auf der Rückbank und setzte sich auf den Beifahrersitz, klopfte den Matsch aus den Schuhen. Georg pinkelte am Rand des Parkplatzes.

Sie seufzte, dachte, dass sie jetzt bald zu Hause sein würden, und daran, dass alles so weiterging. Sie dachte, wie traurig ihr Gespräch gewesen war, wie vergeblich.

Ihr Leben änderte sich nicht. Georg ging in den Tierpark, erzählte abends vom Tierparkdirektor, Rosalie spülte und hörte kaum hin. Die Situation in der Agentur war in einer heißen Phase, die Zeit drängte, besonders weit gekommen waren sie bislang nicht. Dann kam eines Morgens ein Brief von der WBM. Rosalie öffnete den Umschlag, und als sie davon aufsah, zeigte ihr Gesicht tiefe Bestürzung.

»Jetzt haben wir es.«

»Was?«

»Petze vom Hausmeister.«

Georg nahm ihr den Brief aus der Hand. Das Wohnungs-bauamt forderte eine Aufstellung ihrer Finanzlage, Einkommen und Ersparnisse, ein Nutzungsschema der Wohnung und eine Rechtfertigung für den überzähligen Raum.

Es war einer dieser Briefe, die unverzüglich schlechte Laune bereiten, selbst dann, wenn man auf jede Frage eine kluge Antwort hat, was sie nicht hatten. Es war nicht ganz einfach zu sagen, wie groß die Tragweite des Schreibens war, aber es genügte vollends, dass das Wort Kündigung mehr als einmal darin vorkam. Hatten sie bislang in der Illusion leben können, dass nichts passiert war seit ihrem Einzug, so belehrte sie die minutiöse Auflistung zahlreicher Unterlassungen und Verstöße gegen die Hausordnung eines Besseren.

Georg spürte wie Rosalie, dass es ernst war und dass sie einen Gegner besaßen, den sie stark unterschätzt hatten. Natürlich regte Rosalie sich jetzt auf, aber nicht über den Hausmeister, sondern über Georg, der so fahrlässig gewesen war, so gleichgültig, der überhaupt keine Gefahr gesehen und alle Warnungen in den Wind geschlagen hatte. Georg war so schuldig an der Misere, dass der Hausmeister dahinter sich geradezu blass und unscheinbar ausnahm. Ihre Erregung sprang schließlich ohne jeden Energieverlust über, so dass Georg runter zum Hausmeister flitzte, drei Treppenstufen auf einmal.

Aus der Hausmeisterwohnung drang blaues Licht, wie in einem Kirchenschiff. Die Tür öffnete sich nach dem zweiten Klingeln, Korkow nacktbrüstig, eingefallen, ohne Kunstlederjacke, war ein neuer Anblick. Er schien wenig erstaunt zu sein, Georg so aufgebracht vor seiner Tür zu sehen, völlig überraschend ließ er ihn hinein. Die Wohnung roch so ölig, wie man vermuten konnte, Schweiß und Zigaretten hatten sie eingenommen. Im Halbdunkel des Fernsehlichts spreizte sich die Hausmeisterin im Ohrensessel, der schlampig drapierte Morgenmantel legte ihre fleischigen Schenkel frei. Man konnte sie nicht mit den Twixis, Zigeunerinnen und ähnlichen Flittchen verwechseln, die ringsherum an der Wand hingen. Der Fernseher erzählte irgendwelche Nachrichten, gerade eben erschien das russische Raumschiff, ein Archivbild, von Geldmangel war die Rede, abgebrochenem Kontakt, die letzten beiden Funkrelaisschiffe hatten die Weltmeere verlassen, zurückbeordert nach Murmansk. Die Mundwinkel des Hausmeisters senkten sich wie Lefzen, als anschließend ein hinfälliger Rentner auf dem Bildschirm erschien, eine Karodecke über den Knien, eine Pflegerin schob den Rollstuhl.

»Vorwärts immer, rückwärts nimmer«, kommentierte Korkow.

Seine Frau nickte uninteressiert. Sie war mehr für Ulbricht, den sie nicht nur als Mann, sondern auch als Politiker schätzte, insbesondere das weithin vernachlässigte Frühwerk.

»Ein Verwandter?«, fragte Georg beiläufig, als er das kleine Bild über dem Fernseher sah, mit der Hand ausgeschnitten, wie aus einer Illustrierten.

Die Hausmeisterin starrte ihn finster an. Die Wasseradern unter ihren Augen schwollen bedenklich. Sie hätte ihn mit dem marmornen Briefbeschwerer auf dem Büfett erschlagen können, ihn in ihren karminroten Plüschbademantel einrollen und anschließend als Teppich entsorgen können, wenn er nicht weise auf sein Anliegen zurückgekommen wäre.

Der Hausmeister zuckte die fetten Achseln, ein Profi in schlechter Laune war schwer zu beeindrucken.

»Der Brief…«

»Sowieso egal.«

»Egal?«

»Das Haus ist verkauft.«

»An wen?«

»Irgend 'ne Knalltüte. Was weiß ich.« Korkow öffnete die Hände. Und dann nach und nach doch noch Details: WBM, Bezirkssekretär, Jüdische Gemeinde, Ausschreibung, Nachbarn. Seine Rede enthielt viel, nur keinen Zusammenhang. Er stand weniger massiv vor Georg als sonst, seine Porosität nahm von Satz zu Satz zu.

Georg setzte sich in einen Sessel, der Fernseher lief, die Hausmeisterin flätzte sich außer Reichweite hinter dem Couchtisch, sein Blick verfing sich in der Wohnungseinrichtung: Wie konnte einem so was nur passieren?

»Nun sind wir alle dran«, sagte der Hausmeister weich.

Nicht einfach, sich vorzustellen, dass ihr erklärter Feind sie in seine Sorgen mit einbezog, dass sie ausgerechnet heute, an dem Tag, an dem seine Petze gefruchtet hatte, ein Wir geworden waren. Korkow schlüpfte in seine Slipper, die gleichen wie immer, braun mit Lasche und Lochmuster, kleine tote Krokodile, sehr hässliche Krokodile. Er bedeutete Georg, ihm zu folgen.

Der Keller war aufgeräumt, übersichtlich; Hobelbank, Werkzeugregale, Lackdosen, ein kleines Rohstofflager mit Holz, Pappen und Plastikfurnierrollen: alles ansprechender als die Wohnung oben.

»Das ist es«, sagte er und kramte einen großen Briefumschlag hinter den Farbdosen hervor.

»Das ist was?«

»Die Pläne fürs Haus. Solange wir die hier haben, geht gar nichts.«

»So?«

»Keine Sanierung ohne Pläne«, bestätigte der Hausmeister und legte den Umschlag zurück in sein Versteck. »Wir sind noch lange nicht am Ende.«

Wir. Georg war mitgemeint. Er war sich nicht sicher, was er denken sollte.

Korkow nickte grimmig.

Sie schoben sich aus der Kellertür. Der Hausmeister ging zurück in die Wohnung, das Treppensteigen war ihm beschwerlicher geworden, als er von sich selbst wusste, er fiel schwer auf seine Füße bei jedem Schritt. Eine Sekunde dachte Georg daran, ihn unterzufassen, ließ es aber bleiben, als er ihm ins Gesicht sah.

Korkow grunzte. Er hatte ein zu klares Bild von sich selbst, um Georg zu brauchen.

»Die Stadt ist hässlich«, sagte Franziska. »Vor allem die Menschen. Wenn du keinen Job hast, wenn man dir die Wohnung unterm Arsch wegreißt und es draußen regnet, dann ist es nicht mehr auszuhalten.« Sie streckte sich, richtete sich auf, blickte ganz ernst.

»Überall Mörder, wusstest du das? Wusstest du, dass hier im Haus Mörder und Opfer gewohnt haben, Decke an Decke? Diese Wohnung ist eine Mörderwohnung.« Ihre schweren nachtverklebten Augen machten Angst. Angst um Franziska.

Rosalie war lange nicht hier oben gewesen, seit vielen Wochen nicht. Die nackten, ungestrichenen Wände, wie bei ihnen, ein paar Bücher auf dem Fußboden, Sperrgutmöbel, das Holocaustplakat über der Matratze an der Wand, der einzige Tisch, an dem sie jetzt saßen, mitten im Zimmer. Auf dem Fußboden die vielen leeren Flaschen, Kerzenwachs auf den Dielen, Schallplatten und CDs. Im großen Fensterrahmen, hinter dem staubblinden Fenster hatte es vor Stunden geregnet, aber es regnete längst nicht mehr.

Die leeren Flaschen waren zu viele.

Vielleicht hätte sie sich um Franziska kümmern sollen. Sie fuhr sich durch die Haare, während sie redete, immer wieder, bis es Rosalie auffiel.

»Alles ist Scheiße«, sagte Franziska, sie hatte bereits getrunken an diesem Morgen.

»Man kann uns nicht einfach raussetzen«, sagte Rosalie. »Wir haben die Buden hier instand gesetzt, so einfach geht das nicht.« *Wir* haben die Buden instand gesetzt; sie erinnerte sich, dass Franziska schon vor ihr hier gewesen war und dass sie ihr imponiert hatte, damals.

»Totale Vernichtung«, sagte Franziska. »Weißt du, was das heißt? Es sind immer dieselben Schweine, und jetzt schmeißen sie uns einfach raus.«

»Als du vorhin von deinem Job gesprochen hast …«

»Aus und vorbei.«

»In der Linienstraße …?«

»Edgar ist auch so einer. Einer von denen. Genauso ein Arsch wie die anderen.«

»Wie soll das gehen? Ihr habt doch alles zusammen gemacht, gegründet und aufgebaut und so.«

Franziska schüttelte den Kopf. Nicht alles war gleich und

gemeinsam gewesen, von Anfang an. Sie wollte nicht wirklich darüber reden. Auch nicht über Stefan, nicht über Dieter, es waren Rosalies nächste Versuche, aber sie scheiterten kläglich. Franziska wiegelte ab und stand auf. Ihre zierliche Statur, die auffallend schmutzigen Füße, die müden Augen in ihrem zugeklebten Gesicht; sie hatte etwas unschuldig Zerstörtes, etwas von Kinderarbeit unter Tage, aber natürlich waren es andere Dinge, die mit ihr passierten. Sie ging in die dunkle Küche. »Ich mache dir einen Tee.«

Als sie zurückkam, flätzte sich Schröder gerade in ihrer schmutzigen Wäsche, es schien sie nicht zu stören.

»Also, die Wohnung, ich ziehe sowieso aus.«

»Und wohin?«

»Weiß nicht genau. Ist halt bislang nur so 'ne Idee.«

Rosalie trank den Tee, die Tasse war nicht gespült worden, sie nippte daran, zaghaft und trotzdem; Franziska hatte sich ein Bier geholt. Sie brauchte nicht lange, um zurück auf die Shoa zu kommen.

Rosalie hatte wenig Gedanken dazu. Große Scheiße, dass das passiert war. »Und sonst?«

»Was sonst? Wir arbeiten dafür, Tag und Nacht. Die Ausstellung und dann das Mahnmal. Wir wissen genau, wo das hin muss, mitten in die Stadt, aber all die Schweine wollen das nicht. Die wollen lieber alles vergessen.«

»Wir?«

»Gerd und ich.«

»Gerd?«

»Ein Freund. Gott sei Dank gibt es noch Menschen mit Moral, sogar hier, sogar in dieser Stadt.«

Menschen mit Moral. Es war klar, dass Franziska sie nicht dazuzählte: zu ordentliche Haare, zu schönes Kostüm, zu schöner Hund. Menschen mit Moral lebten auf schmutzigem Fuß, mit leeren Flaschen, zusammengeklumpter Wäsche. Franziska mochte sie anklagen, sie fühlte sich gut dabei. Sie dachte, wie zufällig Franziska ein Mensch mit Moral geworden war und wie schade das war. Eigentlich war Franziska eine Freundin, aber irgendwie lag die Betonung auf eigentlich. Es war jetzt wichtiger für Rosalie, an sich selbst zu denken. »Man muss gleichgültig sein gegen seine Mitmenschen oder sie sogar verachten, um den freien Blick des Ästheten über die Erde wandern zu lassen.« Simone de Beauvoir hatte das gesagt, vielleicht sogar getan. Der Satz war ihr in den Sinn gekommen, obwohl es sie schon ein bisschen erschrak. Aber es war etwas dran an dem Satz, gerade in diesem Augenblick.

Franziska hatte sie vom Stuhl aus beobachtet, nicht neugierig. Es schien etwas Verächtliches dabei, irgendetwas von »Mach du dich nur fein zurecht, ich kümmere mich um die wesentlichen Dinge«. Wahrscheinlich redete sie schlecht über sie, wenn Rosalie nicht dabei war, so wie sie schlecht über alle anderen redete.

»Hör mal, Rosa...«

»Hm?«

»Könntest du mir vielleicht ein bisschen Geld leihen?«

»Na klar.«

»Nur für diesen Monat...«

»Schon gut, wie viel willst du?«

»Fünfhundert.« Die Summe kam schnell. Sie war überlegt. Also daran hatte Franziska gedacht.

Rosalie stellte einen Scheck aus.

Franziska griff ohne Umschweife zu. »Danke, Rosa.«

»Und zusammensetzen, wegen dem Hausverkauf?«

»Mit wem willst du das machen? Mit Korkow? Wie gesagt, ich zieh sowieso aus. Nochmal vielen Dank übrigens, es ist schön, eine gute Freundin zu haben.« Franziska war aufgestanden und schloss sie fest in die Arme. Rosalie griff zurück und drückte. Ihr war nicht ganz wohl dabei, so als ob alles wie früher wäre.

Nichts war wie früher.

Sie zog die schwere knarzende Wohnungstür zu; einen Moment hätte sie glauben mögen, dass sie sich im neunzehnten Jahrhundert befand, in dem das Haus gebaut worden war, oder in diesen 30er Jahren, in denen Franziska eine Jüdin war, der Fürchterliches geschah, und Rosalie eine Ästhetin mit schlankem Hund; das also hatte Franziska geschafft. Für Sekunden hatte Rosalie den Eindruck, sich von etwas losgekauft zu haben. Es kam ihr falsch vor, aber es berührte sie nicht wirklich moralisch, mehr noch dachte sie, dass das Leben über alles hinwegging, Menschen und Städte, und dass nur die Augenblicke blieben, die man sich daraus klaute. In Franziskas Wohnung war es sehr warm gewesen, Geld für Kohlen hatte sie also noch; Rosalie aber sehnte sich nach kalter Luft.

Sie ging gleich runter auf die Straße, Schröder voran, der sie mit der Leine vom Haus wegzog, zum Monbijoupark, den er schon kannte. Auf den Bänken saßen Liebespaare und träumten hin und zurück. Sie dachte an Georg, an sich selbst. Sie rang nach Überzeugung. Das Wissen darum, dass sie sie finden würde, machte sie stark.

Der Regen war weg, zwischen die Häuser kam grelles Licht. Rosalie erinnerte es an das Licht in den Bildern von Breughel, mild und friedlich auf allem menschlichen Desaster; gedacht in den krummen, schattigen Straßen, die jetzt so friedlich taten, im Mittagslicht: Du brauchst mir morgen keine Brötchen mitzubringen, keine Würfelschnecken aus der Sophienstraße, du musst nicht einmal bei mir bleiben.

So, jetzt war es heraus.

Zum ersten Mal herausgedacht.

15

Am gleichen Tag, an dem die Katastrophe hereinbrach, war der große Moment.

Der Tierparkdirektor war ganz freudige Erwartung. Er trug seinen schönsten Anzug. Der Kopf strahlte im Mittag, die Haare sorgfältig und akkurat auf die hochglanzpolierte Glatze drapiert wie Spargel auf einem Nouvelle-cuisine-Teller.

Um den Spargel herum wurde alles feierlich.

Die Tierpfleger verlegten sich auf den Flüsterton, ein verschwörerisches Murmeln und Zischeln, selbst die Gesten erschienen geflüstert.

Die Vorfeierlichkeiten nahmen die große Zahl von Journalisten und Fotografen aus, die man angelockt hatte. Seit dem Morgen hockten sie auf den verwitterten Stühlen vor dem Terrassencafé, das schon seit Jahren keinen Kaffee mehr ausschenkte. Die Köpfe in den Kragen maulten sie vor sich hin, weil niemand sie beachtete. Fotografen langweilten sich mit Berufsweisheiten: Elefanten waren einfach, Vögel undankbar, Robben im Wasser eine Qual. Die Tiere schienen nur um der Fotos willen da zu sein, die man von ihnen machen konnte. Ein anderer fotografierte lieber Menschen, die hielten still.

Fünfhundert Meter weiter liefen die letzten Vorbereitungen. Der Tierparkdirektor rieb sich nervös die Hände, als erwarte er die Ankunft der Königin von Saba. Der Reviertierpfleger gebärdete sich diensteifrig als Zeremonienmeister. Seine Wichtigkeit übertraf ausnahmsweise seine Schnapsfahne. Alles bestand aus einstudierten Bewegungen, die jeder zu kennen schien bis auf Georg. Vorsichtig hielt er sich in der Nähe des Tierparkdirektors, einen dem Anlass entsprechenden Respektabstand mit eingerechnet.

Gegen Mittag traf endlich der Transporter ein. Aufgeregtes Winken und Rufen. Der Tierparkdirektor lotste den Lastwagen an das Behelfsgitter. Er machte sich geltend in alle vier Winde, bellte kurze und scharfe Befehle, eilige Hände rückten die Gitter zurecht und hantierten an den Verschlussriegeln des Hängers.

Feierlich und undurchdringlich hatte sich der Tierparkdirektor am Gitter aufgestellt.

Die Fotografen murrten, weil sie noch nicht blitzen durften.

Jetzt hatten die Wärter die Riegel geöffnet, die schweren Türen klappten langsam auf.

Der Tierparkdirektor wippte mit den Fußspitzen.

Geräuschvolles Husten. Stille.

Ein Geräusch aus dem Hänger: ein kurzes Scharren und Trippeln. Sekunden später stakste die arabische Schönheit mit unsicherem Schritt die Rampe hinunter, Lichtflecken spielten sanft auf ihrem Fell, ein Meer von Grün streckte sich ihr entgegen.

Der Tierparkdirektor hatte die Arme verschränkt, den Blick feierlich und undurchdringlich.

Die Stille um das Gatter war gespenstisch.

Die Weiße Oryx trottete mit leicht gesenktem Kopf durch das olivfarbene Spalier der Wärter.

Georg beugte sich nach vorn, um besser zu sehen: Das Kronjuwel aus der Konkursmasse der Schöpfung sah aus wie eine alternde Ziege.

Die Fotografen blickten einander an. Georg wurde ein wenig unsicher, unruhig schaute er zum Tierparkdirektor hinüber.

Dieser hielt der Herausforderung sicher Stand. Er strahlte über das ganze Gesicht. Die Oryx war durch keine Diskussion um ihre Schönheit zu erschüttern.

Georg schwenkte erleichtert ein.

Die Antilope war in ihrem Gehege. Der Reviertierpfleger baute das Behelfsgatter ab, die restlichen Wärter traten zurück, der Tierparkdirektor gab den Befehl zum Fotografieren. Die Fotografen drängelten und blitzten. Der Tierparkdirektor lud zum Essen.

Auf dem Weg zur Cafeteria lief Georg in seinen Blick. Der alte Mann zwinkerte ihm übermütig zu, wie ein Schuljunge, der sich in seinem Urteil über ein Mädchen mit seinem besten Freund einig weiß. Georg zwinkerte freudig zurück. Der Tierparkdirektor aber hatte sich bereits zu den Journalisten gewandt.

Die Cafeteria des Tierparks war so gute Architektur, dass sie es noch immer war. Gesetzt den Fall, man hatte den Blick dafür. Sie hatte bessere Tage gesehen, als die Flamingo-Bar noch aktiv war. Am heutigen Tag freilich erstrahlte sie noch einmal im alten Glanz. Saubere Tische, Blumen, aufgehellte Kellnermienen; eine ältliche Band spielte flotte Musik.

Der Tierparkdirektor war bester Laune und hatte besten Appetit. Es gab Blutwurstragout, ein Kellner an Georgs Tisch nuschelte etwas von »toter Oma«. Georg verzichtete dankend. Der Tierparkdirektor beeindruckte derweil seine Ehrengäste, greisenhafte Zoodirektoren aus irgendwelchen in Auflösung begriffenen Ländern im Osten. Zwei Nachschläge, und er begab sich beschwingt aufs Klo. Als er zurückkam, war der Spargel geschickt miteinander verklebt, der Kopfputz sah aus wie eine dünne Platte.

Zielsicher strebte er auf die Tanzbühne und erheischte gläserklirrend Aufmerksamkeit. Er verfügte über einen Mund, der sehr spitz werden konnte, was man ihm im Ruhezustand kaum ansah. Einige Sekunden schaute der Spitzmund in die Runde und erzeugte so allgemeine Spannung.

»Die Hälfte aller Tierarten«, hob der Tierparkdirektor an, »sind in diesem zwanzigsten Jahrhundert ausgestorben.« Er fing mit dem Aussterben an, um darauf zu kommen, dass Aussterben eigentlich das falsche Wort war, es handelte sich um Ausrottung. »In den vier vergangenen Jahrzehnten haben die Menschen der Natur größere Wunden geschlagen als in allen Jahrtausenden zuvor. Sie haben die Meere leer gefischt, die biologischen Reserven des Planeten geplündert, mehr als drei Viertel aller Wälder abgeholzt.«

Der Tierparkdirektor redete von den Menschen, als ob er sich selbst nicht dazugehörig fühlte. Seit Jahrhunderten machten die Menschen etwas Dummes, vermehrten sich, verbrauchten die Ressourcen und störten das Leben der Tiere.

»Allein die erwartete Zuwachsrate für die neunziger Jahre wird die gesamte lebende Menschheit im Jahr 1600 übersteigen. Bei einer Geburtenrate von 2,2 wären 12,5 Milliarden im Jahr 2050 erreicht und 20,8 Milliarden im Jahr 2150«, rechnete er im Eiltempo. »Irgendwann wird die menschliche Biomasse schließlich das Gewicht der Erde übersteigen.«

Wie ein überladenes Schiff sackte die Erde aus ihrer Umlaufbahn, tauchte übergewichtig ins finstere kosmische Meer ab. Georg fragte sich, wie der Tierparkdirektor bei alledem bislang so gute Laune bewahrt hatte. Auf eine gewisse Weise schien er sogar stolz auf die Zahlen zu sein, und sei es deshalb, weil bislang nur er sie geheimerweise kannte.

Mit kalter Lust beschrieb der Tierparkdirektor die Konsequenzen der Überbevölkerung. Tierarten ohne Anpassungsfähigkeit an die neuen Lebensbedingungen starben aus.

Das Publikum lauschte schweigend, schien aber nicht besonders beeindruckt. Der erste Direktorengreis aus dem Osten war bereits eingenickt, die anderen begannen zu kämpfen, der Reviertierpfleger guckte auf seine Hände. Im Durchgang zur Küche verflüchtigten sich die Kellner; eine dicke weißhäubige Köchin kratzte Reste toter Oma vom Teller.

Die Zeit, erläuterte der Tierparkdirektor derweil weiter, schritt immer schneller voran, die Ausrottungsrate stieg immer rasanter. Georgs Blick wanderte nach oben zu den Fenstern in der Decke. Runde Himmelsluken mit Wolken darin, kleinen, weißen, sehr schnellen Wolken.

Der Tierparkdirektor verweilte bei der Beschleunigung, stündlich verschwanden Tiere, Hunderte am Tag. Die Artbildungsrate war eine Million mal geringer als die Ausrottungsrate, das Zeitalter der Einsamkeit warf seinen Schatten voraus.

Georgs Gedanken schweiften wieder ins Blaue. Die Wolken im Fenster verschwanden. Heute morgen hatte er in der Großen Hamburger Straße Kameras und Strahler gesehen, der Himmel über der neuen Hauptstadt wurde gerade gefilmt. Einsame Engel sollten darin herumspuken. Man erwartete die Olympischen Spiele in der Stadt und würde Millionen für ein neues Staatsgelände ausgeben, der Regierende Bürgermeister versprach sich gewaltige Investitionen. Und ringsherum starben die Tiere.

»Die Natur, meine Freunde, gleicht längst einem brennenden Museum. Stellen wir uns einmal vor, der Louvre würde brennen, oder die Eremitage...«

Georg hatte den Stuhl zur Seite gewandt und blickte auf die geschmackvoll eingelassenen Aquarien in der Holzvertäfelung, wie sie im Tierparkführer auf Seite siebenundachtzig beschrieben standen. Rechts hinter seiner Schulter rumpelte ein gewaltiger Hummer zwischen Steinen und Kies.

»Würden wir nicht alles daransetzen, die schönsten all dieser Kunstschätze zu retten?«

Die Cafeteria hielt der Frage beharrlich stand. Die Himmelsaugen sendeten Licht und Schatten.

»Wir würden es tun«, antwortete sich der Tierparkdirektor, um nun auf seinen eigenen Beitrag zu kommen: die Weiße Oryx im Tierpark.

Der Reviertierpfleger zog eine Grimasse. Für ihn bedeutete die Oryx zusätzliche Arbeit und Arbeit Ärger.

Georg war sich nicht sicher, ob er richtig verstand. Diese eine Antilope im Tierpark sollte die Lösung für alle die zuvor genannten Probleme sein? Was war mit der Last, die den Globus zusammendrückte? Der Tierparkdirektor aber war jetzt nur noch glücklich, die Oryx zu besitzen; die Apokalypse von soeben erschien wie verweht. Ein böser Traum, der nun einen anderen Redner in einem anderen Teil der Welt heimsuchte.

Der Vizedirektor, kaum jünger als der Tierparkdirektor, trat mit sichtlich gebeugtem Rücken aus der Menge. Ein kurzer Blick hatte ihn hervorgezerrt, freihändig tastete er sich hinters Mikrofon, das keinen ausreichenden Schutz bot. Er beglückwünschte den Tierpark mit matter Stimme zu seiner Errungenschaft und trat ohne Applaus dankbar ab. Der Tierparkdirektor stieg wieder aus dem Abseits hervor, in dem er sich nie gesehen hatte, und schwang sich zu einer Dankesrede auf. Die starken Worte verschütteten seinen Vorredner auf der Stelle, als einer der Journalisten ihm einen Zettel nach vorn reichte.

»An diesem großen Tag, an dem…« Die Stimme des Tierparkdirektors brach ab, als seine Augen den Zettel überflogen. Der halbfertige Satz stand wie eine Bauruine in der Landschaft. Die Sonne in den Himmelsluken war jetzt über das Dach gewandert; der Tierparkdirektor warf kaum noch einen Schatten. Die innere Balance war dahin, die Haarplatte verlor ihren Halt und rutschte wie ein Brett über die Glatze.

Der Vizedirektor kramte sich aus der Menge und reihte einige Auflösungsworte. Die Versammlung verteilte sich in Grüppchen; die wenigen verbliebenen Journalisten löffelten rasch ihren Nachtisch; die Belegschaft rückte Stühle. Der Reviertierpfleger wankte haltsuchend an Georg vorbei, der jetzt allein an seinem Tisch saß, eine weitere Stunde und noch mehr, den humpelnden Hummer im Rücken, in seinem zu kleinen Aquarium, der sich jetzt tot stellte, wie Hummer sich immer tot stellen, regungslos bis auf die Stielaugen, von der Strömung der Pumpe gefächelt, eindrucksvoll ausdruckslos.

16

Es war dieselbe Zeit, als Georg in der Cafeteria versank und Rosalie von ihrem blitzenden Stahlrohrmöbel auf die gähnenden Erdkrater blickte und wieder einmal über die Kampagne nachgrübelte, der Stadt einen passenden Satz für ihre große Zukunft voranzustellen.

Sie schob den Bürostuhl nach hinten, ging zum Fenster und starrte minutenlang auf ein taubenloses Dach. Bei Licht betrachtet war das Problem unlösbar. Kein Wunder, dass man gerade sie damit beauftragt hatte. Deutschland würde jetzt wieder in die Geschichte eingehen. Andererseits aber war diese Geschichte gerade zu Ende gegangen. Vielleicht sollte man das neue Bild der Stadt aus dem zusammensetzen, was sie alles nicht war. Zuallererst war sie gar keine richtige Stadt, dazu fehlten gegenwärtig nahezu alle städtebaulichen Voraussetzungen, und das würde auch in den kommenden Jahrzehnten so bleiben. Die Einwohner würden ihren Blick nicht in den Himmel richten, sondern nach unten auf die vielen Baulöcher, die den aufgeworfenen Gehsteigen folgen würden, den heruntergefallenen Kacheln und dem Bauschutt.

Rosalie setzte sich zurück an ihren Platz. Die Alster-Barbie gegenüber nuckelte beiläufig an einem Strohhalm, die halb geschlossenen Augen verrieten eine Besinnungspause. Wahrscheinlich suchte sie bereits neue Objekte für ihr Talent.

»Scheiße«, sagte das Mädchen nach einer einem lasziven Haarschwung gewidmeten Pause.

Rosalie hatte nicht wenig Lust, alles hinzuschmeißen; diese Arbeit, für die sie offensichtlich viel zu ernst oder unbegabt oder beides war, dem Wechsel der Zeiten zu überlassen, oder dem Strategic Planner und dem Agenturchef. Und auf einmal erschien es ihr unglaublich, wie so etwas mit ihr hatte geschehen können, dass sie einfach dabeigesessen hatte, wie ihr alle Zuversicht seelenruhig entglitt; sie dachte, dass sie ihr Leben ändern würde und dass sie schon sehr nahe daran war, zu wissen wie.

An diesem nachdenklichen Tag flog plötzlich die Tür auf, und Rainer stand in Rosalies Büro. Er war allein wegen ihr aus Hamburg gekommen, und er überraschte sie während der Mittagspause. Rosalie konnte kaum fassen, dass er da war, so sehr hatte sie ihn in ihre Gedanken verlegt, und doch erschien er ihr völlig vertraut, als habe sie ihn erst gestern zuletzt gesehen. Sie tranken einen Kaffee unter den Linden. Rainer schwärmte von der Stadt, den klassizistischen Gebäuden, dem Sonnenschein darauf, der zukünftigen Weltstadt, und von Rosalie, die für ihn dazugehörte, die schöne Unbekannte, bei einem flüchtigen Lächeln entdeckt, im Herbst der Metropole. Rosalie fühlte sich sogleich sehr ästhetisch und auf eine zuvor nie gekannte Weise erwachsen. Rainer fasste die Tasse am Henkel; Georg hielt immer die heiße Tasse umklammert.

Sie ging nicht zurück an ihre Arbeit; vielleicht würde sie überhaupt nicht mehr zurückgehen. Sie wurde müde vom Kaffee, und weil es draußen so blau war, sah glückliche Eltern mit kleinen Kindern auf der Verkehrsinsel stehen, und mit einem Mal, ganz spontan, dachte sie wieder daran, Kinder zu haben, etwas, das sie sich in den letzten Monaten nicht mehr hatte vorstellen können, woran sie nicht ein einziges Mal gedacht hatte.

Rainer ging sehr gerade; sein langer Mantel, sein etwas hoher Haaransatz, erst hatte sie ihn in Kauf genommen, jetzt fand sie ihn wirklich schön. Vielleicht hatte Rainer etwas Väterliches. Nicht, dass er alt oder gesetzt gewirkt hätte, aber die Mischung aus Junge und Mann, sein Verhältnis von Ernst zu Unernst sprach sie auf eine nie gekannte Weise an. Georg war ernst geworden, mitunter trübsinnig, fand sie, aber die großen Fragen des Lebens, die wichtigen Entscheidungen und Pläne für die Zukunft behandelte er so achselzuckend, als käme es auf sie gar nicht an; bei Rainer dagegen waren es die kleinen Gesten, die etwas Heiteres, etwas Verspieltes hatten, in den großen Fragen aber wirkte er so sicher und standfest wie die Häuser, die er baute. Vielleicht war er gerade deshalb ein guter Vater.

In Rainers Arm fühlte Rosalie sich so schön wie seit Monaten nicht mehr. Sie hatte ihren Stil geändert, trug wieder Pumps zum fallenden Laub. Sie hatte keine klare Vorstellung davon, was sie jetzt tun sollte, außer Rainer anzusehen, wie er seinen weißen flachen Wagen aufschloss und ihr die Beifahrertür öffnete. Sie fuhren zur Krausnickstraße, und Rosalie lud Schröder ins Auto, der an Rainer hochsprang wie an einem alten Bekannten. Wenig später waren sie im Park, und beide spielten wie übermütige Jungs oder Hunde, der Unterschied verschwamm: Beine, Sprünge, ein Stock flog durch die Luft, ein lachender Mantel.

Rosalie merkte, wie ihr der Hals kratzte, und eine halbe Stunde später befürchtete sie eine ernste Erkältung. Sie gingen in ein Café, wie immer, seit sie sich kannten, ein kleines gemeinsames Ritual, mit Georg war sie fast nie im Café gewesen. Rainer kümmerte sich sofort um sie, bestellte eine heiße Milch mit Honig, seine Fürsorge war rührend und warm.

»Bevor ich ihn dir weiter um den Mund schmiere, tu ich ihn in die Milch.« Rainer versenkte den Honig, und Rosalie trank in kurzen heißen Schlucken.

Eine weitere Stunde später fuhr er sie nach Hause. Die Straßen hatten Kopfsteinpflaster, und das Auto ruckelte, Rosalie spürte die Milch, im Kopf kreisten die Gedanken, über dem Auto brausten Starenschwärme ums Wolkenriff. Das erträumte Leben war schöner als das erlebte: Sie musste sich trennen. Rainer erzählte von den Häusern, die sie hier bauten; Rosalie sagte, dass sie sie sehen wollte, aber nicht jetzt. Sie redete gegen den Milchgeschmack an, den süßen Honig, die Magensäure darin. Ihr war schwindelig, aber Rainer war noch immer bei den Häusern.

»Wir müssen jetzt sehr schnell viele neue Projekte verwirklichen. Sonst geht uns die Zukunft aus.«

Die Stadt war ein Vakuum, das darauf wartete, aufgefüllt zu werden, und Rosalie konnte nicht mehr an die Stadt denken, ohne auf sich selbst zu kommen: ein Vakuum, das gerade durch Rainer aufgefüllt wurde. Vielleicht sollte sie Rainer die Auswahl eines Stadtmottos überlassen; er hatte so etwas Entschlossenes. Rainers Arm legte sich zu ihr und hielt sie fest, seine Stimme beruhigte sie. In seinen Worten sahen die Häuser aus, als wären sie schon gebaut.

»Ich gehe nach Amerika, im Frühjahr, Sacramento, weißt du, wo das ist?« Rainer erzählte weiter.

»Ungefähr.« Rosalie schloss die Augen, sie öffnete das Fenster, der Fahrtwind sträubte Haare und Seele, wehte jetzt um Georg herum, der auf der Fahrbahn stand und mit den Händen winkte.

Der Wind war ein Sturm.

17

Die Holzvertäfelung an den Wänden schimmerte düster. Draußen trommelte der Regen. Der Sturm fegte durch den Tierpark, die Scheiben der Direktion klapperten. Der Tierparkdirektor stand vor dem Fenster und schaute gedankenverloren auf den Bronzebison in Laub und Herbstwind.

Es war nicht abzusehen gewesen, ob man den Tierpark dem Zoo anschließen, ihn als Immobilie verhökern würde oder ob man ihn schlicht vergessen hatte. Angesichts dieser Aussichten bevorzugte der Tierparkdirektor die dritte Möglichkeit.

Der Brief beendete jede Spekulation.

Eine Zeit lang herrschte Stille, eine nahezu feierliche Stille. »Ich habe Ihnen eine ...«

»Jaja«, sagte der Tierparkdirektor.

»Liste aller geschlüpften Stelzvögel mitgebracht«, murmelte Georg.

»Es gibt Neues«, sagte der Tierparkdirektor und setzte sich in seinen großen ledernen Drehsessel. Die Blätter Papier lagen abgemessen auf der Tischplatte. Seine Hände fassten sie trotzdem und stießen das Papier mehrfach Kante auf Kante. Er blickte nicht auf seine Hände und nicht auf das Papier darin. Er sah zu Georg hinüber, verzog kaum merklich den Mund, nahm seine Lesebrille vom Tisch, strich sich durchs Haar und las:

»Laut Senatsbeschluss vom soundsovielten Soundsovielten teilen wir Ihnen mit, dass der Tierpark im Zuge der Wiedervereinigung unseres Vaterlandes in eine GmbH umgewandelt wird... mit sofortiger Wirkung... bitten wir Sie, das Nötige zu veranlassen, um möglichst bald... schnell und unbürokratisch... rechnen wir mit Ihrer Mitarbeit... mit freundlichen Grüßen.«

»Was bedeutet das?«, fragte Georg.

»Es bedeutet«, der Tierparkdirektor legte die Lesebrille ab, »dass der Tierpark an den Zoo angeschlossen wird. Es bedeutet, dass viele unserer Leute entlassen werden, sehr viele wahrscheinlich. Es bedeutet: Wir fallen in den Verwaltungsbereich des Finanzsenators. Der Tierpark bekommt einen Aufsichtsrat.« Er saß ganz ruhig in seinem Bürosessel, die Hände vor dem Bauch gefaltet. Sein Gesicht zeigte keinerlei Anspannung, keinen Widerstand, keine Empörung. Er berichtete, als erzählte er von dem Lebensschicksal eines neotropischen Termitenvolkes, als ginge ihn die ganze Geschichte nichts an. Von Zeit zu Zeit drehte er den Sessel ein wenig nach rechts, dann nach links.

»Mit den Menschen kann man alles machen. Wie eine Ziehharmonika. Auseinander. Zusammen. Man kann auch überall mit ihnen hingehen, die Menschen gehen immer mit. Von Weimar nach Buchenwald und von Villabajo nach Villarriba.«

Georg blickte den Tierparkdirektor verwundert an.

»Und während Villabajo noch schrubbt und scheuert, feiern sie in Villarriba schon wieder Fiesta.«

Georg hatte den Tierparkdirektor unterschätzt. Er hatte offensichtlich ferngesehen und sich Wesentliches dabei gemerkt. Es gab eine Verbindung des Tierparkdirektors mit der Außenwelt.

»Und am Ende werden die Toten gezählt«, sagte der Tierparkdirektor, erhob sich von seinem Schreibtisch und trat erneut ans Fenster.

Der Regen prasselte unverdrossen.

»Eigentlich merkwürdig«, sagte er nach einer Weile.

Sie blickten einander an.

»Wiedervereinigung«, sagte der Tierparkdirektor, jede einzelne Silbe betonend. »Was für ein nutzloses Wort. Tierpark und Zoo sind nie vereinigt gewesen.«

Der Tierparkdirektor lachte laut auf.

Georg lachte mit. Obwohl es nichts zu lachen gab.

Gegen Abend geschah es, dass sie sich noch einmal begegneten. Es war kurz vor Dienstschluss, als Georg zum Papageienhaus radelte; rot geklinkert im matten Lichtschein zwischen den Efeuranken. Ein kreischendes Rollsystem öffnete den Vögeln die Eingangsluke ins Haus. Sie kamen abends in einen Nachtkäfig, der zum Papageienhaus gehörte, das dem Tierpark gehörte. Der Tierpark gehörte nun dem Zoo.

Als Georg sich umwandte, stand der Tierparkdirektor hinter ihm. Georg erschrak.

»Es ist sicher besser, wenn wir das Licht nicht löschen«, sagte der Tierparkdirektor ruhig.

»Warum nicht?«

»Sie haben Angst, ihr Leben sei nur ein Traum und im Finsteren sei alles vorbei. Papageien haben keine Erinnerung an das Gestern, jede längere Dunkelheit zwingt sie zum Schlaf, und jeder Schlaf ist ein Tod.«

Seine ruhige Stimme sprach geübt vor sich hin. So hatte er es wohl hundertmal erklärt.

Wie sie hier standen, im beruhigenden Schein des Lichts aus dem Papageienhaus, hätten sie zwei Figuren auf einem Spitzweg-Gemälde sein können. Gestalten in der Nacht, die ihr Tagewerk getan hatten. Zwei Männer, in goldenes Licht getaucht, ummantelt von einem schwarzen und geordneten Kosmos. Zwei Männer, die wussten, wohin sie gehörten.

Der Tierparkdirektor hätte eine Klarinette aus seiner Jacke ziehen und dem Mond ein Ständchen bringen können, aber stattdessen sagte er:

»Fünfunddreißig Jahre sind eine lange Zeit.«

Machte eine lange Pause. »Fünfundreißig Jahre im Dienst einer einzigen Sache.«

Er sah Georg nicht an; sprach ganz gleichförmig, als redete er in die Luft. »Der Anfang war schwer, gegen all den Widerstand. Und dann das Gelände, wir durften erst gar nicht ran. War ja auch kein Material da. Dann die Eröffnung, nur die Hirschhäuser waren fertig und das Überwinterungshaus für die Stelzvögel. Fünfhunderttausend Besucher in den ersten sechs Monaten, und wir hatten nur Hirsche und Stelzvögel. Danach gings dann Schlag auf Schlag: Eisbärenfelsen, der Panda im Tierpark, Menschenaffen und der Grzimek von drüben.«

Das Lächeln, das sich andeutete, blieb unfertig und verschwand augenblicklich. Er erzählte weiter: Schuhschnäbel, Radiosendung, Fernsehen, Groß- und Kleinkatzen, Dromedarwiesen, Raubtierfelsen. Er durchlitt jedes einzelne Stadium.

»Na ja, wir haben es geschafft. Die ganze Welt war hier.« Er sprach jetzt vollkommen zu sich selbst. »Klar, wir hatten natürlich auch Engpässe und Versorgungsmängel, alles war schwierig, wir mussten improvisieren. Das waren Zeiten.«

Trotz der Versorgungsmängel.

Georg wusste, dass er nicht zu diesen Zeiten zählte, aber ganz wortlos wollte er auch nicht dastehen.

»Es wird vielleicht nicht alles besser gewesen sein, früher«, versuchte er vorsichtig.

Der Tierparkdirektor blickte ihn an; seine Stirn kräuselte sich für lange Sekunden, bis er zur Haltung zurückfand. Milde und Skepsis wechselten in seiner Miene.

»Komm mit.«

Sie gingen über das Nordparterre und bogen hinter dem Schloss ab. Der Tierparkdirektor wählte einen abgesperrten Weg. Weicher Lehm schmatzte unter ihren Sohlen. Unbeirrbar schritt der Tierparkdirektor aus, von tiefer Dämmerung erfüllt wie der Park. Georg hatte Mühe, ihm zu folgen.

»Wo gehen wir hin?«

»Ich werde dir etwas zeigen, etwas, das du noch nicht kennst, etwas, an dem wir dreißig Jahre...«

Seine Stimme brach ab, mürbe, trocken wie Papier. Sie erstarb, was gab es darüber noch zu sagen.

Das Bernsteinzimmer des Tierparks lag unscheinbar hinter dem Schloss, von einigen Ulmen verborgen, ein verwunschenes Gewächshaus mit matten Scheiben.

Der Tierparkdirektor hantierte eine kurze Weile mit dem Schlüssel und marschierte ohne jeden Zauberspruch zügig hinein. Er bedeutete Georg, ihm zu folgen.

Drinnen war es recht düster. Nach kurzer Zeit erkannte Georg zwei trostlose Reihen aus ungezählten Terrarien, Kästen mit stumpfem Glas davor, angestaubt wie auf einem Dachspeicher und mit beiläufig gekringelten Schlangen darin. Einige davon waren viel zu bunt, ihre Mimikry schien defekt. Auf beklemmende Weise funktionsgestört, gingen sie ein verfehlt Trost spendendes Verhältnis zu ihrer Umwelt ein, wie Hochglanzzeitschriften in einem Sterbezimmer.

Uräus-, Monokel-, Schwarze Spei-, Rote Mossambique Spei-, Zebra Spei-, Königs-, Wald-, Schwarzhals-, Ringhals-, Kaspische und so weiter – alle Kobras, verkündete der Tierparkdirektor in gewohnter Manier.

Georg nickte nur.

Es roch streng und muffig. Er fühlte sich unwohl.

Er fragte sich wiederholt, welche Freude der Tierparkdirektor wohl dabei haben mochte, diese planlos verstreuten

Abwechslungen der Evolution hier in Reih und Glied versammelt zu sehen.

Dieser hatte darüber feste Ansichten, so fest, dass er nicht über sie sprach. Sie blieben dunkel wie das schummrige Terrarium.

»Sie wollen die Farm dichtmachen, zusammenlegen mit ihrem Prunk- und Protzaquarium im Westen.« Der Tierparkdirektor nickte kurz und grimmig. »Sie werden keine Ruhe geben.«

Georg nickte ebenfalls. Er sah die Hände des Tierparkdirektors, die leicht zitterten, die hervorgetretene Ader am Hals. Er sah ihn kämpfen, einen einsamen Kampf, den Georg nicht wirklich verstehen würde, den er niemals verstehen konnte, so wenig wie diesen Verschlag. Er wünschte sich, dass ihm etwas einfiel, das den Tierparkdirektor jetzt stärkte, so dass er fest auf seinen Füßen blieb. Etwas, damit er die Hand nicht brauchte, um sich gegen die Scheibe zu stützen, hinter der eine dicke dunkle Schlange in dem trüben Wasser einer rostigen Blechwanne lag wie in einem Suppentopf.

Er schloss die Augen und glaubte zu versinken. Alles das war nicht wirklich. Es gab keine Schlangen, nicht diesen Dreck und nicht dieses nahende Ende.

Der Tierparkdirektor blickte ihn aufmunternd an. Er hatte sich wieder gefasst. Sein Arm auf Georgs Schultern war warm und belebend.

»Ist es denn sicher, dass sie die Schlangen überhaupt haben wollen?«, fragte Georg, als sie wieder hinausgingen. Kühle Luft empfing sie; die Sterne blitzten kalt und genau.

»Wenn man mich fragt, ich bin dagegen«, sagte der Tierparkdirektor, die Tür zum Hort wieder zuschließend.

Der Tierparkdirektor wurde nicht gefragt. Zwei Tage später begann der Abriss der Schlangenfarm.

Vierter Teil

In Bereitschaft

1

Er schließt die Augen und glaubt zu versinken.

Am 4. Oktober 1991 hat Sergej Krikaljow Kunde erhalten. Man hat es ihm also schließlich doch erzählt, nachdem es fast einen Monat still gewesen war, so still, dass es kaum ein Mensch glaubt. Es hatte sich friedlich angehört, ruhig und ordentlich wie immer: die nächsten beiden Missionen aus Geldmangel zusammengelegt, Austausch der Stammbesatzung verschoben, verzögerter Rückflug. Das ist nicht ruhig, und das ist auch nicht ordentlich, das hat Gründe. Gründe in Kalinin, Gründe in Moskau, er ist nicht dumm, sie sollten ihn nicht dafür halten. Gründe in Tjuratam.

Aus dem Bullauge am Schlafbeutel kann er sie nicht mehr sehen, nicht Leningrad, nicht die Sowjetunion. Die Pilze haben die Sicht gefressen; sie fressen sie weiter, bis alles weiß ist wie Milch. Zusammen sausen sie um die Erde, zehn Monate schon, zweiundzwanzigtausendvierhundert Kilometer in der Stunde: Krikaljow, der Schlafbeutel, die Pilze; aber hier oben ist alles ganz langsam. Ganz langsam schwebt er durch die Station, im runtergekrempelten Overall, das weiße T-Shirt mit den dunklen Randstreifen freigelegt, wie ein Fußballtrikot, Zenit Leningrad. Um ihn herum seine Welt, achtzig Kubikmeter, mintgrün und gelb, die knallblauen Beutel, dazwischen Kabel und Schläuche: bonbonbunt, achtlos und schludrig: sein unaufgeräumtes Jugendzimmer.

Es gibt überhaupt nichts mehr zu tun, außer sich am Leben zu erhalten. Sechsmal ist er draußen in der Kälte gewesen, zweiunddreißig Stunden hat er dort zugebracht, auf dem Schiff gestanden, gemessen und geflickt. Er hat die Erde fotografiert, immer und immer wieder, vor allem die Korallenriffe, wegen der Erderwärmung, das Ausbleichen der Stöcke. Krikaljow kennt, worüber er nachsinnt, er hat es im Tierfilm gesehen: überheizte Meere, aussterbende Fische und Schildkröten.

Aussterbende Tiere. Vielleicht ist er jetzt selbst so ein aussterbendes Tier, das schwebt, wenn es laufen will, kriecht, wenn es in die Module schlüpft oder ins Werkstofflabor. Wieso will keiner mehr mit ihm reden? Warum melden die in Kalinin sich jetzt nur noch einmal am Tag: Position planmäßig, einundfünfzigkommasechs Grad Inklination, warum will das auf einmal keiner mehr wissen? Warum verdammt haben die den Genossen Aubakirow nicht hochgeschickt, um ihn abzulösen, wie es besprochen war? Mangelnde technische Ausbildung, unzureichende körperliche Fitness, wenn er so was schon hört, er kennt den Genossen Aubakirow, der ist gut, der ist tüchtig, ein Kosmonaut der Sowjetunion, keine Schlampe.

Manchmal möchte er wirklich wissen, wofür er sich aus dem Schlafbeutel quält, diese Kopfschmerzen erträgt, den Kampf aufnimmt gegen die Müdigkeit, die immer größer wird. Wozu also schindet er sich hier noch rum, läuft über das Laufband, damit seine Muskulatur nicht völlig zusammenschrumpft. Eigentlich soll er dies alles aufschreiben, nicht nur den Puls, jede Stimmungsschwankung, jede seelische Regung. Ein Rekord in der Schwerelosigkeit. Sie erforschen ihn, Sergej Krikaljow, den Langzeitraumfahrer. Blutbildanalyse, Hormonspiegel, Gedächtnis- und Reaktionstests. Wozu muss man das wissen? Um wirklich zum Mars zu fliegen? Der sowjetische Mensch ist flexibel, seine

Fortschrittsneugier passt er jeder neuen Katastrophe an. Und wenn es zu Schwierigkeiten kommt, wird er sie meistern wie ein Kommunist.

Krikaljow lässt den Stift sinken, der Stift schwebt durch die Station, irgendeine Richtung, es ist egal. Wer wird überhaupt lesen, was er hier aufschreibt; wer wird davon erfahren? Hat er noch einen Auftrag? Soll er den Menschen erzählen, wie der Weg zu den Sternen ist, dass kein Mensch vom Kosmos schwärmt, der auch nur eine Woche darin zubringen muss?

Auf der Erde gilt alle Sehnsucht dem All, im All der Erde. Krikaljow weiß, dass er unsinniges Zeug macht, wenn er jetzt Lyrik verfasst, Gedichte an Elena schreibt, aus Blutwerten und Hormonen, Gefühl auf Molekül reimt, bis ihm so kribbelig davon wird, dass er nicht weiß, wie es ihr geht, dass er gar nicht mehr weiterschreiben kann, nur noch an sie denken, den Stift vor sich in der Luft, der auf ihn zeigt, immer weiter auf ihn zeigt, bis man, bis Krikaljow, ihn anstößt.

Und dann: die Nachricht.

Eine Woche ist vergangen, bis man ihm die ganze Wahrheit erzählt hat. Der Funker in Kalinin erzählt es ruhig, sachlich, fast monoton: die Fußballspiele der letzten Wochen, Gorbatschow ist weg, Jelzin da, keine Sowjetunion mehr, keine Kommunisten, alles ist Russland jetzt, oder Ukraine oder Kasachstan und so weiter. Die Aggregate surren, aus Schaltkreisen und Platinen dünsten Gerüche. Das Werk in Dnjepropetrowsk hat die Herstellung seiner Raketen gestoppt; keine Präzisionsinstrumente mehr aus der Ukraine, die Fertigung ist abgebrochen, keine Rohstoffe mehr, keine Löhne. Die Startmannschaften in Tjuratam streiken, sagt der Funker, auch hier keine Löhne mehr, der Staat Kasachstan fordert Benutzungsgebühren, kein Mensch weiß, ob und wann Moskau dafür zahlt.

Der Staat Kasachstan. So was dürfte es nicht geben, denkt Sergej Krikaljow, so was dürfte es einfach nicht geben. Sie fliegen in den Kosmos, sie bauen die einzige Raumstation der Menschheit, aber sie haben ihren Laden nicht im Griff. Unglaublich. Den Rest kann er sich denken. Die Leitstellen für die Satelliten liegen in Georgien, in Usbekistan; beides eigene Staaten. Nur die Mir gehört Russland und natürlich Kalinin, das reicht nicht: keine Satelliten mehr, keine Raketen, kein Bahnhof.

Wo die Pilze noch Platz lassen in den Fenstern, bildet sich, tief unten, Wolkenschwamm, weißer als weiß. Kein sowjetischer Kosmonaut mehr, kein Radio, das seinen Namen wiederholt, kein roter Teppich, nie mehr, keine Paraden auf dem Roten Platz. Leningrad, Sozialismus, alles weg, auch die Paraden. Seine Heimatstadt heißt jetzt St. Petersburg, die Inflation, wie viel hundert Prozent waren das genau? Sein Gehalt von tausend Rubel einschließlich Flugzulage, dafür kriegt er vielleicht ein Brot, vielleicht Tee oder Kaffee. Er denkt an Elena und daran, wie sie jetzt noch die Miete am Prospekt zahlen soll.

Eben war es Tag, jetzt ist es Nacht; die Jahreszeiten fliegen vorbei. Das ist erstaunlich, nicht Gorbatschow, nicht Jelzin, die interessieren ihn nicht; die fliegen auch vorbei, kommen und gehen, ohne dass der Himmel blutet, sich schminkt, stirbt und wiederkommt. Er weiß, dass das immer so ist, dass es immer weitergeht so, aber er weiß nicht mehr, wann es für ihn aufhört. Er weiß nur, dass sie ihn jetzt nicht runterholen von hier oben.

Sie holen ihn nicht runter.

Und auf einmal ist es eine sehr kalte Hand, die ihm ans Herz fasst, kälter als aller Kosmos.

Sie holen ihn nicht.

Lieber würde er jetzt doch an Gorbatschow denken, an Jelzin, die ganze alberne Politik. Aber das kann er nicht. Er denkt nur, dass sie ihn nicht holen, vielleicht gar nicht holen können, weil es so viele Gründe dafür gibt, weil sie die Station nicht alleine lassen können, weil sie jetzt keine anderen haben, die sie hier hochschicken können, weil sie in Tjuratam nicht starten dürfen, weil die Startmannschaften streiken, weil sie – keine Raketen mehr haben.

Keine Raketen mehr.

Krikaljow hat sich schon viel vorgestellt in seinen Träumen, in guten und in schlechten, aber noch nie, dass sie keine Raketen mehr haben, keine Startkapseln und keine zum Landen. Er soll sich bereit halten, hat der Funker gesagt. Bereit halten – für was?

Drei Millionen kostet die Rettungsrakete, sagt der Funker zwei Tage später, sie haben also immerhin darüber nachgedacht. Drei Millionen, die sie nicht haben, auch Krikaljow nicht, natürlich nicht, er hat nie drei Millionen gehabt, und nun hat er überhaupt kein Geld mehr, alles gefressen von der Inflation. Er blickt aus dem Bullauge, er guckt jetzt immer aus dem Bullauge, damit was passiert, damit er nicht umkommt vor Langweile hier oben. Hellblaues Licht überall, der Blick über ganz Kamtschatka, zwei Meere auf einmal; die Kurilen bereiten sich auf einen Farbwechsel vor. Alles ruhig.

Auf der Erde schlafen die Hunde, die ihn vergessen haben hier oben, die Milliarden dafür gehabt haben, um das hier zu bauen und in die Luft zu schmeißen, und nun keine drei Millionen mehr haben; drei Millionen für sein Leben.

Das verwaiste Kanonenrohr hängt noch immer an der

Wand. Schweben wie Münchhausen, daran will er nicht denken, auf einer Kanonenkugel fliegen, daran denkt er schon eher und an Elena, die er nicht wieder sieht.

Das Festland kriecht wieder auf ihn zu, zerschnitten und zerteilt von den Kondensstreifen einer neuen Zeit, in der die Mir, auf ihren vorgeträumten Bahnen schwebend, hin und wieder das Licht der Sonne aufgreift und in ihrem ewigen, ruhigen und unbeirrbaren Flug dahinzieht, durch allen Äther hindurch und über alles Menschenleben hinweg.

Die Erde ist blau wie eine Orange.

2

Als Georg am folgenden Samstagnachmittag nach Hause kam, roch das Treppenhaus nicht gut, irgendwie säuerlich nach einem unbekannten Putzmittel, die Tür zu ihrer Wohnung stand offen, und Rosalie hatte alle Pflanzen auf den Treppenabsatz gestellt. Das Getöse des Staubsaugers drohte unheilvoll durch den Hausflur.

Georg trat zögerlich durch die Tür. Er wollte ihr aus dem Weg gehen, sie konnte sehr schwierig sein, wenn sie aufräumte oder putzte. In der Küche rumpelte es, irgendetwas klapperte. Möglicherweise hatte sie ihn trotzdem gehört; in jedem Fall saugte sie weiter.

Er zog sich im Schlafzimmer um und machte es sich in ihrem Sessel bequem, in der gleichen Ecke, in die Schröder sich zurückgezogen hatte, um der Wut des Saugers zu entgehen. Vielleicht hätte er ihr auch helfen können, aber er wusste, wie schwierig das sein würde, jetzt, wo sie einmal alleine angefangen hatte. Die achtlos verstreuten Bücher auf den Dielen waren ihrem Wüten bislang entgangen, er sammelte sie auf und legte sie sorgfältig auf einen Stapel, *Oase,* das neue Buch des Tierparkdirektors, nahm er zur Hand. Die ersten Seiten zeigten das sozialistische Berlin, Ulbrichts Eierkartons in Schwarzweiß, der Zukunft zugewandt sahen sie aus, als grüßten sie aus tiefster Vergangenheit. Danach kam der Tierpark: Brehmhaus im Licht, Rhesusaffe Willi und Tanzkapelle, Ulbricht und Krauskopfpelikan, Pantherplastik im Schnee; die üblichen Bilder.

Rosalie hatte das Schlafzimmer erreicht. Der Staubsauger starb mit einem atemlosen Pfiff.

»Und du liest!«

Sie ließ den Sauger zu Boden gleiten und ging sofort aus dem Raum.

Sie wollte, dass er ihr nachging. Er wusste, dass sie das wollte, aber er wusste durchaus nicht, ob er es wollte.

Nicht jetzt.

Drei Minuten später war sie zurück im Zimmer. Sie missachtete ihn, belebte den Staubsauger und fuhr damit unter dem Bett her.

Georg las weiter, er würde sich nicht aus der Ruhe bringen lassen. Der Staubsauger tobte um den Sessel herum wie ein Hammerhai.

Er legte das Buch zur Seite, stand auf und trat langsam ans Fenster. Der blaue Lieferwagen in der Straße, die aufgerissene Erde wie Schützengräben, die langweilige Blässe des Himmels darüber. Er konnte ihr nicht länger ausweichen.

»Und du tust wieder so, als ob dich das alles nichts angeht. Sitzt einfach rum und liest.«

Er drehte sich vom Fenster weg und schaute sie stumm an, seine Wortlosigkeit brachte sie zur Verzweiflung. Warum sagte Georg nichts? Er sah doch genau, dass etwas nicht in Ordnung war zwischen ihnen beiden, dass es ihr nicht nur ums Putzen ging oder ums Staubsaugen, dass es ihr um viel mehr ging als nur das. Es gab heftige Auseinandersetzungen und leidenschaftlichen Krach, sie waren nicht wirklich schlimm, irgendwie gehörte beides zum Leben dazu, aber was wirklich schlimm war und nie wieder zu ihrem Leben dazugehören durfte, waren Situationen wie diese: stummer, wortloser Streit.

»Was soll ich denn sagen?« Mehr fiel Georg nicht ein.

»Was du sagen sollst? Was du sagen sollst? Du sollst etwas über uns sagen, du sollst sagen, dass die ganze Situation zwischen uns dich ankotzt, du sollst sagen, wie du dir vorstellst, wie es weitergehen soll mit uns. Du sollst sagen, dass du dich genauso bescheuert fühlst wie ich.«

Sie hatte einen Gefühlseinbruch oder -ausbruch, je nach Standpunkt. Georgs Standpunkt war noch immer am Fenster, er fühlte sich nicht gut:

»Sprich leiser.«

»Leiser.« Sie fluchte, schüttelte den Kopf, Verzweiflung, Resignation. Leiser. Als wenn das etwas nützte.

Georg löste sich vom Fenster und trat auf sie zu. Sie wollte seinen Arm nicht, nicht einmal seine Nähe. Langsam sprach er auf sie ein, betont ruhig, von einer höheren Warte. Es war nicht alles so schlimm zwischen ihnen, nur ein wenig gereizt, es würde Wege geben, das Schöne, das zwischen ihnen gewesen war, zu wiederholen.

Rosalie seufzte, schüttelte den Kopf. Ihre Warte war höher, hatte die klarere Sicht.

Georg pulte weiter an derselben Stelle: Wiederholung. »Weißt du eigentlich, wie viel man verliert, wenn man nicht an die Möglichkeit der Wiederholung glaubt? Es gäbe einfach nichts auf der Welt, nicht einmal die Naturwissenschaften.«

Naturwissenschaften. Wie konnte er jetzt an so etwas denken? Wie konnte er hier vor ihr stehen, die Hände in den Taschen vergraben, und von Naturwissenschaften schwadronieren? Warum redete Georg nicht von sich, von seinen Gefühlen? Nur ein einziges Mal?

Er aber sprach weiterhin von allgemeinen Dingen, so als sei alles, was sie füreinander empfanden oder nicht mehr empfanden, schon millionenfach vor ihnen passiert, so als seien sie tatsächlich nur ein Fall von etwas viel Allgemeinerem. Nie hatte er früher so über sie geredet, nicht einmal gedacht.

»Alles, was wir jetzt brauchen, ist etwas Zeit.«

Es minderte ihre Zweifel nicht. Nicht im mindesten. Sie würde es nicht zulassen, Zeit zu verbrauchen, während sie auf etwas anderes wartete.

»Man kann nicht immer Neues zusammen erleben, der Alltag gehört eben auch dazu.«

Man. Es war sinnlos, zum Verzweifeln. Rosalie hatte sich in den Sessel gelegt und ihre Hände über die Lehnen fallen gelassen, die Handrücken abgeknickt, als wären sie tot. Das einzige, was sie jetzt hörte, war ihre eigene innere Stimme, die matt wurde, müde und matter.

Er hatte aufgehört zu reden, mitten im Raum. Er sah sie im Sessel sitzen, dem runden, roten Sessel, der ihr gehörte, nur ihr allein.

Erst jetzt, in diesem Augenblick, hatte er zum ersten Mal das Gefühl, dass etwas passiert war mit ihnen beiden, etwas, das er bislang völlig unterschätzt hatte, und dass nichts bleiben würde, wie es war.

Der ganze Tag war aus seiner Umlaufbahn gekegelt, Georg hatte sich aufs Bett geworfen, aber nicht schlafen können und nicht weiterlesen, er lief unruhig in der Küche umher, aß eine Banane und aus Verlegenheit einen Joghurt; er entschied sich spazieren zu gehen, als er den Mantel angezogen hatte, verlor er die Lust; er ging trotzdem. Als er nach nicht einmal einer halben Stunde zurückkam, stand Rosalie im

Badezimmer und legte Lippenstift auf. Sie machte sich zum Ausgehen zurecht.

»Mit wem?«

»Leute aus der Agentur. Kennst du nicht.« Ihr herbstfarbenes Haar war durchgebürstet; ihr Parfüm im Zimmer wie ein vereinzelter Sonnenstahl.

»Ich gehe auch noch raus, nachher.«

»So?«

»In den Tierpark.«

»Samstagnachmittag?«

»Wir haben viel zu tun. Du weißt, dass wir viel zu tun haben.« Rosalie drückte die Lippen aufeinander und verteilte den sanften Rostton. Sie drehte sich zu ihm um, und dann sagte sie es, ganz langsam, ganz deutlich und ganz ruhig:

»Ins KZ.«

»Was?«

»Zoos sind KZs.«

»KZs?«

»Von Kriminellen geführt und von Idioten besucht.«

Georg blickte auf, dann wieder zu Boden.

»Du hast dich total verrannt, Georg.«

Georg. Wer sprach da?

»Und ich muss eine Idiotin gewesen sein, dass ich das nicht gemerkt habe.«

Wie die, die die Zoos besuchen, dachte Georg.

Es schien ihr wenig auszumachen, eine Idiotin gewesen zu sein, sie fuhr weiter ungebremst fort: »Mit alledem hast du mir die ganze Kraft genommen, alles, was ich noch an Reserven hatte, hast du verbraucht. Du hast mir nie Mut zugesprochen oder mich mal mit etwas überrascht oder Pläne gemacht für uns, du hast alles einfach so geschehen lassen. Immer hast du nur gewusst, was du nicht wolltest, aber nie selber Vorschläge gemacht.«

»*Nie*«, wiederholte Georg, es war mehr ein Flüstern. »Nie, also. Merkst du nicht, wie langweilig du redest? So langweilig wie dieses Nie. Nichts ist langweiliger als Nie, außer einem Nie, das nicht stimmt. Ich habe dir nie Mut zugesprochen, also auch früher nicht, als wir glücklich waren? Die Tage im Winter und im Frühjahr, die Stunden, die Sekunden, alles durchgestrichen durch dieses Nie? Natürlich habe ich Pläne gemacht, und natürlich habe ich an dich gedacht dabei, und natürlich hast du nie gesehen, wenn ich an uns gedacht habe in der letzten Zeit, du hast nur gesehen, wenn ich es nicht getan habe.« Er redete, um seine Gefühle zu übertönen, über sie hinwegzureden wie über eine zu laute Schallplatte am anderen Ende des Raumes. Der Raum war er selbst.

»Mag sein, aber in dieser Form können wir jedenfalls nicht weitermachen«, sagte Rosalie.

Was war mit der Form?

Sie stand noch immer vor dem Waschbecken und verteilte ihre Aufmerksamkeit; die wilden heftigen Worte für Georg, die ruhige Hand einer Chirurgin für den Kajal.

»Was ist da?«, fragte Georg.

»Was meinst du?«

»Es gibt noch was.« Er hatte es die ganze Zeit geahnt, ganz dunkel, ganz weit entfernt. Jetzt wusste er, dass es da war.

»Was meinst du?«

»Das, was da noch ist. Was du mir sagen willst.«

»Ich will dir nichts sagen. Ich habe dir bereits gesagt, was ich sagen will. Und außerdem stehst du im Licht.«

»Du willst es mir also nicht sagen.«

»Was sagen?«

Sie blickten einander an.

Rosalie zögerte.

Sie war zu schön, um zu lügen, und zu klug, um sich jetzt weiter zu schminken.

»Und außerdem ...«

Ihre Sätze fingen nun alle so an.

»Und außerdem hättest du dir Mühe geben und dich mehr um uns kümmern können und zusehen, dass es mit uns weitergeht, und dass es mir nicht immer gut ging in letzter Zeit, und wenn du mir nur Blumen mitgebracht hättest, oder wenigstens mal ein paar Ideen, wenn du dich um unsere Beziehung gekümmert hättest und mir mehr gezeigt, dass du mich liebst, dann wäre vielleicht nicht ...«

Was wäre dann vielleicht nicht?

Rosalie schwieg. »Und außerdem«, sie holte tief Luft, blickte dann fast harmlos zur Seite und murmelte blass: »Und außerdem habe ich mich verliebt.«

Außerdem also.

»Wer?«

»Du kennst ihn nicht, hast ihn nur einmal gesehen.« Sie schluckte. »Rainer.«

»Wo?«

»In der Linienstraße, beim letzten Mal.«

»Hm.«

»Es ist einfach passiert.«

Einfach.

»Weißt du, manchmal passiert so was einfach.«

Er sah sie jetzt lieber nicht an. Er dachte: einfach passiert. So ist das also, wenn es zu Ende geht. So und nicht anders, dachte: Ich habe schon so lange gewusst, dass etwas schief geht, und bin so wenig vorbereitet. Warum, verdammt, kann ich mit solchen Situationen nicht umgehen? Ich weiß überhaupt nicht, was ich sagen soll.

Überhaupt nicht.

Er war viel zu getroffen, wandte sich ab, taumelte zum

Badezimmerfenster und schaute hinaus. Der Schatten des Kastanienbaumes legte sich auf sein Gesicht.

Georgs Stimme war weder laut noch leise, sie war einfach Stimme, noch nicht einmal, um etwas zu sagen. Nur Geräusch, damit es nicht still wurde.

Nicht jetzt.

»Je nach Standpunkt«, sagte Georg.

Sie war zwei Meter entfernt. Unendlich weit.

Er hatte auf einmal sehr viel Angst, sie zu verstehen. Unablässig starrte er auf das Pflaster im Hof, kein streunender Besucher, Katze, Vogel, Wind, kein Hausmeister mit Plastiksack, der jetzt näher schlurfte, der Müllcontainer kreischt, öffnet gähnend den Schlund, der Hausmeister nestelt an seiner Tüte, seine Frau sieht aus dem Fenster, die roten Haare in Lockenwickler gedreht, Polyesterveilchen, der Glanzkittel der Hausfrauen, vergiss nicht, das Glas in die andere Tonne, er dreht sich um, der ewige Unwille gegängelter Männer am Wochenende, in einer halben Drehung erstickt, er sagt nichts, nickt knapp ins blattlose Gesträuch.

Nicht einmal das, nichts, niemand befreite ihn. Das Pflaster war einfach da, Steine, Linien und sonst nichts.

»Wie oft?«

»Was, wie oft?«

»Habt ihr euch gesehen, habt ihr euch heimlich getroffen, habt ihr euch hinter meinem Rücken verabredet, habt ihr zusammen geschlafen, euch eurer Liebe versichert? Wie oft…« Die Fragen waren lächerlich. Er wollte keine Antwort.

Schweigen.

»Wenn du ehrlich bist, hast du es doch im Grunde selbst… Ich meine, du hättest doch merken müssen, dass…«

»Das solltest du nicht denken«, murmelte Georg farblos.

»Ich denke, wonach mir ist«, sagte Rosalie.

Sie war jetzt sehr überzeugend, und er sah davon ab, anderer Auffassung zu sein.

Vielleicht hätte man Hinkekästchen darauf spielen sollen. Samstagnachmittage sind Hinkekästchennachmittage. Der Hof ist leer, Zeigefinger und Stimmen bleiben hinter den Fenstern.

»Du solltest nicht denken, dass so etwas einfach so passiert. Das passiert nicht einfach so. Einfach so schon mal gar nicht.«

Rosalie blickte ihn wortlos an. Er widersprach, wehrte sich jetzt also doch. Sie war vorbereitet. »Du bist selber schuld, weißt du das eigentlich? Weißt du eigentlich, wie viel selber schuld du bist? Wenn du wenigstens einmal etwas Überraschendes getan hättest, selbst wenn du dich vielleicht nur aus einer Laune heraus in eine andere Frau verliebt oder mich aus Übermut betrogen hättest, oder du hättest Drogen genommen oder wärst Weinhändler geworden. Aber dieser blöde Zoo...«

Der blöde Zoo. Das war es also. War es noch immer.

Er fühlte sich wie ein rostender Zug auf einem verlotterten Bahngleis. Er welkte, und um ihn herum sprossen Wiesenkräuter hervor, das ganze weiterwachsende Leben friedete ihn ein.

Der Tag war mit einem Mal sehr alt. Zwei Milliarden Jahre Leben. Seine Hände lagen ganz ruhig auf der Fensterbank.

Sie war nicht nur klug und im Recht wie selten zuvor, sie war auch sehr gut angezogen, fertig geschminkt; auf jeden Fall elegant und sehr reinlich, und sie wusste, was sie sagte, als sie sagte:

»Es ist besser, wenn wir uns eine Weile nicht sehen.«

Vom Licht gesänftigt sah sie sehr schön aus.

»Wie man so sagt«, sagte Georg.

»Und wenn schon ›wie man so sagt‹«, sagte Rosalie.

Mehr Wahrheit war selten.

Sie hielt sich zurück, und er beugte sich nach vorn: Knöterich, Löwenzahn, Brechwurz.

Sie konnte ihm nichts mehr tun. Eine Zeit lang noch standen sie beide im Badezimmer und hassten sich.

Sie ihn und er sich selbst.

3

Georg wusste, dass er das einzig Richtige tat, als er aus ihrer gemeinsamen Wohnung auszog. Ungern natürlich und traurig sowieso, aber eben im Bewusstsein, das einzig Richtige zu tun, was nicht wenig ist, immerhin genug, um es tatsächlich zu tun.

Seine neue Wohnung war ein Glücksfall; jedenfalls von einem gewissen Standpunkt aus betrachtet, der im Tierpark war, an der Südseite nahe der Zoomauer. Die Straße hieß tatsächlich *Am Tierpark,* mehr Name war nicht, Bäume waren auch nicht, außer denjenigen hinter der Zoomauer, dazu die dicht befahrene zu breite Straße, die, einen langen Blick weiter, am Bärenschaufenster und am Eingang des Tierparks verschwand.

Das Haus war ein graues Mietshaus, das dunkle Kacheldekor am Hauseingang machte es nicht schöner und auch nicht der grobporige unterhemdsärmelige Nachbar, der in demselben Stockwerk ihm gegenüber hinter der braunen Sperrholztür verschwand.

Er hatte beschlossen, dass er die Wohnung lieben würde. Trotzdem und bedingungslos. Er würde sie nicht ändern wollen, wie eine Frau, in die man sich verliebt, weil sie genauso ist, wie sie ist, bevor man sie zu dem macht, was man zu lieben glaubt, dem Anfang allen Endes. Es besteht überhaupt kein Grund, graue Tapeten mit blassgesprenkelten Schilfteichen nicht zu mögen. Es gibt ohnehin wenig Gründe, die dafür sprechen, gestaltend in eine so unübersichtliche Sache einzugreifen wie eine Frau oder eine Wohnung.

Die Tapete war also geblieben, ebenso der braune, unregelmäßig verlegte Teppich, der sich an den Wänden krempte, die Fußleisten waren den Vormietern offensichtlich teuer gewesen, sie fehlten. An der schönsten Stelle der Wohnung, zur Straße hin, wellte sich der Teppich in einen Erker.

Von Villarriba nach Villabajo hatte der Tierparkdirektor gesagt.

Der Fernseher war in der Wohnung geblieben, er gehörte dazu und bewahrte den geistigen Zustand der Zimmer für den Nachmieter, ein ausgeträumter brauner Nussbaumfurniertraum, gewaltig, ein großer Kasten vor dem Fenster, der die Aussicht auf die Straße versperrte.

Es gab so viele schöne Worte dafür, aber würde es sich mit alledem leben lassen?

Von Villarriba nach Villabajo.

Die rotschreiende Lacktapete im Schlafzimmer war aufdringliches Geschenkpapier, sozialistische Amtsstube oder französisches Hotelzimmer.

Russenbarock.

Einmal im Raum, hatte er sich aufs Bett gesetzt; den nachtblauen Schlafanzug angezogen, begutachtete er sich in dem angelehnten ovalen Wandspiegel, langsam und vollständig, versuchte, alles wegzulassen, was anatomischer und klinischer Bestandteil an ihm war, aber der Spiegel war kaum eine Hilfe. Die Signatur eines Bildes hatte er sich gewünscht, das Rosalie einmal so geliebt hatte und jetzt nicht mehr so liebte, aber das einzige, was jeder Prüfung standhielt, war der Schlafanzug.

Der nachtblaue Schlafanzug und Rosalie; sie hatten sich immer gut verstanden.

Er hätte ihn anziehen sollen an dem Tag, als er gegangen war. Er versuchte, sich ein Gesicht des Hausmeisters vorzustellen, das dazu passte. Immerhin, Korkow hatte sein Gesicht auch so verzogen. Es war dabei überraschend länglich geworden, so dass Georg es beinahe interessant gefunden hatte. Korkow hatte sein Ziel erreicht, Georg aus dem Haus zu haben, und dann hatte er dagestanden, im Jogginganzug unter dem Regenschirm, fast bestürzt. Vielleicht hatte er niemals ernsthaft über den Sinn seines Ziels nachgedacht oder befürchtet, dass es jetzt möglicherweise noch schlimmer kommen konnte. Georg hatte ihm mit dem einzigen Stuhl ein wenig nachgewunken. Der Hausmeister hatte nicht reagiert. Georg sah ihn noch auf dem Treppenabsatz stehen, mit offenem Mund und diesem länglichen Gesicht. Korkow lag jetzt schon seit Stunden hinter den abstoßenden Gardinen neben seiner geblümten Frau und war bei seinem Auto. Georg war weg, er durfte ihn vergessen, das Auto stand passgerecht in der Mitte vor dem Haus. Genau in der Mitte, in der Mitte der Mitte.

Georgs Bett hatte keine Mitte. Die weiße Fläche unter dem Deckbett breitete sich entschieden mittelos aus. Eine Zeit lang wälzte er sich hin und her, sorgsam darauf bedacht, dass er die Fläche auf der anderen Seite des Bettes groß genug hielt, um ihr den Platz nicht zu nehmen, Rosalies Platz. Wenn er auf der rechten Seite lag, die Faust unter dem Kopfkissen, die Beine angehockt, versuchte er, die Bestandteile seines Lebens so zusammenzurechnen, dass sie ein Ganzes ergaben, ein Ganzes auch ohne Rosalie. Er setzte seine Arbeit als Grundstock, die Freundschaft mit dem Tierparkdirektor, danach Leonhard, dann ungezählte noch nicht ausgemalte schöne Frauen seines zukünftigen Glücks. Doch schon nach kurzer Zeit warf er sich auf die linke Seite und in die Waagschale, dass keine Frau der Welt mit Rosalie vergleichbar war, weil sie nicht wie sie war, nicht wie sie sein konnte und es auch niemals sein würde. Vielleicht konnte es ja auch sein, dass sie sich wieder trafen, dass sie sich erneut umschlangen, er roch ihren Duft, spürte den sanften Frieden ihrer Arme, erst schwach, kaum wirklich und schon eine Täuschung, bis er sich wieder herumwarf, die Arbeit im Tierpark an ihm vorbeizog, der Tierparkdirektor, Leonhard und die unbekannten Frauen, von arithmetischer Akrobatik hin und her geräumt.

Wenn man einmal aufgestanden ist, weil man nicht einschlafen kann, kann man sehr lange Fernsehen gucken, man läuft nur wenig Gefahr zu ermüden. Im Fernseher starben ein paar unmotivierte Schauspieler, erst zappelten ein paar Mädchen, dann Sterne. Ein russischer Sender verlas dazu Nachrichten, man hatte den Kontakt zur Raumstation verloren, irgendein Problem mit der Mir; man sah die Station entkoppelt im Kosmos kreiseln, ein kleines Grau in riesigem Schwarz.

Dreihundertfünfzig Kilometer tiefer saß Georg im Schlafanzug auf dem Erdboden und versuchte, sich sein künftiges Leben vorzustellen. Seine Augen wanderten in die Unendlichkeit, der Bildschirm verschwamm, die Mir trudelte gedankenlos ins Nichts, an den Wänden zerflossen die Schilfteiche. Es gab niemanden, der ihn kannte und wusste, dass Georg hier wohnte, außer Leonhard. Diejenigen, die wussten, dass er hier wohnte, kannten ihn nicht. Die Haustürschelle meinte nicht ihn, wenn sie rief, der Briefträger brachte Rechnungen, die Georg nicht brauchten, die Werbeblätter des Supermarktes von gegenüber verstopften seinen Briefkasten mit Gleichgültigkeit.

Es war irgendeine Nacht in irgendeiner Stadt, in der

Georg in irgendeiner Wohnung auf irgendeinem Teppich zwischen Schilfteichen saß; ein neunundzwanzig Jahre alter Mann im Schlafanzug, der nicht schlafen konnte, in dem merkwürdigen Gefühl befangen, die eigenen Gefühle unbeendet zu lassen, keine Ziele mehr zu haben, nicht einmal mehr das Ziel, auf alle Ziele dieser Welt zu verzichten, Rosalie zu lieben. Würde er sie wiederfinden, stand sie noch immer jenseits des Graus, in ihrem hellen Sommerkleid, von Mücken umtanzt, und wartete auf ihn?

In der Küche, auf seinen nackten Füßen, hätte er sich fast verletzt. Das Flurlicht beleuchtete nur schwach die hartkantige Landkarte auf dem zermaserten Holzboden, Inseln aus Placken und Kleister, Reste des notdürftig herausgerissenen Linoleums, kaum zu entfernen und ebenso wenig überklebbar ohne Wellen und Beulen. Der Herd schimmerte traurig im Zwielicht des Flurs und der Tierparklaterne vor dem Fenster, von den Vorhängen war nur die Gardinenstange geblieben. Unausgepackte Kartons belagerten die Wand, die wenigen ausgepackten Dosen auf dem Regal drängten sich zusammen wie Schiffbrüchige auf einem Floß.

Willkommen in Villabajo.

Spatzengeschilpe, Herbstwind, Schreie aus dem Nachbarhaus, blau zuckendes Fernsehlicht an der Tierparkmauer. Georgs neuer Platz in der Welt: die erdabgewandte Seite des Mondes.

Nachtschatten. Kein Wind.

Georg öffnete die Fruchtsafttüte, der Saft war warm. Er würde ihm helfen, das alles hier zu verstehen, er würde ihm helfen, zu verstehen: das Haus ohne alles, den gekrempten Teppich, den Fernseher, der die Freiheit verdeckte, die Stimmen der Nachbarn, ihre Fernsehschemen auf der Tierparkmauer:

Das Dämmern der blauen Städte.

4

Die Schreie der Pfauen am Morgen waren schön. Wer wird schon von Pfauen geweckt?

Nur ein Sultan.

Vom Küchenfenster aus sah man die Schlehenbüsche über die Tierparkmauer wachsen, bei Ostwind roch man das Heu aus dem Futterlager, und Georg gewöhnte sich von Tag zu Tag daran, nicht mehr zwei Teller und Tassen für das Frühstück zu decken.

Die Aufregung im Tierpark hatte sich gelegt. Das Leben ging weiter und beruhigte sich. Auch der Tierparkdirektor schien sich gefasst zu haben. Er weigerte sich, das Schlimmste zu glauben, das Zweitschlimmste war mit dem Abriss der Schlangenfarm bereits überstanden. Seit Tagen hatte er es vermieden, den Platz hinter dem Schloss zu betreten. Einige Männer suchten ihn bald darauf auf, und es gab heftige Gespräche. Der Tierparkdirektor blieb unbeeindruckt. Er wollte nicht weiter mit ihnen reden, und er wollte keine Zugeständnisse machen, und nach einer Weile schien alles zu verwehen, wie der schlechte Wind von der Kippe am Trümmerberg.

Georgs Leben war sehr ordentlich. Die Arbeit im Tierpark befriedigte ihn. Er freute sich, wenn die Nachbarin in ihrem hübschen rosafarbenen Kleid ihn grüßte. Anscheinend tat sie es gerne, denn sie tat es immer. Der hemdsärmelige Kollege im selben Stock hingegen hielt sich verborgen, wofür Georg ebenso dankbar war wie für die zärtlichen Grüße der Nachbarin. Man konnte nicht wesentlich mehr wollen, nicht einmal sagen, dass Georg sich allzu sehr aus dem Leben zurückzog. Was war schon das Leben? Das Treiben in Mitte sollte er kaum vermissen, und Freunde, von denen er sich hätte verabschieden können, hatte er nicht.

Außer Leonhard. Und Leonhard kam zurück. Er hatte alle Formalitäten erledigt, jedenfalls die, die er hatte erledigen können. Jetzt wartete ein langer Winter auf das Forsthaus, und die Vorstellung, weiter auf der Insel zu bleiben, deprimierte ihn. Ende Oktober hatte er schließlich seine Sachen gepackt und war wieder in die Stadt gezogen, zehn Tage nach Georgs Auszug. Ihr Wiedersehen war ein Fest gewesen; ein eher trauriges Fest. Beide hatten sie wenig Grund zu ausgelassenen Gefühlen, Georg wegen Rosalie, und Leonhard hatte sich von der feurigen Irene getrennt. Viel zu lange hatte er sich außerstande gefühlt, ihr gegenüber aufrichtig zu sein, aufrichtig gegenüber einem Menschen, der sich selbst gegenüber unaufrichtig war. Er hätte sich der feurigen Irene entgegensetzen müssen, eine fürchterliche Vorstellung. Das Ende vor einigen Wochen war blutig gewesen, unangenehm, nichts, worüber er gern sprach.

Leonhard war der einzige Besucher, der Georgs Abgeschiedenheit bereicherte, der einzige, dem blass gesprenkelte Schilfteiche keine Erklärungen schuldeten. Er kam an den Wochenenden, Georg musste in der Woche arbeiten und wusste nie, wann im Tierpark Schluss war; zuweilen wurde es Nacht. Leonhard mochte die Regelmäßigkeit ihrer Wochenendtreffen, sein Leben kannte noch immer keine Wochen, die Illusion, gleichwohl an ihre Ordnung gebunden zu sein, befriedigte ihn.

Georgs Leben hatte ein wenig mehr Ernst. In der Küche tickte die Wanduhr, ihre Zeiger gaben der Welt ihre Ordnung vor. Das Badezimmer beteiligte sich durch zwei Haufen Wäsche; schmutzige Wäsche, die gewaschen werden musste, und schmutzige Wäsche, die man gerade noch anziehen konnte. Allein das Wohnzimmer, das sich beharrlich weigerte, eins zu sein, blieb davon ausgenommen.

Sein Leben war frei, selbstbestimmt und alles in allem gut.

»Und Rosalie?«, fragte Leonhard.

Tja, Rosalie.

»Es ist schon seit längerem besser, wenn wir uns eine Zeit nicht sehen«, sagte Georg.

Leonhard hob seine mokante Augenbraue. Er war ein guter Freund, der nicht weiterfragte, nicht einmal wenn sie im Tortencafé gegenüber dem Tierpark saßen und längere Pausen ihr Reden durchlöcherten. Sie waren gerne hier, mochten das erstaunliche Selbstbewusstsein des Cafés, ihr aufrichtiger Respekt galt der Kuchenkenntnis der dicken Tortenfrau hinter der Glastheke. Die Leute aus den Platten ringsum kamen hierhin. Aus billig verglänzten Tortenregistern erwuchsen Wünsche, Wünsche, die erfüllt wurden, Erfüllungen aus Mokka und Trüffeln. An der Wand über ihrem Tisch hing das übergroße Porträt eines gewaltig dreinblickenden Literaten.

»Ist das Ehrenburg?« hatte Leonhard den Kellner kurz nach ihrem ersten Eintritt gefragt.

»Nein, das ist sein Foto.«

Der Witz kam so geläufig, dass Leonhard sich beruhigt fühlte, nicht der letzte zu sein, den der Spaß des Kellners an seinem eigenen Humor traf.

Das Bild stellte tatsächlich Ilja Ehrenburg dar, wie er in äußerstem Ernst an seiner Pfeife zog. Niemand hatte dies so sublim vermocht wie Ehrenburg; der Knaster der Welt ging darin in Rauch auf. Er hatte große Sätze geschrieben, wie »Einsamkeit ist kein Fluch, wie die Neurastheniker meinen, sie ist Naturverbundenheit« und dafür den Stalinpreis, einen Gehirnschlag und das Café bekommen.

Der Raum wirkte übersichtlich, flüssiges Sonnenlicht darin, man musste unwillkürlich die Augen zusammenziehen. Georg und Leonhard blinzelten sich an. Sie sprachen übers Leben, das Segeln im Allgemeinen und über Ehrenburg; Bü-

cher mit Helden, die sich mit der Pünktlichkeit eines Eisen-
bahnfahrplans verliebten und trennten. Gelegentlich schweifte alles hinaus aus dem Fenster.

Die Eiswaffeln schmeckten kraftlos wie Oblaten.

Georg mochte diese Sonntage, die etwas von dem verrieten, wie andere Leute lebten. Die Sonntage der anderen Leute, schon dieser Satz gefiel ihm. Und natürlich gefiel ihm Leonhards Gesellschaft. Die Wochentage hingegen
waren naturverbundener, es war gut, sich abends in dem
sehr geräumigen neuen Supermarkt eine Dose Suppe, ein
Glas Würstchen und freitags Spritzgebäck zu kaufen, auch
die späten Abende in der Eckkneipe waren gut. Georg setzte sich vor ein einsames Bier und dachte an den Tierpark.
Es war gut, alltags im sanften Licht unter dem Vordach des
Papageienhauses zu stehen, es war gut, das Laub zu fegen,
es war gut, in der Cafeteria zu sitzen und dem Tierparkdirektor zu lauschen. Auch er hatte zur Ordnung zurückgefunden. Aus seinen Worten entstanden wieder neue Mög-
lichkeiten für ihn und sein Werk. Der Tierpark würde eine
GmbH werden, das stand fest; der Tierparkdirektor sah
sich als Aufsichtsrat. Die neuen Begriffe kamen recht unverwandt aus seinem Mund. Ein notdürftig kopierter Jargon,
aber sein Körper verstrahlte Zuversicht.

»Sie kommen überhaupt nicht an mir vorbei«, sagte der
Tierparkdirektor und hob die Kaffeetasse.

Georg hob die seine und dachte an Rosalie. Sie war
noch kein einziges Mal vorbeigekommen. Ob sie noch an
ihn dachte, und wenn ja, wann, wie viel und was? Georg
dachte sehr viel an Rosalie. Er dachte an ihr Lächeln, an
ihre schlanken Füße und daran, ob sie die Wollsocken wohl
schon hervorgekramt hatte. Es wurde Zeit für den Kachelofen. Er könnte sie fragen, ob er ihr die Kohlen hochholen
sollte, einfach so, ohne jeden weiteren Grund. Nur wegen

der Kohlen. Oder vielleicht doch nicht nur wegen der Kohlen, einen Kaffee konnten sie schon zusammen trinken, oder nicht, ein Kaffee war unschuldig, solange es bei einem blieb um die richtige Uhrzeit, zum Beispiel nachmittags auf einen Sprung, dann war auch im Keller noch Licht, man konnte die Kohlen noch sehen, ohne Taschenlampe, und Georg würde die Kohlen hochholen, gleich für mehrere Wochen, das war doch besser, was oben war, war schon mal oben, Rosalie würde ihm durchs Haar streichen. Und eines Tages würde sie bestimmt bei ihm vorbeikommen, und Georg würde sich sehr freuen.

Bis dahin war Zeit.

Viel Zeit.

Gedanken erfüllten sie und Wünsche. Nachts war die Sehnsucht ein Kopfkissen, das sich nicht schmiegte, ein Knarzen der Bettfedern, das laut war, ohne Grund. Tagsüber war sie der falsche Wind und eine fehlende Antwort auf eine Frage. Georg durchmaß sie durch Arbeit. Die Zeit im Tierpark wurde zu kauernder, blökender, scharrender, tapsender, knochenmalmender Wiederkehr.

So lebte er in dieser Zeit.

5

Auch Rosalie lebte in dieser Zeit. In einer anderen Welt.

Der Winter war auf einmal wieder sehr weit weg, und sie genoss es, in ihrem Mantel zu fliegen, wenn sie den Wind einfing und der Wind sie. Man musste die Arme mitsamt dem Stoff spannen, wie sie es als Kind so oft getan hatte und jetzt wieder tat. Man musste die Elemente wieder spüren in Parks voller Licht, Abfall und Jogginganzügen und sich mit dem Laub verbünden, das sich trotzig in den Bäumen hielt. Es war wie nach einem großen Gewitter, sie hatte viel zu lange geschlafen, die Stadt war aufregend, es gab so vieles zu tun.

Warschau ist näher als Paris oder Rom, aber Rosalie ging in die Museen des Westens, trank Cappuccino, und des Nachts fuhren sie in Jazzbars, die Rainer kannte, und dann meldete Rosalie sie beide in einem Tangoclub an. Sie wussten nicht, ob sie den Kurs beenden würden, wegen Sacramento, aber sie gingen trotzdem, und Rosalie lächelte, Rainer war ein sehr guter Tänzer. Sie dachte darüber nach, dass sie vielleicht von Amerika aus promovieren könnte, das sollte möglich sein. »Frau Doktor«, alberte Rainer, aber es lag viel Stolz und Anerkennung darin, er fand die Idee klasse. Schon wenige Tage später stellte er Rosalie einem bekannten Kunsthistoriker vor, einem untersetzten Professor von der Humboldt-Uni. Sie unterhielten sich auf einem Architektenempfang, das Haus, eine Villa aus Glas, versammelte einige hundert Menschen. Der Professor und Rosalie standen irgendwo in der Menge, Sektgläser mit Orangensaft in der Hand, und taten, als schauten sie sich die vielen schneeweißen Häusermodelle an; die Leuchtstrahler an der Decke schirmten die Welt nach draußen ab; im Garten wehte der Herbst.

»Weißt du, wie beeindruckt Professor Brandauer von dir war?«

Rosalie erinnerte sich an Brandauers süddeutschen Akzent, sein Skilehrerlächeln. Sie hatte kaum den Eindruck, sich über Wesentliches unterhalten zu haben.

»Du hast nicht einmal viel sagen müssen. Und trotzdem hat es genügt, ihn zu beeindrucken. Weißt du, im Grunde ist das noch viel mehr. Vielleicht musst du einfach lernen, ein Kompliment auch anzunehmen, das man dir macht. Vielleicht solltest du lernen, dich nicht so kritisch zu sehen.«

Sie saßen auf dem Bett in Rainers Wilmersdorfer Apartment, ein Firmenapartment, wie Konzerne es für ihre verdienten Mitarbeiter aussuchen: alles sauber, alles weiß, sogar die Bettwäsche, sogar Rosalies feingeripptes Unterhemd, auf das Rainer so stand: Sex ohne Maskerade (er musste viele Frauen mit Maskerade kennen), sehr süß. Sie rauchten Zigaretten. Asche auf dem Bettlaken, Asche, die dicht neben ihren Schamhaaren auf ein Kissen fiel.

»So kritisch, wie du meinst, sehe ich mich gar nicht.« Aber natürlich war sie ein klein bisschen stolz auf den Eindruck, den sie auf Brandauer gemacht hatte. Eine schöne Frau war sie, eine kluge Frau, eine hungrige Frau.

Sie stand auf und ging in die Küche, die Fußbodenfliesen waren warm. Alles war perfekt, die Küche blank geputzt, wie niemals benutzt, die perfekten Maschinen darin, automatische Zeitmesser, eine Espressomaschine sehr blinkend, ohne eine Spur von Krümeln. Sie selbst fühlte sich perfekt, ein Werbespot für Margarine, das Unterhemd reichte nur halb über ihre Scham. Sie sah sich überhaupt nicht kritisch; ihr Leben war so frei wie natürlich, ganz selbstverständlich. Sie fand Orangensaft zum Frühstück, Frühlingsquark, Lachs, Auftaubaguettes.

Sie frühstückten im Bett, und nach und nach verstreuten sich immer mehr Krümel auf den Laken, das Firmenapartment bekam langsam eine Biografie. Wenn sie nicht aufpasste, krümelte sie auf Rainers nackte Brust, die Restbarbadosbräune vom letzten Urlaub; sie tupfte die Krümel mit den Fingerkuppen von seiner Haut. Eigentlich musste sie jetzt in der Agentur sein, eigentlich schon seit zwei Stunden.

Eigentlich.

»Weißt du, dass ich schon seit zwei Stunden arbeiten müsste?« Ein neues »Weißt du…?«-Spiel.

»Du musst nur, was du willst.«

»Arbeiten?«

»Natürlich, arbeiten. Ich würde nie arbeiten, wenn ich es nicht mögen würde.«

»Du magst, was du tust? Häuser bauen?«

»Total.«

»Ich mag nicht, was ich tue.«

»Dann hör damit auf.«

»Einfach so?«

»Na klar, einfach so. Wenn du es nicht magst, hörst du einfach auf. Basta.«

»Dann hätte ich wieder mehr Zeit für mich.«

»Was toll wäre. Du könntest promovieren, bei Brandauer, du könntest mit nach Sacramento kommen. Du könntest meine Frau werden, die Mutter meiner Kinder.« Er fasste sie, drückte sie an sich und rollte mit ihr auf die andere Seite. »Aber nur, wenn du mitkommst.«

Rosalie befreite sich, legte den Kopf leicht schräg. Sie sah toll aus, im Schneidersitz auf dem Bett, sie musste mehr an sich denken, auf ihre eigene Stimme hören, die sagte, dass etwas Großes sie erwartete, eine wirkliche Liebesgeschichte, nicht *Boy meets Girl* oder so, richtiges Lieben. Dieselbe Stimme sagte: »Und jetzt fängt alles von vorn an.«

»Was fängt von vorn an?«

»Die Liebe. Das Leben. Das Bangen.«

»Das Bangen? Du brauchst nur mitzukommen.«

Rosalie kaute auf dem Eierlöffel. »Ich kann doch nicht einfach da weitermachen, wo ich aufgehört habe. Immer wenn ich glaube, dass ich weiß, wie alles geht, passiert etwas anderes. Und so werde ich nie damit fertig.«

Minuten später fiel ihr ein Satz ein: dass man über das Leben urteilen sollte, als ob man selbst gar nicht dazugehörte. Das war leichter gesagt als getan.

Sie stand nackt im Badezimmer in Rainers Apartment, und es kam ihr so widerspruchslos, so normal vor, die weißen Fliesen, die riesigen weißen Badetücher, die Fußbodenheizung, dass sie fast darüber erschrak. Ihr Leben war wirklich anders geworden in den letzten Wochen: in das Apartment gehen, mit Rainer schlafen, ein neues Rasierwasser, Frühstück im Bett, die Witze am Vormittag. Sie fühlte sich ziemlich gut und nur ein bisschen schlecht dabei, weil das Wetter auf ihrer Seite war, weil alles zu passen schien, weil Sex mit Rainer schön war und weil alles das vielleicht gar nicht hätte sein dürfen, jedenfalls noch vor Wochen nicht. Irgendetwas, dachte Rosalie, blieb wohl verboten daran, mindestens so lange, bis Rainer ihr wieder und wieder sagte, dass sie mehr an sich denken sollte und das Glück auch annehmen, das ihr widerfuhr.

Der Spiegel jedenfalls zeigte eine glückliche Rosalie; mittelgroß gewachsen, die sehr schrägen Pofalten von hinten, der zarte schmale Flaum auf dem Rückgrat, der ionische Hals – jetzt musste sie fast unmerklich schmunzeln –, kastanienfarbener waren Haare nie: die Freundin des Architekten.

Sie duschte, trocknete sich ab, zog sich an und schminkte sich. Die Freundin des Architekten drückte die Badezimmertür zu und kramte ihre Sonnenbrille aus der Handtasche.

Rainer war aufgestanden: »Du siehst toll aus.«

Umarmen. Küssen.

Sie wartete sein Lächeln ab. Dann zog sie die Tür zu. Sie würde eine neue Hoffnung mit sich tragen. Eine noch unbestimmte Hoffnung.

Am selben Tag, an dem Rosalie ihren Dienst quittierte, stand der blaue Lieferwagen genau vor der Haustür. Der Gehsteig war aufgerissen, und in der Erde lagen graue Leitungen; zwei blaue Techniker werkelten im Treppenhaus:

Blaugraublau. Von diesem Tag an würde eine neue Zeitrechnung beginnen: Sie hatte einen Telefonanschluss.

Ausgerechnet heute. Kein Chef brauchte sie mehr zu erreichen.

Auch darüber hatte sie sich mit Georg gestritten.

Vollkommen umsonst.

Der Abschied von der Agentur war ein Streit, der sich lohnte. Der Agenturchef zeigte sich von seiner schlechtesten Seite, er trennte sich ungern von ihr, es war der falsche Zeitpunkt. Wenn der Zeitpunkt richtig gewesen wäre, hätte sich der Agenturchef von ihr getrennt, dachte Rosalie. Sie hatte sich vorgenommen, sich nicht beeindrucken zu lassen; hatte sie vor Monaten einfach so in der Agentur angefangen, konnte sie jetzt auch einfach so damit aufhören. Trotzdem war sie froh, dass es vorbei war, als sie die Etage verlassen hatte und im Fahrstuhl stand, der einmal ihr täglicher Ernst gewesen war. Sie dachte, wie einfach das ging, sie dachte, dass sie gar nichts verloren hatte in diesen Räumen als ihre Zeit, sie dachte, dass sie sie jetzt wiedergefunden hatte, sie dachte, dass sie etwas anfangen würde damit.

Sie fing an, ihre Haare neu zu frisieren. Sie trug einen Pagenkopf und rauchte regelmäßiger, nicht nur im Bett. Sie sah kess aus, aber etwas Damenhaftes hatte sich in ihr Gesicht, ihre Haltung geschlichen, etwas, das mit Rainer zu tun hatte, mit den Bars, in denen sie sich trafen, vielleicht auch mit den Frauen und Freundinnen von Rainers Kollegen, denen er sie so gerne vorstellte, er war sehr stolz auf sie. Sie fühlte sich auf eine ungewohnte Weise erwachsen, und oft fühlte sie sich wohl dabei. Gleichwohl kam es vor, dass sie mitunter noch immer daran zweifelte, ob ihre Entscheidung richtig und nicht alles ein wenig zu schnell gegangen war: die Trennung von Georg, die so endgültig wurde, die neuen Träume mit Rainer.

Rainer hatte viel Verständnis dafür und lächelte, wie nur Rainer lächelte: »Lass dir Zeit«, sagte er klug und ruhig. Er war sich ihrer gemeinsamen Sache sehr sicher. Es beruhigte sie.

Manchmal auch nicht.

Einige Tage später schlenderte Rosalie durch die Linienstraße und sah sich alles genau an, alles das, was bald vielleicht nicht mehr zu ihrem Leben gehören würde und dennoch weiterwuchs. Die ersten beiden Häuser waren schon fertig saniert, ockerbraun in einem Zementgemisch; auf dem Sportplatz lärmten Kinderstimmen.

Edgar schaute aus dem Fenster, nur sein verschlafener Kopf. Er bewohnte die vorderen Räume, früher hatte er nicht hier gewohnt, nur gearbeitet; jetzt ragte er mit dem Kopf auf die Straße.

»Hallo, Rosa.«

Sie begrüßten sich freudig, wie alte Freunde, die sie ja vielleicht auch waren. Ein paar Sätze flogen zwischen Straße und Fenster hin und her; Edgar bat sie herein. Das schönschnörkelige Holztreppenhaus im Vorderhaus roch noch immer nach Sägemehl, wie all die anderen Häuser, nichts, das sich verändert hatte. Es war ein merkwürdiges Gefühl, in Edgars Wohnung zu gehen; einerseits war alles heimisch. Edgar gehörte zum Viertel, Rosalie gehörte zum Viertel, und irgendwie gehörten sie dadurch auch zusammen. Andererseits: Georg war weggegangen, Edgar hingegen war immer noch in ihrem Leben, das war schon merkwürdig; eine schwarze Katze, die ihr fast immer über den Weg lief, wenn etwas geschah, etwas mit ihr.

Sie umarmten sich in der Tür. Aus der Nähe betrachtet wirkte Edgar verändert seit ihrem letzten Zusammentreffen. Er roch besser, nicht das leichte Gemüffel, das ihn ansonsten umgeben hatte, aber das war es nicht. Die schwarze Katze hatte weiße Zähne, blendend weiße Zähne. Er hatte etwas Beiläufiges wie immer, den beigen Pullover unordentlich über der grauen Flanellhose, ein schwarzes T-Shirt lugte darunter hervor; gleichwohl spürte sie seine Wärme, die sie schon immer gespürt hatte, seit ihrem ersten Gespräch.

Edgars Wohnung waren drei prachtvolle leere Zimmer, eines davon schien nahezu fertig zu sein; die Wände rot, mit einer ölhaltigen Farbe gestrichen, eine Art Hausbar krümmte sich darin. Die runden Stühle erinnerten an Rosalies Sessel, wahrscheinlich stammten sie aus derselben Quelle; aber irgendwie erschien ihre eigene Wohnung ihr ziemlich verstaubt und einfallslos, seit sie Edgars betreten hatte. In den Stühlen, umgeben von Sägemehlsäcken, Lappen, Kisten und Farbeimern, entspann sich ein gutes Gespräch. Edgar zeigte sich wirklich wie ein Freund, stellte vorsichtige Fragen und erinnerte nahezu alles, was sie in früheren Tagen gesprochen hatten. Hier, inmitten dieser neu entstehenden faszinierenden Welt, war sie stolz darauf, dass Edgar sich so viele Gedanken über ihr Leben machte.

Zunächst hatte sie sich noch bedeckt gehalten, aber es war unmöglich, Edgar etwas vorzumachen. Sie sahen sich so selten, aber er witterte sofort jede ihrer Veränderungen, ihre minimal verfärbten Gesten, die er so unmerklich sah, einfach bemerkte und irgendwann als kleine Fragen ins Gespräch einstreute, immer nur ein einziges winziges Detail, wie ein Magier, der sich nie ganz in die Karten schauen lässt, wahrscheinlich hatte er längst *alles* gesehen. Jedenfalls war er von nichts überrascht, was sie erzählte.

Rosalie redete über die Agentur, dass sie jetzt alles geschmissen hatte, vom Hausverkauf und schließlich von Georg und dass er ausgezogen war und von Rainer und Sacramento und dass sie nicht wusste, wie es jetzt weiterging.

Edgar hörte ihr zu, in seiner üblichen zurückgelehnten Haltung, die Beine übereinandergeschlagen. Er zeigte eine auffällige Anteilnahme in Dingen von flüchtigem Interesse, und dann war es wieder, als ob er sich die großen Dinge schon selbst hatte denken können. Je beiläufiger sie von etwas erzählte, umso gespannter erschien seine Aufmerksamkeit.

»Sacramento«, sagte Edgar, »das liegt nicht am Meer.«

»Aber in der Nähe.«

»Nicht in der nahen Nähe.«

»Aber es ist besser, als hier zu bleiben.«

»Wegen Georg?«

»Wegen Georg und wegen überhaupt«, sagte Rosalie fest.

»Es ist also wirklich vorbei?«

»Ich denke schon.«

Edgar nickte, Rosalie schien ihn zu bestätigen, etwas, das er schon lange zuvor gedacht hatte. Der tiefere Grund für ihre Spannungen, meinte Edgar, habe wohl darin gelegen, dass sie alle beide nicht wüssten, wohin sie in ihrem Leben wollten, und dass sie sich seinem Ernst bislang nie richtig gestellt hatten. Immer hatten sie über andere Menschen geredet, wenn Edgar dabei war, aber nie übereinander. Vor allem Georg hatte den Eindruck gemacht, als ob er für alles andere begabter war als für sich selbst.

Rosalie lächelte blass. Es mochte wohl sein. Wieder wunderte sie sich, wie genau er Georg und sie beobachtet zu haben schien. Sie dachte daran, wie wenig Georg Edgar hatte leiden können und wie schlecht Franziska über Edgar geredet hatte, und es gab noch einige andere Leute, die ihn nicht mochten, Leute, die flüchtige Bemerkungen eingestreut hatten, in der Linienstraße und anderswo. Es war sicher nicht alles richtig, was man sich über ihn erzählte.

Etwas später, beim Abschied an der Tür, war ihr fast unheimlich zumute, dass sie ihm all das erzählt hatte, so viele persönliche Gefühle. Sie merkte, wie unfertig sie mit alledem war und wie nahe ihren Erinnerungen an *einen* Steg und *ein* Meer, in dem sie gelegen hatten, Georg und sie. Wie seltsam eigentlich, dass eine so große Sache einfach hatte wegschwimmen können und dass nur die kleine schwarze Katze am Kai es war, die wirklich ausdauerte, dass ausgerechnet Edgar in ihrem Leben geblieben war.

6

Ein paar Tage darauf – war es schon eine Woche? – erfuhr Rosalie von Edgars Erfolg. Die Zeitung berichtete ausführlich darüber, man hatte ihn in die Jury der Biennale in Venedig gewählt, und ein besonderer Posten für zeitgenössische Kunst am Museum of Modern Art in New York wartete auf den neuen Star aus Germany, dass er dort einen Raum mit jungen deutschen Künstlern gestaltete. Nichts davon hatte Edgar in ihrem Gespräch erwähnt, sie hatte ihm ihre ganze Lebensgeschichte erzählt, ihre Ängste und ihre Sorgen, jede Schublade hatte sie aufgezogen, und er hatte einfach nichts erzählt, kein Wort über seinen Erfolg, nichts preisgegeben, außer dem, was man hatte sehen können. Noch am Abend ihres Zusammentreffens hatte eine Party stattgefunden, viele wichtige Leute waren da gewesen, Amerikaner, Franzosen, Russen, ein weltberühmter Künstler aus L.A.… Edgar aber hatte kein Wort davon erwähnt, keine Silbe, er hatte sie warm und einnehmend gefragt, zwei Stunden mit ihr verbracht wie ein guter Freund und sie einfach nicht eingeladen. Sie kam sich reichlich bescheuert vor.

Dass sie am selben Tag Franziska traf, war ein Zufall, aber es passte. Franziska kam durch die Große Hamburger, klein, zerbrechlich, mit einem kitschigen Regenmantel bekleidet, und sah irgendwie verrutscht aus. Sie hatte einen großen dicken Typ bei sich, der ihr Vater hätte sein können und ihren Einkaufskorb trug, ein Wolf, der sich auf zeitgemäße Weise seines Rotkäppchens bemächtigte.

»Das ist Gerd«, stellte sie ihn vor, ohne ein winziges Zögern. Ihre Selbstsicherheit hätte nicht größer sein können, wenn sie ihr einen umwerfenden Szene-DJ vorgestellt hätte.

Rosalie und Gerd sahen sich an. Sie drückte seine weiche Hand. Dankbar hatte sie erkannt, dass Franziska bei Gerd nicht auf einer Umarmung bestand.

Das war also Gerd.

»Und, was macht das Glück?«

»Alles klar«, sagte Franziska.

Gerd schnaufte. Offensichtlich hielt er sich selbst dafür. Oder er verabscheute die Frage. Er löste die Unklarheit auf durch Letzteres:

»Ich weiß nicht, ob es um Glück geht«, belehrte sie Gerd. »In dieser Zeit.«

Rosalie hatte Franziska gefragt, jetzt hatte sich Gerd dazwischengewuchtet: eine schlecht sitzende Hose, ein trotziges schlecht rasiertes Kinn, eine philosophische Behauptung.

»Kein Glück mehr in dieser Zeit?« wiederholte Rosalie unschuldig.

Gerd warf Franziska einen Blick zu. Sie blickte unsicher zurück, es war ihr nicht angenehm, so schnell zwischen die Fronten geraten zu sein. Der verschmierte Kajal zitterte um ihre Augen.

Gerd erklärte ungerührt. »In dieser Zeit, in der alte und neue Nazis aus den Löchern kriechen, wo jüdische Friedhöfe geschändet werden, Asylanten zusammengeschlagen. In dieser Zeit, in der aller Wind wieder von rechts weht, wie eigentlich seit eh und je in diesem Land. Diese Zeit meine ich.«

Das mit den Friedhöfen und Asylanten mochte wohl stimmen, Rosalie hatte es in der Zeitung gelesen; dass es stellvertretend für die Zeit stand, in der sie lebte, wusste sie nicht.

»Weißt du, Rosa, Gerd und ich engagieren uns doch zusammen für das Mahnmal, und da ...«

Gerd gab ihr keine Chance. Er hatte den Namen Rosa gehört, sicherlich sah er ihn durch Rosalie missbraucht; sein Blick war finsterer Trotz. Er war noch nicht fertig mit dieser Zeit und erhellte ungebremst dunkle Zusammenhänge.

Rosalie vermied es, ihn anzusehen. Sie blickte Franziska an. Sie hatte Herpes, viele kleine Bläschen am Mund. Ob es davon kam, dass sie mit Gerd schlief? Sie stellte sich vor, wie er sich auf Franziska rollte, mit runzligem kleinem Baumelschwanz, dachte daran, wie gut Stefan ausgesehen hatte und dass es überhaupt keine Ähnlichkeiten mit Gerd gab; wie Franziska wohl darüber wegsehen konnte?

»Härtere Zeiten ... ganz warm anziehen ...«, kam es aus ihrem Rücken.

Wahrscheinlich war es auch Gerd, der den Regenmantel für Franziska ausgesucht hatte. Ob das sein Stil war, dieser Nuttengeschmack? Rosalie ließ Gerd keine Chance und drehte ihm den Rücken zu. Sie sprach von Edgar und erkundigte sich nach Franziskas Sicht der Dinge in der Linienstraße.

Franziska winkte ab. Sie hatte das Handtuch geworfen. Über Edgar war jedes Wort zu viel. Sie sprach ruhig und leichtfertig, aber es war ebenso leicht zu erkennen, wie nahe ihr der Abschied gegangen war. »Alles vorbei«, sagte sie achselzuckend. »Die Luft ist raus.«

Wenn Rosalie richtig gelesen hatte, war noch nie so viel Luft da gewesen wie jetzt, die Bedeutung der Kunst-Räume war in den letzten Monaten weiter gestiegen.

»Alles Geschichte«, sagte Franziska. Sie schwärmte von

Moskau und von St. Petersburg. Das waren Städte, wo man jetzt eigentlich hinmusste.

Eigentlich.

Rosalie konnte sich kaum vorstellen, dass Franziska das tun würde. Nach Moskau ziehen, jetzt, in den langen Winter, ohne ein Wort Russisch zu können.

Es war Gerds Moment, sich aus dem Abseits zu lösen. Er hatte das Interesse daran verloren, Rosalie weiter Zusammenhänge zu erklären, die sie ohnehin nicht verstand, und würdigte sie keines weiteren Blicks. Stattdessen zückte er eine Plastiktüte, er hatte noch Milch zu holen in dem kleinen Supermarkt.

Rosalie warf ihm einen befremdeten Blick nach. Franziska sah sich genötigt, sie aufzuklären. Vieles von dem, was Gerd sagte, war nicht so gemeint, man konnte sich in ihm täuschen. Er war in Wahrheit ein lieber Kerl, ein Idealist sogar, mit einer sehr schwierigen Biografie, eine jüdische Mutter, der Vater im Widerstand. Gerd war Kommunist, was nicht leicht war, und er hatte schon echt viel erlebt. Die genauen Zusammenhänge wurden Rosalie nicht ganz deutlich, vielleicht wollte sie sie auch gar nicht so genau wissen; eigentlich wollte sie jetzt nur gehen, bevor Franziskas dicker Idealist mit Milchtüten vor dem Wanst zurückkam.

Franziska drängte sie zu bleiben. Sie wollte nicht, dass sie beide einen schlechten Eindruck voneinander hatten.

»Ich drück euch die Daumen für das Denkmal«, sagte Rosalie und zog Franziska an sich. Noch einmal winkte sie ihr nach. Wenn Gerd viel erlebt hatte, wie Franziska sagte, so würde er auch dies überleben. Sie dachte, wie gut es ihr ging, auch wenn sie die Welt wohl viel oberflächlicher wahrnahm als Franziska, dass sie Gerd niemals die Spur einer Chance gegeben hätte, weil er alt und hässlich war, dass sie sich weiterhin an Simone de Beauvoir halten würde und dass sie bei alledem sehr froh war, dass sie so war, wie sie war und nicht so wie Franziska.

Sie dachte daran, wie sehr Franziska ihr imponiert hatte, bei ihrer ersten Begegnung und auch danach. Wie wenig davon geblieben war. Sie dachte, wie schrecklich und schade doch alles war; wie schade für Franziska. Sie war ihre einzige Freundin gewesen, und vielleicht hätte Rosalie gesagt, dass sie es noch immer war. Die Wahrheit aber war, dass es nur noch einen einzigen Freund in ihrem Leben gab, der ihr geblieben war: Leonhard.

Sie hatte sich riesig über seine Rückkehr gefreut, und darüber, dass er eines Morgens mit Schrippen und Würfelschnecken vor ihrer Wohnungstür gestanden hatte und alles zwischen ihnen sofort wieder war wie vor Monaten. Er umarmte sie, scherzte und machte ihr Komplimente. Dann entdeckte er Schröder, der ihn freundlich beschnüffelte wie einen vertrauten Artgenossen. Minutenlang tollten sie miteinander rum. Eine halbe Stunde später wich Schröder nicht mehr von Leonhards Seite und ließ sich vom Frühstückstisch mit Wurstscheiben füttern und mit Käse.

Im Park erzählte Rosalie Leonhard ausführlich von der schweren Zeit vor ihrer Trennung, wie unwohl sie sich mit Georg gefühlt hatte und wie wenig Leben von ihm aus noch in die Beziehung gekommen war. Leonhard vermutete, dass Phasen wie diese zu jeder Beziehung dazugehörten und dass sie möglicherweise von allein wieder vergingen, aber Rosalie verteidigte ihren Schritt mit Entschiedenheit und mit Rainer, der wundervoll war, bis er es schließlich aufgab.

Sie hatte sich bei ihm eingehakt, für einen Außenstehenden musste es aussehen, als ob sie ein Paar waren; ein originelles Paar, Rosalie mit Absätzen war größer als Leonhard, aber es passte nicht schlecht; man hätte sie für die schöne Freundin eines verwuschelten Künstlers halten können, der nicht groß, aber selbstbewusst mit ihr durchs Leben schritt. Was man ihr nicht ansehen konnte, war ihre Sorge, Leonhard könnte Rainer als Verrat empfinden, ein Verrat an Georg und an ihnen dreien; es war ihr sehr wichtig. Vielleicht sollte sie ihn mit Rainer zusammenbringen, sie mussten sich unbedingt kennen lernen, sicher würden sie sich mögen.

Leonhard ging nicht darauf ein. Eine Zeit lang schwiegen sie beide, in Gedanken versunken. Er hob ein Stöckchen auf und warf es für Schröder in die Weite, der dankbar losrannte, heilfroh, dass er in ihren Gedanken vorkam.

Rosalie nahm den Faden auf. Sie wiederholte es noch einmal: Leonhard musste unbedingt Rainer kennen lernen. Er aber versicherte ihr, dass das wohl keine wirklich gute Idee sei, keine gute Idee im Hinblick auf Georg.

Georg.

Leonhard wusste, wie es ihm ging. Sie zögerte. Dann fragte sie doch. War er noch traurig?

»Klar«, sagte Leonhard und nahm Schröders Stöckchen auf, »aber er wird sich schon zurechtfinden. Die Umstellung ist natürlich nicht einfach.« Diesmal warf er das Stöckchen sehr weit den Hang hinunter, so dass es aus ihrem Blickfeld verschwand; Schröder wetzte sofort hinterher und verschwand ebenfalls.

Rosalie wechselte das Thema. Sie hatte Telefon jetzt, Leonhard sollte sich die Nummer aufschreiben, aber er ließ sich die Zahl nur einmal sagen und wiederholte sie auswendig.

»Weißt du eigentlich«, sagte Rosalie, »dass du der wichtigste Mensch in meinem Leben bist? Mal abgesehen von Rainer. Wie ein Zwillingsbruder vielleicht, mit dem man sich mit halben Worten versteht.«

Leonhard lächelte. Er erzählte vom Park und davon,

dass hier einst das Monbijouschlösschen gestanden hatte; aber es war nichts zu sehen, nur Leonhards rotblonde Locken im Herbstlicht, sein geschlossener Fischgrätmantel, die Konturen des Bodemuseums zwischen den blanken Ästen. Das Schlösschen erweckte Sehnsüchte, den Traum vom großen Zusammenziehen, von Eltern und Kindern im Kastanienschloss, Klaviermusik aus dem Fenster und Pferde im Hof. Ein Hauch wehmütiges Früher legte sich auf den Tag, dass man ans Fahrrad fahren dachte, oder an etwas anderes. Aus dem grauen Bungalow in der Mitte des Parks, mit dem Schwimmbad dahinter, klangen Kinderstimmen in die Herbstluft. Sie standen noch immer auf dem Hügel, und Rosalie fühlte sich gerechtfertigt, geborgen in ihrem rauen Pullover, verteidigt von vielen Worten, die sie gestärkt hatten. Sie lächelte Leonhard zu, und er lächelte zurück, bevor sie die Köpfe abwendeten und hinunterblickten zu Schröder, der auf der Wiese zum Vorschein kam und noch immer nach dem Stöckchen suchte, als ob es nichts anderes gäbe, nichts in der ganzen großen Welt.

Rosalie wusste, dass sie sich in seiner Situation genau wie Leonhard verhalten hätte; mit wilden Armen winkte sie Schröder zu ihnen hinauf. Sie waren Freunde, so wie früher, aber Leonhard hatte doch sehr bedauert, dass sie nun keine drei mehr waren und dass es jetzt nicht mehr ganz so wie früher war; sie trat näher an ihn heran und umarmte ihn fest.

7

Die Pfauen schrien in jeden neuen Morgen, die Vorräte des Supermarktes an Spritzgebäck waren unerschöpflich, und das Bier blieb einsam.

Rosalie kam nicht. Vielleicht kam sie überhaupt nicht

mehr. Der Alltag im Sultanat wurde alltäglich. Leonhard sagte, dass sie im Moment bestimmt nicht kommen würde, das mindeste, was sie jetzt brauchte, war Zeit für sich selbst. Es war wichtig, dass Georg sein Sultanat ausbaute, so gut es ging. Das einzige, was Georg zum großen Glück fehlte, sei eine morgenländische Prinzessin mit blauschwarzem Haar.

Georg lachte; er dachte, dass Leonhards Idee ein Scherz war; sie war eine Prophezeiung.

Die Tage vergingen, wie Tage manchmal vergehen, bis Georg Elena sah. Elena war neu im Tierpark, kam aus der Ukraine, und ihr Revier waren die beiden großen Tierhäuser. Einige flüchtige Beobachtungen hatten Georg genügt. Elena taugte zu einer Prinzessin; eine Prinzessin mit kleinen Schönheitsfehlern; ihre Beine waren nicht ganz gerade. Ihr graziler und zugleich etwas unsicherer Gang (die Schultern spielten nicht ganz mit), ihr zerbrochenes Deutsch, der etwas zu rosafarbene Lippenstift, zerrissen ihn zwischen Rührung und Gier. Wenige weitere Blicke, und Georg verliebte sich versuchsweise in die schöne Tierpflegerin.

Er studierte ihren Tagesablauf.

Zunächst beschränkte er sich nur auf die sonnigen Tage, um sie auf dem Schotterweg hinter den Mähnenwölfen anlächeln zu können. Er hantierte stets sachgerecht, aber unnötig mit dem Rasensprinkler. Schon beim zweiten Versuch lächelte sie zurück, sein Lächeln war charmant, seine Augen, für Elena noch neu, wunderschön und sein Umgang mit dem Sprinkler männlich.

Georg fühlte sich bestärkt. Schon nach wenigen Tagen verlegte er sich darauf, sie im Dickhäuterhaus in die Enge zu treiben, wenn sie die Seekühe mit Endiviensalat versorgte. Er umzingelte sie mit Gesten und Worten. Die lahmen Seekühe hielten sie gefangen. Elena sah nicht ganz ungern zu Boden und errötete.

»Wie heißt du?«, fragte Georg, der wusste, wie Elena hieß.

»Elena«, sagte Elena erwartungsgemäß. »Und dein Name: Georg.«

Er hatte sie schon oft mit Kolleginnen sprechen gehört, aber noch nie von Nahem.

Ihr Akzent war betörend. Georg nötigte ihr sofort ein paar weitere Sätze ab. Er erfuhr, dass ihr die Arbeit gefiel. Und die Bezahlung war besser als nichts.

Elena seufzte.

»Immer Arbeit. Muss, muss.«

Und Georg?

War ihr natürlich schon aufgefallen, hinter den Mähnenwölfen. »Den Wolfen.«

Und nicht nur dort.

Tags darauf lauerte Georg ihr im Brehm-Haus auf. Elena mit Pferdeschwanz, in Gummistiefeln und mit einem grünen Kittel fegte den Sand in einem großen Glaskasten mit Sukkulenten glatt. Die Kakteen waren in einer schlechten Phase. Sie hatten ganz offensichtlich Hautprobleme. Der Rennkuckuck tippelte unablässig dazwischen umher wie die vereinfachte Idee seiner selbst.

Elena wäre jetzt gerne anders angezogen gewesen. Die grob verputzte Rückwand des Kastens war wenig dekorativ, auch nicht die morsche Tonschale mit dem abgestandenen Wasser für den Kuckuck.

Sie wünschte sich ihr Pailettenkleid herbei, damit Georg sie darin sehen konnte. Ihr blieb nur, ihm davon zu erzählen, und er versicherte ihr, dass er sie sehr gerne einmal darin sehen würde. Er sah sie ja überhaupt gerne an und verstärkte seine Komplimente. Die schönen Worte über Elenas Schönheit wechselten zwischen den Kakteen und dem unablässigen Rennkuckuck hin und her. Nach einer Weile ließ sich der Schaukasten nicht weiter fegen, ohne bleibenden Schaden anzurichten. Elena verschwand auf die Toilette. Als sie wiederkam, war ihr Lippenstift aufgefrischt.

»Es gefällt dir, oder doch nicht?«, fragte sie. Ihre Haare waren jetzt offen.

Georg berührte sacht ihren Arm. Es war ein Ja.

Elena lächelte.

Seine Hand blieb auf ihrem Arm. Sekunden. Sekunden, die sehr lang wurden. Viele lange Sekunden.

Elena lächelte abnehmend, ihr Blick wanderte zu Boden. Sie stand unschlüssig im Gang, dann straffte sie sich. Eine winzige Körperbewegung löste sie von Georgs Arm, sie blickte durchs Glas der Tropenhalle, als erwarte sie von Farnen und Palmen ein Zeichen. Vielleicht dachte sie, dass er ein wenig zu schnell voranging, dass er sie überfallen hatte mit seinem Arm; vielleicht auch nicht.

Georg bemühte sich nicht, ihr nicht in die Augen zu sehen. Er war noch immer sehr nah, aber der freigelegte Arm verschaffte Elena ein wenig Sicherheit. Wenn sie sie ganz gewinnen wollte, musste sie nun etwas tun. Sie musste etwas sagen, etwas, das gegen Georgs Nähe stand, etwas Handfestes gegen diese so schnelle Situation, die ihr nicht wirklich unangenehm war, etwas gegen seine Geläufigkeit.

Sie strich sich durchs Haar, energisch mit ein wenig zu viel Schwung, und ging auf die gläserne Flügeltür zur Tropenhalle zu.

Georg folgte ihr sofort.

Gemeinsam spazierten sie hinein. Das große Gewächshaus stand menschenverlassen da und schwitzte im Morgendunst. Großgefiederte Fächerpalmen atmeten träge heiße Luft, Schlingpflanzen räkelten sich, und Moose dampften. Hunderte exotischer Blüten verschwommen zu einem Meer aus Tupfen, rostige grüne Pfeiler verstrebten sich unter dem gewaltigen Glasdach. Wolken und Sonne waren zu Wasserfarben verflossen, die durch die trüben Scheiben schimmerten. Geschachteltes Grün fächerte das Licht. Das Brehm-Haus irisierte. *Strahlengitter durchleuchteten seine Tiefe.* Das hatte Georg in einem sehr schönen Buch gelesen. Und so war es.

»Es ist heiß hier«, sagte Georg.

»Ach, es geht noch«, sagte Elena leichtfertig, obwohl es wirklich sehr heiß war.

Die Tropenhalle funktionierte nicht richtig, es gab Probleme mit der Temperaturregelung. Die Pflanzen wuchsen trotzdem. Vielleicht waren sie ihren Heimatklimaten schon zu sehr entwöhnt, um sich energischer gegen die falsche Temperatur zu stemmen. Um die Überhitzung zu verhindern, hatte man einen künstlichen Regen installiert. Die meisten Gewächse standen auf diese Weise unter Dauerberieselung. Sie teilten dieses Schicksal mit den Heizungsrohren, die ganz vom Rost eingenommen waren. Ihr cremefarbener Anstrich rieselte ebenfalls.

Elena war das Rieseln gleichgültig wie die Hitze. Sie lehnte am Geländer der kleinen Brücke, die den schwarzen Teich mit den Seerosen unter sich barg. Sie konzentrierte sich darauf, Georg nicht anzusehen. Ihre Füße waren ihr wichtiger.

Georg stemmte die Arme auf das Geländer und musterte sie von der Seite. Er wusste, dass er sie hatte, dass er sie längst hatte, jetzt, so wie sie neben ihm stand und auf ihre Gummistiefel starrte, die ihren Blick banden, obwohl sie ihr ein bisschen peinlich waren, olivgrün mit etwas Sand daran. Er ließ ihr die Zeit, bis er einen Arm vom Geländer nahm, und fasste sie erneut an die Schulter.

»Du weißt, dass du mir aufgefallen bist, vom ersten Augenblick an. Das hast du gewusst.«

Elena spürte seinen Blick auf den Lippen. Als er sie anlächelte, lächelte auch sie zaghaft, ihre Augen aber blickten gleich wieder zu Boden. Sie rührte sich nicht.

»Du hast mir gefallen«, wiederholte Georg. »Ich habe gesehen, wie du die Seekühe gefüttert hast und die Vitrinen gesäubert. Ich habe es gesehen, jeden Tag.«

Ihr Blick löste sich sehr langsam von den Stiefeln. Sie blickten einander an. Elena begann jetzt zögerlich zu reden. Sie ging nicht darauf ein, was Georg gesagt hatte, sie brauchte es ja auch nicht. Lieber sprach sie von ihrer Arbeit, die eben nicht so schlecht war, auch davon, dass man sich ein bisschen Sorgen machen musste, wie es weiterging, die anderen hatten das gesagt. Es konnte ja wahr sein, aber vielleicht war es auch nicht wahr, wer wusste das schon.

Durch die schwach berankte Glaswand erkannte Georg den Tierparkdirektor. Er sah ihn aus dem Augenwinkel, wie er mit einem Wärter sprach. Es wäre ihm sehr unangenehm, wenn der Tierparkdirektor ihn jetzt in dieser Situation sah. Es war etwas schwierig, Elena so zuzulächeln, dass er ihn dabei im Auge behielt. Georg hatte Glück, der Tierparkdirektor tat ihm den Gefallen und drehte sich nicht um, seine matten Handbewegungen galten einem Tiger. Der Tiger duckte sich in eine Kiste, man konnte ihn von hier aus nicht sehen.

Elenas Stimme plauderte unterdessen fort. In der Futterküche hatte sie zuerst angefangen, aber dort war es nicht so schön. Es roch nicht gut in der Futterküche, und den dicken Futterkoch, der wie die Küche roch, mochte sie auch nicht.

Der Tierparkdirektor war jetzt ein wenig auf die Seite getreten, ohne den Tiger freizugeben, und hantierte an der Tür zur Wurfbox herum. Die großen Schlüssel klimperten laut durch das Haus, man konnte sie bis hierhin hören.

Nach der Futterküche war Elena ins Dickhäuterhaus gekommen, die Kollegen waren hier netter. Es gab auch zwei Kolleginnen aus Lettland, die waren besonders nett. Sie wohnten in Biesdorf, gleich hinter dem Güterbahnhof, Elena war schon einmal bei ihnen zu Hause gewesen. Sie selbst wohnte in Marzahn. Von Marzahn nach Biesdorf, das war nicht weit.

Ihre Worte plätscherten wie kleine Münzen ins Krokodilsdunkel zwischen die Seerosen auf dem schwarzen Teich. Flughunde baumelten wie seltsame dunkle Früchte an den Ästen. Wenn der Tierparkdirektor jetzt aus der Wurfbox zurück in den Umgang trat, musste er Georg sehen. Auch der Reviertierpfleger war inzwischen dazugekommen, er sprach leise mit dem Wärter. Es war klar, dass einer von den dreien ihn gleich entdecken würde, wie er hier während der Arbeitszeit mit Elena in der Hitze zwischen den Palmen stand. Es war nicht seine Tatenlosigkeit, die ihn dabei störte. Sie mochte den Reviertierpfleger antreiben, dass er ihm einen Anschiss versetzte. Schlimmer war das Gefühl gegenüber dem Tierparkdirektor, der Katzentempel war eine feierliche Sache, und Georg turtelte herum wie ein Messdiener. Hätte er hier in die Farne onaniert, er wäre sich nicht schmutziger vorgekommen.

Georg fasste Elena bei der Hand und drängte sie vom Geländer weg in den Schutz einer mächtigen Staude. Sie erschrak über seine ungestüme Art. Nicht sehr, aber ein wenig. Sie kam nun überhaupt nicht mehr daran vorbei, ihn anzusehen. Aber diesmal war es Georg, der wegschaute, zwischen den Blättern hindurch auf den noch immer unsichtbaren Tierparkdirektor in der Wurfbox. Elena begriff nicht, was suchte Georg da?

Zwei Flughunde taumelten über sie hinweg und verfingen sich kreischend in einem Palmzweig. Georg wischte sich den Schweiß von der Stirn.

Elena verlangte eine Erklärung.

Er deutete unbestimmt auf die Wurfbox, die sich soeben öffnete und den Tierparkdirektor freigab. Die drei Männer schenkten dem Tiger keine Aufmerksamkeit mehr. Zwei neue Männer waren nun aufgetaucht, Herren in mittlerem Alter in feinen Anzügen. Sie sprachen eine Weile mit dem Tierparkdirektor, wobei sie sich manchmal unsicher umdrehten. Der Tierparkdirektor selbst war nur schwer zu sehen, nur einmal hörte Georg einen schrillen scharfen Ton, eine Stimme, die sich überschlug. Das Gespräch schien beendet, die Männer verliefen sich in verschiedene Richtungen. Der Reviertierpfleger fand zurück zu seinem herrischen Ton, das Wispern vor dem Käfig war vorbei. Der Tierparkdirektor war auf dem Weg zum Ausgang, er ging schnell und zielstrebig wie immer, aber irgendetwas schien nicht zu stimmen.

Georg trat leicht nach vorn, die Staude deckte ihn nicht mehr vollständig ab. Es war der Moment, in dem der Tierparkdirektor sich umschaute. Wenn er Georg hätte sehen wollen, hätte er ihn sehen müssen. Der Tierparkdirektor blieb kurz stehen, fasste sich an den Kopf und ging mit zügigen Schritten hinaus.

Elena trat nun völlig hinter der Staude hervor und ging zurück zur Brücke. Sie hatte ihn nicht verstanden. Erst hatte sie geglaubt, ihn zu verstehen, als er sie hinter die Staude zog, aber dann hatte sie überhaupt nicht verstanden, dass er sich so vor dem Tierparkdirektor versteckte. Es war nicht schlimm, gemeinsam in der Halle zu stehen, hier auf der Brücke. Ganz harmlos war das, dachte sie, obwohl sie es vorhin nicht harmlos gefunden hatte.

Georgs Augen erwachten, sahen sie wieder an. Sein Lächeln kam nicht so sicher wie vorhin, geradezu ein wenig ungekonnt. Er musste die Situation verlagern oder verschie-

ben, obwohl man sie eigentlich hätte sehr schön finden können: die dampfenden Pflanzen, das noch immer aufsteigen-
de Morgenlicht, die gaukelnden Flughunde, die jetzt am
Futterständer hangelten, die kleinen Ohren aufgestellt, die
blattlosen Nasen zuckten. Ihre kräftigen kleinen Kiefer ris-
sen Stücke aus den süß duftenden, von Fliegen übersäten
Apfelscheiben und Apfelsinen. Gierig hakelten sie sich um
die besten Stücke, saugten und schleckten fiepsend in vollen Zügen.

Georg blickte Elena ein letztes Mal lange an und bestand
auf ein Wiedersehen nach Feierabend. Elena willigte ein, er
konnte zu ihr kommen, wenn er wollte, morgen Abend. Die
eingeforderte Einladung in der Tasche, dachte er wieder an
den Tierparkdirektor. Vielleicht hatte dieser ihn gar nicht
mit Elena gesehen, vielleicht doch. Auf jeden Fall war es
eine unglückliche Situation gewesen. Er konnte nicht daran
zurückdenken, ohne den Tierparkdirektor zu sehen, der stehen blieb und den Kopf wendete. Etwas daran hatte nicht
gepasst, hatte nicht zum Tierparkdirektor gepasst. Es war
nicht das Zögern, nicht das Stehenbleiben und nicht, dass
er den Kopf gedreht hatte: Der Tierparkdirektor hatte zum
ersten Mal ausgesehen wie ein sehr alter Mann.

Elena drängte zum Aufbruch.

Hinter den beschlagenen Glasvitrinen mit den Orchideen
war die Tür. Der Umgang leuchtete im kräftigen Mittag, die
Rundaugen in der Decke gewährten dem Licht zaghaft Einlass.

Sie hatten beide feuchte Erde an den Schuhen und gingen
einzeln durch die Glastür zu den Käfigen.

Kurz vor Dienstschluss – Georg kontrollierte ein letztes
Mal den Umgang – gingen ihm noch die Gedanken des Tages durch den Kopf. Die ordentlichen Gitterreihen hielten

die Katzen fest wie immer, aber Georg dachte: Es ist etwas geschehen. Lange noch nachdem er die Türen verschlossen hatte, stand er vor einem Panther. Flüchtiger flitternder Tand war der Tag gewesen. Grüne Bildfolgen hatten stattgehabt, Bilder von Palmen, feuchter Hitze, Flughunden und mit Elenas rosa Lächeln. Hinter dem Glas der Tropenhalle war jetzt Nacht, die Notbeleuchtung im Gang machte sie schwarz und undurchdringlich. Der Panther vor ihm war nah und fern zugleich, vom Halbdunkel verborgen in seiner ewigen Schleichnacht. Überall kauerten nun die großen Katzen, die weichen Bäuche auf ockerfarbene Fliesen gewälzt. Er hörte das schwere Schlabbern ihrer Zungen, die die Blechtränken leersoffen, das Knacken der Eckzähne auf abgelutschten Pferdekeulen. Die süßlich dampfende Raubtierpisse nebelte um ihn herum. Er konnte nicht sagen, was er dabei empfand. Er konnte nicht einmal sagen, wie lange er vor dem Panther stand. In seinem Kopf nichts als jenes beharrliche, passive und unbeteiligte Lauern überall um ihn herum. Weiche Luft schläferte ihn ein. Die Gitter verschwanden im Finsteren, zogen ihn näher heran an den Käfig.

Und darin lauerte das absolute Leben.

8

Am nächsten Abend folgte Georg Elenas Einladung und fuhr mit dem Fahrrad nach Marzahn. Der Weg von Friedrichsfelde führte durch einen grauen Nieselregen über das fürstliche Gelände eines Krankenhauses. Weinrote Backsteinbauten zwischen tadellosen Wiesen. Das feuchte Laub kringelte sich zu Dekor, wie auf einem Steingutteller mit Jagdmotiv. Jeden Augenblick mussten Fanfaren die Luft zerreißen, ein Trupp rotbefrackter Reiter zwischen den Bäumen erscheinen und den Fahrradfahrer mit jener Mischung aus notwendiger Arroganz und vornehmer Zurückhaltung strafen, die er sich sogleich dazu entwarf.

Das Gewerbegebiet im Anschluss, landläufig zersiedelt, führte Georg zurück in die Gegenwart. Zwei breite Brücken buckelten die Straße auf, kragten breit über Straßenflächen und Güterzügen. Dahinter die Tafelberge von Marzahn, ein endloser Raum.

Die Gegend war besser als ihr Ruf. Wer von ihr redete, redete meist schlecht über sie. Marzahn ist keine Trabantensiedlung, so als siedele hier jemand auf dem Mond, es ist der Mond selbst; eine Geographie des Lichts und der Schatten, endlose Flächen und Krater, eine plane Ebene, deren Begrenzung aus nichts als Lichtenberg besteht, verteppten Feldern und Eisenbahnen. Es war jetzt ein anderer Eindruck als der, den sie im Sommer gehabt hatten, als sie viele Fahrräder und ein Wir gewesen waren. Je näher sie sich waren, umso leichter war ihnen die Distanz zum Rest des Lebens gefallen, aber im nassen Herbst und allein zeigte sich Georg ein ganz anderes Bild.

Weit verstreut lagen die Wohnkästen im Kraut, Monolithe, vom Wind aus der Steppe umbraust; Eisendrähte und Bierdosen sprossen hervor, wo Gott wollte, riesige mit Heizgas gefüllte Eisenwürmer schuppten sich bäuchlings durchs verödete Terrain. Je tiefer man zwischen die Blöcke geriet, desto spürbarer wurde das sinnliche Scheinen der Idee, obgleich es schwerfiel, sich das passende Stadtplanungsmodell dazu vorzustellen. Die Welt, die vom Sozialismus weit gedacht und dann solchermaßen mit Heizgasrohren, HO-Läden und Plattenbauten eingerichtet worden war, entzog sich Georgs Begriffen, und die Lichter in den Häusern beschienen ein Leben, von dem er keine Bilder hatte. Äußerlich sahen sie beabsichtigterweise gleich aus, versprachen einförmig unaufrichtig, dass es hier ein Innenleben nicht gab.

Georg fuhr zwischen zwei großen Kästen entlang und radelte an einer Kinderkrippe vorbei. Das geklinkerte Nachbarschaftsheim, braun wie Kognak, mit abgerundeten Ecken, spuckte kleine Hunde und Rentner in beigefarbenen Windjacken aus. Ein polnischer Bezirksmeister warb für einen Tischtenniswettbewerb, angeschlagene Kurse boten unwichtig gewordene Sprachen feil. Der Wind wehte um die Menschen. Eine Frau aus besseren Tagen verlor sich in einer der wenigen Passagen mit neuen Menschen verachtenden Läden, Sportsware, Sonnenbänke, Pornoträume und Fernreisen.

Dahinter war die Welt unverändert, ein Relikt aus Friedenszeiten. Derselbe Regen, der ungeteilte Himmel, überall Orte und Bänke, die Namen von Widerstandskämpfern, Dramatikern und Russen wie Deserteure an die Straßen gehängt. Vor einer Schuttkippe mit Kinderspielplatz entdeckte Georg die Rotarmisten Michail Jegorow und Nikolai Mossalow. Der eine hatte nach dem Sowjeteinmarsch 1945 auf dem Reichstag die Siegerflagge gehisst, der andere ein Berliner Mädchen aus dem Landwehrkanal gerettet.

Die Allee der Kosmonauten führte geradewegs ins Nichts. Wie ein verlassener Weltraumbahnhof lag das Sojus-Kino im Regen, von siegreichen Besatzern mit Graffitis verschmiert; es versagte seinen Dienst. Das Haus, in dem Elena wohnte, war sechzehnstöckig, ein unverputzter Plattenbau. Georg stellte das Fahrrad in einen Fahrradständer und tauchte durch die geöffnete Haustür: ein heisergeschrienes Treppenhaus; auf dem Boden verstreut die Werbeblättchen des bunt beflaggten Supermarktes gegenüber; die Briefkästen offen oder aufgebogen. Der Aufzug hielt regelmäßig in jedem dritten Stockwerk, die Leute, die auf die Idee gekommen waren, hier zu wohnen, hatten damit offensichtlich keine Probleme, man musste sich nur merken, ob man zu hoch oder zu niedrig gefahren war. Georg wollte in den elften Stock, das Klingelschild war liebevoll beschriftet; es ließ sich gern finden.

Elena hatte auffällig geföntes Haar und einen Hund. Der Hund hieß Sielmann, der Name beruhte auf einer Verwechslung. Zu ihrem Haar trug sie violette Stiefeletten und – das Pailettenkleid.

Sie war unbeschreiblich.

Lächelte ihn zaghaft an.

Georgs Gefühle verstrickten sich in heilloses Durcheinander, vom ersten Augenblick an. Er liebte dieses schüchterne Lächeln, das ihn größenwahnsinnig machte, nur aus der Distanz. Wenn er den Frauen näher kam, wandelte sich das Gefühl in Rührung.

Sie bat ihn in die Küche. Er sah, dass sie etwas gekocht hatte, auf dem Herd arbeiteten zwei Töpfe und eine Pfanne, das Fenster stand auf Durchzug. Elena band sich eine Schürze um. Es gab Klöße, Gemüse und Koteletts. Der Bratenschweiß aus der Pfanne erregte vor allem Sielmann, der unablässig zwischen Elenas Stiefeletten herumwuselte. Eine blütenlose Pflanze schmückte die aufgerissene Griespackung am Herd, auf der gemaserten Kunststofffensterbank fand sich eine lebensechte Version in verblüffend ähnlicher Ausführung.

Ein paar Sätze über den Tierpark wechselten hin und her, sie aßen ihre Koteletts. Im Anschluss servierte sie Griespudding mit heißen Kirschen, ein bisschen stolz und ein bisschen schutzlos. Der Pudding klumpte ein wenig und schmeckte sehr süß. Georg wollte ihr unbedingt etwas Gutes tun, schon wegen ihrer Mühe, dem unverputzten Haus, den Stiefeletten und ihrem Kleid. Er lobte den Pudding mit einer Entschiedenheit, die Gefahr lief, sich unglaubwürdig zu machen.

Elena lächelte ihm zu. Sie aß langsam mit leicht gesenktem Gesicht, die Haare in der Stirn, fast ein wenig versunken. Sie hörte Georg den Pudding essen, das schartige Kratzen des Löffels auf dem Teller, das leise Knatschen der Kirschen. Nur hin und wieder sah sie zu Georg auf, ein wenig unsicher, aber nie ohne zu lächeln.

Georg lächelte zurück.

Wie sie hier saßen, konnten sie durchaus verheiratet sein, ein schönes Paar, der blauäugige Mann, tatkräftig und sicher, und die hübsche dunkelhaarige Tierpflegerin aus dem Brudervolk; ein glückliches Paar, von gelbem Pudding und roten Kirschen gestärkt, von grauer Platte fest umschlossen, ein Leben frei und glücklich, den Blick in die Zukunft gerichtet. Traut schimmert das Abendrot über Marzahn, die Nachbarschaftsheime ruhen in Frieden, Kilometer neuer Kabel umspannen die Blöcke, frisch erträumte Autos besiedeln die leeren Straßen, kühne Kosmonauten winken aus fernen Kapseln hinunter auf die Allee.

Vielleicht, dachte Georg, war es wirklich ein Glück, hier zu wohnen, vor den Ansprüchen des Lebens geschützt, aufgehoben in der ordentlichen Gemeinschaft des Gutgemeinten, bestrahlt von den Brennstäben der besten Idee, die Menschen sich jemals ausgedacht haben. Wenn das wahre Glück in den Träumen lag, dann war der Sozialismus auch immer wahres Glück gewesen, instand gehalten von einer versprochenen Zukunft, die ihren Abstand zum Leben nie verlor; einer uneingeholten Zukunft, die immer Zukunft blieb.

Elenas Gesicht malte ein Fragezeichen. Er kam ihr zu Hilfe. Er hatte darüber nachgedacht, wie schön es hier war, dass man sich wohl fühlen konnte bei ihr.

Auf dem Küchenfußboden kringelten sich Sielmanns Haare, kleine Häufchen, ineinandergelegt wie die Sandtürme der Wattwürmer.

Elena sah ihn eine Weile an und nickte. Ihr Gesicht war ein weiches Meer. Ja, so schlecht war es hier nicht, die Leute hätten gesagt, dass es hier nicht schön sei, aber das sei nicht so. Es lebte sich ganz gut hier, es gab auch viel Ruhe, die Nachbarn sah man nur selten, man wusste ja gar nicht, wer hier alles wohnte, aber das war nicht anders gewesen, dort wo sie herkam. Die Gegend erinnerte sie schon ein wenig an dort.

Georg wünschte sich, dass sie ihm von dort erzählte, von der Ukraine und wie es dort war.

Elena zögerte. Warum wollte er das wissen? Er hatte nichts damit zu tun, es war ja auch nicht so schön da, jedenfalls nichts, was schön für Georg war. Im Übrigen kam sie ja auch nicht irgendwie aus der Ukraine, klärte sie ihn auf, sondern aus deren Westen. Sie war überhaupt sehr westorientiert. In Leningrad etwa hatte sie im Westteil der Stadt gelebt, mit dem Blick auf noch mehr Westen, und wenn ihre Großmutter auch aus Sibirien kam, so doch aus Westsibirien, wie Elena betonte.

Nun wohnte sie im äußersten Osten des Westens. Sollte sie eines Tages bei Georg einziehen, sie hätte mindestens zwei Kilometer in die richtige Richtung dazugewonnen.

Der Weg in die richtige Richtung führte zurück durch den kleinen Flur. Elena hatte Fotoalben im Schlafzimmer, aber Georgs Blick verfing sich in ihrem Bett aus weißem Schleiflack, die Tagesdecke mit dunkelgrünem Seegrasmuster, zwei pastellfarbene Kissen darauf und ein sorgsam drapierter Teddy, abgefusselt und niedergeliebt. Über seinem Kopf ein blasses blaustichiges Plakat mit der Mannschaft von Dynamo Kiew, Europapokalsieger 1975: Kolotow, Blochin, Ornischtschenko, Muntjan, Reschko, Konkow, Burjak, Troschkin, Slobodjan, Weremejew, Rudakow. Das ganze Rote Orchester.

So wirklich war das Leben.

Immerhin kein Wellensittich.

Dafür ein unbehagliches Gefühl. Ein möglicher Mann im Hintergrund, in der Vergangenheit oder Gegenwart? Gleich konnte der wahre stolze Fan der Dynamos die Haustür aufschließen, dynamisch aus dem Wandschrank treten und Georg auf russische Manier erschießen.

Elena erriet seinen Blick.

Sie hatte keinen Mann, jedenfalls nicht richtig. Es gab einen, der sie geheiratet hatte, aber er war jetzt im Himmel.

»Das tut mit leid«, sagte Georg. Ihre religiöse Einfalt berührte ihn.

Sie versuchte entrückt zu lächeln, und nicht das Lächeln, aber der Versuch traf Georg sehr stark. Fast hätte er ihn verzaubert, aber Elena sagte:

»Du kannst ruhig die Tür zumachen.«

Ja, das konnte er natürlich.

Eine kurze Zeit standen sie unschlüssig im Zimmer, dann trat Georg ans Fenster, die Arme in den Hüften. Elena folgte zögernd an seine Seite. Die Wolken waren aufgerissen, glühend hing der Sonnenball am Himmel, rote Strahlen schossen davon ab. Menschenleer stieg die Allee der Kosmonauten zur Stadt hin an, durch Kleingartensiedlungen und Eisenbahnschienen zum Horizont, wo die Weltstadt fern im Abend ragte.

Elena stand noch immer neben ihm. Auf ihrem Haar lag der Traum des Lichtes. Sie war jetzt fast richtig schön. Und gewiss irgendwo auch sehr romantisch, wahrscheinlich in den falschen Dingen, aber das störte nicht. Unendlich lange schien sie nach Worten zu suchen, und auch er verwarf so ziemlich alles, was er fand.

Der Rauch aus dem Schornstein gegenüber glühte im Abendlicht wie eine Olympia-Fackel.

Nach einer sehr langen Weile versuchte sie ein Thema. Sie erzählte von Sielmann, wie schwierig es war, sein Fell zu baden, dass es hier viele gute Plätze gab, wo sie ihn hinführen konnte, jeden Tag, bevor sie zur Arbeit ging und dann, wenn sie wieder nach Hause kam.

»Ich finde es schrecklich, dass er so allein ist. Den ganzen Tag allein, weißt du, was das heißt?«

Georg wusste, was das heißt. Es war nicht in einem Satz zu sagen. Schon gar nicht in einem Satz über Sielmann. Nach einer kurzen Pause versuchte er es trotzdem. Er erzählte Elena von der amerikanischen Wandertaube, eine Geschichte des Tierparkdirektors. Es war eine Geschichte von Millionen Wandertauben, die einst über den amerikanischen Himmel zogen, auf der Suche nach Körnern und anderem, das sie fressen konnten. Aber immer wenn sie über die Prärie von Ohio zogen, wurden die Tauben zu Tausenden und Abertausenden abgeschossen oder totgeschlagen, bis sie immer seltener über den Prärien gesichtet wurden. Sie wurden auch sonst kaum irgendwo mehr gesehen, und als das neunzehnte Jahrhundert mit seinen neumodischen Schießgewehren vorüber war, gab es von dem allergewöhnlichsten Vogel des großen Nordamerika nur noch ganze vierhundert Stück; drei Jahre später waren es nur noch fünfzig, und im Jahr 1907 war noch genau eine Wandertaube übrig geblieben.

Georg unterbrach sich zu einer wichtigen Pause. Sie standen noch immer am Fenster. Dunkles Blau schwemmte jetzt über die Häuser, die Platten und die Allee. Elena neben ihm spielte an ihrer Schönheit herum, wahrscheinlich hörte sie ihm gar nicht richtig zu, er war ein wenig enttäuscht, aber abbrechen konnte er jetzt auch nicht.

»Eines Tages«, versuchte er es, »gab es tatsächlich nur noch eine einzige Taube, die allerletzte ihrer Art.«

»Und dann?«, fragte Elena. Sie war ihm also zumindest flüchtig gefolgt.

»Dann fiel sie einfach so vom Himmel. In Kanada. Einfach so. Sie hatte keine Lust mehr zu leben, so ganz allein, ohne jemanden, mit dem sie zusammen hätte gurren können. Ich glaube, dass sie nach einiger Zeit der festen Ansicht war, dass es sie gar nicht mehr geben musste.«

Den letzten Satz sprach er aus dem Fenster, er wusste, womit er enden würde, und bemühte sich darum, ihn möglichst leichtfertig ins Freie zu setzen.

Elena sah ihn von der Seite an. Ihre Augen waren hilflos. Sie dachte nicht einmal darüber nach, ob er selbst glaubte, was er da erzählte.

Auch Georg wusste nicht, ob er selbst glaubte, was er da erzählte, aber das war auch nicht wichtig. Nur das Gefühl war wichtig, das Gefühl, um dessentwillen er die Geschichte erzählt hatte, das Gefühl, freiwillig zu sein, selbst in der Frage der eigenen Existenz.

Er sah sie an, sie sah aus dem Fenster. Wollte er Elena nicht gänzlich zurücklassen, musste er sich durch ein zweites Beispiel erklären. Er sprach von seiner Kindheit, es war immer eine gute Idee, von der Kindheit zu sprechen, wenn man die Anteilnahme einer Frau gewinnen will, der die Gegenwart keinen gangbaren Einlass mehr gestattet. Um wie viel leichter konnte es fallen, die wenigen starken Linien der Kindheit nachzuzeichnen, von dicken Wachsmalstiften auf unausgefüllte Flächen gekritzelt, als das Gefilz von Klecksen und Strichen, das in Jahrzehnten daraus entsteht. Er erzählte ihr von der ersten Klasse der Grundschule, als nach den erfolgreichen Wochen des Zusammenzählens das Minuszeichen im Rechenunterricht erschien. Zuvor hatte es sich nur flüchtig gezeigt, beim zufälligen Durchblättern der künftigen Seiten seiner Rechenfibel, und allein der Anblick dieses winzigen Strichs hatte etwas in Georg sich unwillkürlich zusammenziehen lassen, die Ahnung einer nahenden Bedrohung, der er nicht gewachsen zu sein fühlte. Immer näher waren die benutzten Teile der Fibel, die abgehakten Aufgaben und Päckchen, dem Zeichen gekommen, das erste beklemmende Gefühl der Endlichkeit seiner glücklichen Tage des Zusammenzählens wuchs heran zu einer furchtbaren Bedrohung. Kein Wunder dann, dass, als der Tag des winzigen Strichs im Unterricht anbrach, Georg ihm bereits mit einer gewissen Ergebenheit begegnete. Er nahm das Zeichen teilnahmslos hin, den gesamten Tag, die ganze Unvermeidbarkeit, die von nun an an die Stelle der Angst getreten war. Natürlich lernte er den Sinn des Zeichens im Unterricht nicht, auch nicht unter Jähzorn und Verzweiflung seiner Mutter, die nach anfänglichen Ohrfeigen das Aussetzen des Abendbrots und Schlimmeres in Aussicht stellte. Die Schläge trafen seine Ohren; sie trafen nicht ihn. Es gab Wichtigeres als das Abendbrot. Georg hatte eine Idee gefasst, deren Größe ihn von nun an ruhig und sicher leben und schlafen ließ, auch mit leerem Magen. Er *musste* gar nicht Minusrechnen lernen. Nichts in der Welt würde ihn zwingen können, er würde glücklich weiterleben, ohne etwas abziehen zu müssen. Georg hatte eine große Gefahr im Leben erkannt, und er war ihr sicher begegnet, es war das größte Gefühl eigener Sicherheit und eigener Stärke, das er bis dahin kannte, und er würde alles aufgeben können, bis auf dieses Gefühl und seinen so endgültigen Entschluss.

Er hatte sich zu ihr gewandt, schon vor den letzten Sätzen. »Gar nicht erst Minusrechnen lernen zu müssen, weißt du, was das bedeutet?«

Elena schüttelte abwesend den Kopf. Ihr Gesicht trug einen traurigen Ausdruck. Nach einer längeren Zeit begann sie zu sprechen. Immerhin, das Thema Kindheit schien doch auf einen fruchtbaren Boden gefallen zu sein; Elena sprach über Kinder, wollte wissen, ob Georg Kinder hatte und vielleicht sogar eine Frau, und als er beides nicht hatte, sprach sie von ihren Träumen und wünschte sich in Gedanken zwei Kinder. Sie stellte sich das sehr glücklich vor, sprach viel zu sich selbst, aber dann und wann auch wieder mit Georg. Sie merkte, wie er ihr eine Strecke folgte. Als er nach einer Weile doch wieder aus dem Fenster sah, siegte nach langem Anlauf die Verzweiflung. Elena sah ihn an, blickte sehr entschlossen in Georgs Augen.

Augen, in denen keine Ordnung war.

»Ich glaube, Georg immer verruckt«, sagte Elena kopfschüttelnd wie eine Stummfilmschauspielerin.

In ihren großen dunklen Augen glitzerte es.

Georg bemühte sich, sie jetzt nicht anzusehen.

Was trieb sie zum Weinen? Und: Was konnte sie schon an ihm finden, außer einem Klischee?

»Du weißt überhaupt nicht, wer ich bin«, sagte Georg einsam.

Er hatte sich eigentlich etwas ganz anderes für den Abend vorgenommen, er wollte sich etwas Gutes tun, vielleicht auch ihr, mit ihr schlafen. Gewiss keine Gespräche über sich selbst.

Es war finster geworden, die Bernsteinaugen der Fenster glommen in der Dunkelheit.

»Du glaubst, etwas von mir zu kennen«, sagte Georg. »Nichts kennst du.«

Er hatte recht mit dem, was er sagte, aber keinen Charme. Vielleicht hätte er ihr etwas ganz anderes erzählen sollen, aber es war ihm nichts anderes eingefallen, jetzt war es zu spät.

Elena setzte sich aufs Bett und schlug die Beine übereinander. Ihr Gesicht war ganz still. Nur ihr Herz bewegte sich. Es bewegte sich ein wenig schneller als sonst.

Georg sah sie an, ganz ruhig mit einem Mal, fast gelöst. Er hatte sie vor sich gewarnt, es war alles, was man verlangen konnte.

Sie öffnete ihre Hand, langsam, wie eine Knospe. Er ergriff sie sofort. Sie saßen nebeneinander auf ihrem Bett, die Seegrasdecke bewegte sich. Elena hatte sehr weiche Hände, sie verschwanden in den seinen, wie geschliffene Steine in einem Futteral.

»Georg immer verruckt«, wiederholte sie nur.

»Ich habe viel zu viel geredet«, sagte Georg. Tat es noch, bis sie ihn küsste.

Die verdienten Meister des Sports internationaler Klasse über ihnen drückten sich an die Wand. Die Tagesdecke verlor ruckartig ihren Sinn; das Seegras fand keinen Halt. Ihre Bewegungen schwammen zu ihm hin, schaukelte von ihm weg, Algen im fließenden Strom, stille, lautlose Algen ohne Zentrum, ohne Geruch.

Sie erledigte ihre kleine und einfache Aufgabe, so als wäre diese klein und einfach.

Er küsste ihr den Mund trocken.

Elena kam nicht.

9

Der nächste Morgen war furchtbar. Der Tierparkdirektor hatte sich umgebracht. Die Sonne stand kalt und weiß am Himmel, ein bisschen schräg. Georg war tief getroffen. Er hatte den Tierparkdirektor für ewig gehalten. Unsterblich wie einen Gott oder eine Eiche.

Leichte Blätter, sanfte Vögel dahingetrieben vom Wind. Die Varis waren noch einmal nach draußen gekommen und saßen fröstelnd zusammengerollt in ihrem schwarzweißen

Fell. Lemuren in Halbtrauer; ein einzelner kläffte gellende Schreie in die Luft, die anderen fielen ein.

Elena war nicht gekommen.

Der Tierparkdirektor war seiner schriftlichen Entlassung um zwei Stunden zuvorgekommen. Der Tod ereignete sich im Morgengrauen. Um sieben Uhr hatte er noch einmal ganz ordentlich seinen Kaffee getrunken und die Tasse abgespült. Er hatte sich vorher gewaschen und rasiert, korrekt angekleidet, die graue Flanellhose, dann Hosenträger daran befestigt, ein gestärktes weißes Oberhemd aus dem Schrank genommen und die Manschettenknöpfe angelegt. Seine Frau war schon lange zuvor gestorben, die Ehe kinderlos.

Auf dem Schreibtisch lag eine Briefmappe. Die hatte er herangezogen, hatte mit akkurater Schrift einen kurzen Brief geschrieben. Er hatte den Brief sorgfältig gefaltet und in ein Kuvert gesteckt. Sein flüchtiger Blick hatte ein paar Fotos gestreift, die unter Glas an der Wand hingen, und ein paar leere Haken, an denen früher einmal seine Orden gehangen hatten.

Die lagen jetzt in einer Schachtel.

Dann hatte er sein Jackett angezogen, sich aufs Bett gesetzt, die NVA-Pistole aus der Nachttischschublade geholt, sie an die Schläfe gesetzt und sich erschossen.

Sie waren an ihm vorbeigekommen. Sie hatten ihn einfach umgangen. Den Brief der Stadt, der seine Demission mitteilte, hatte er nicht mehr gesehen.

Wolken war gekommen und mit ihnen ein feiner Nieselregen. Über dem Tierpark lag jetzt ein Regenbogen.

Der Morgen darunter war sehr weit und sehr leer. Georg ging durch die Beete wie ein Schlafwandler. Gelegentliche Besucher nahm er nicht wahr und nicht, dass Wolken sich näherten. Die Beschilderungstafeln vor den Käfigen erzählten keine Geschichten über Schulterhöhen und Tragzeiten mehr. Jetzt gehörten sie ganz sich selbst. Die Bisons standen stumm in Erwartung des Regens, die Eichen hatten sich schützend zu ihnen gestellt und deckten sie mit verbliebenen Blättern. Reglos auf Äste gepfropft hüllten sich die Geier in Sack und Asche. Hinter den Wölfen verloren sich die Wege in Trübsinn. Die Lotteriefee im Bauwagen lächelte gequält wie eine Geschenkpostkarte. Die Wärter bewegten sich mechanisch und ohne Ziel. Das Dickhäuterhaus sonderte Rinnsale von Rost aus. Die Teile griffen nicht mehr ineinander. Der Organismus hatte aufgehört zu atmen. Das Gewebe zerfiel im Morgenlicht.

Der Reviertierpfleger ließ sich zu etwas hinreißen, was er berechtigterweise für eine miese Geste hielt. Er trat dem Tierparkdirektor einen Fluch hinterher.

Der Nachruf in der Zeitung erfüllte den gleichen Zweck. Das Ende eines großen Mannes hätte kaum kleiner ausfallen können. Auf dem Foto spielten zwei Gorillakinder auf einer Wiese, der Tierparkdirektor versank im Schatten einer Lottobude im Hintergrund. Kinder und Tiere gehen immer.

Georg knüllte die Zeitung in den Müll.

»Ich hatte es gleich gesagt«, sagte der Reviertierpfleger. »Jetzt können wir alle gehen.«

Dass er es gleich gesagt hatte, schien ihm fast das Wichtigste daran, ein schmallippiger Triumph über eine Hoffnung, die nur verzweifelt geglaubt worden war.

»Hat sich einfach davongemacht, nach so vielen Jahren«, sagte der Bauleiter und schüttelte enttäuscht den Kopf. Die Baumaschinen standen tatenlos hinter den Halbeseln. »Als wenn es gar nichts wäre, sich einfach so davonzumachen, in seinem Alter.«

Einige murmelten zustimmend. Die Kassiererin betrauerte den Tierparkdirektor und ihre Lage. Auch sie machte sich Sorgen. Die meisten hielten sich bedeckt.

Der Reviertierpfleger hingegen hatte sich entsichert und feuerte nun wahllos in die Menge. Die Kassiererin hatte gar keinen Grund, den Alten zu betrauern. Alles war nur die Schuld des Tierparkdirektors, der störrische alte Idiot, er hätte doch gleich dem Anschluss zustimmen müssen. »Was hatte der sich eigentlich vorgestellt, dass ihn die alten Kameraden von der Partei... wie konnte der überhaupt...«

Man war sich einig. Der Tierparkdirektor hatte nicht an sie gedacht, jetzt dachte wahrscheinlich überhaupt keiner mehr an sie. Ringsumher war es bereits bekannt, dass die neuen Herren eigene Pläne mit dem Tierpark hatten. Viele von ihnen kamen wohl nicht darin vor. Im Westen waren so viele arbeitslos.

Georg sah den Reviertierpfleger, den Bauleiter, die Kassiererin, die vielen anderen, sah über dem Birkenwald weit weg das Glasdach des Brehm-Hauses im gleißenden Zwielicht undeutlich in der Ferne schimmern. Er hatte mit keinem der anderen gesprochen, und keiner hatte mit ihm geredet.

Als er es schließlich dennoch versuchte, wusste er bereits, dass es sinnlos war.

»Wir müssen etwas tun«, sagte Georg.

»So?«, fragte die Kassiererin.

Der Reviertierpfleger schnaubte.

»Wir müssen etwas tun«, wiederholte Georg. »Wir können doch nicht einfach nur hier herumstehen. Am wichtigsten ist, dass wir jetzt untereinander solidarisch sind.«

Der Reviertierpfleger warf den anderen vielsagende Blicke zu.

»Du willst uns sagen, was wir tun sollen? Du bist doch neu hier, was geht dich das an?«, fragte jemand.

Die anderen nickten feindselig.

»Was weißt du schon«, fragte einer.

»Vom Tierpark«, vollendete ein anderer, ein besonders dicker aus der Futterküche. »Steht hier herum und gibt Kommandos. Hat ihn denn irgendjemand was gefragt?«

»Nichts kennt der«, bestätigte der Bauleiter. »Hält Reden, ohne etwas zu kennen. Der war doch gar nicht dabei. Nicht in den alten Zeiten.«

Die anderen stimmten ihm zu. Geraune breitete sich aus. Sie beschworen die alten Zeiten.

Wenn die alten Zeiten gewusst hätten, wofür man sie noch brauchen konnte. Gerade waren sie endgültig alte Zeiten geworden, da waren sie schon gut. Gut gegenüber Georg, den sie so sicher ausschlossen, wie es ihrer Güte entsprach.

Früher war keiner aus dem Westen gekommen und hatte Volksreden gehalten; früher hatte auch jeder seine Zuständigkeit gehabt; man erinnerte sich an das letzte Tierparkfest; die Versorgung mit Wodka und Broilern, exzellent; es waren auch immer genug Fahrräder dagewesen, keine geklaut, und die Besucher waren auf den Wegen geblieben.

So war das also mit dem Tierpark und den guten alten Zeiten.

Nun aber war alles hin, und Georg war da und hielt Volksreden.

Er hätte sich gerne verteidigt, den anderen erzählt, dass er auf ihrer Seite stand, dass doch nicht er das Problem war, dass sie zusammenhalten mussten, gegen die Besatzer, von ihm aus auch um der alten Zeiten willen, zu denen er nicht gehörte, aber natürlich verteidigte er sich nicht, die anderen, wenige Schritte vor und neben ihm, waren meilenweit entfernt.

»Und was wird jetzt aus uns?« Die Kassierin stellte die erwartete, überflüssige Frage.

»Ich habe nichts mehr damit zu tun«, sagte der Reviertierpfleger und spuckte. Die guten alten Zeiten interessierten nicht mehr. Man dachte jetzt wieder an sich.

Eine Weile murrte es noch ringsum vor sich hin. Dann

legte der Futterkoch seinen dicken Arm um die Schultern der Kassiererin und gab das Kommando zu gehen. Die gemeinsame Gegnerschaft zu Georg hatte im Handumdrehen eine neue Ordnung geschaffen.

»Der wird sich noch umgucken«, meinte einer; »ein Träumer«, ein anderer. »Da kommt einer und erzählt uns, was wir tun sollen; ein ganz Schlauer ist das, ich sag es ja. Der ist ein ganz Schlauer.« Sie hoben murmelnd ihre Taschen vom Boden und verliefen sich in kleinen Grüppchen.

Georg blieb zurück. Dass er von Anfang an gewusst hatte, auf verlorenem Posten zu stehen, linderte seine Enttäuschung nicht. Da stand er und ließ sich für den Tierparkdirektor beschimpfen. Den Tierparkdirektor, der nicht mehr da war. Nicht nur nicht da, sogar tot. Der sich erschossen hatte. Erschossen, wie einen überzähligen Kudu. Das Herbstlaub wirbelte auf, flüchtete hastig von den Wegen; fette Enten tummelten sich um den welkenden Weiher. Wirklichkeit war nicht wie die wirklichen Dinge waren; sie war wie die Dinge wirklich waren.

Der Himmel hatte sich in den letzten Minuten völlig zugezogen, die Tierpfleger verstreuten sich ins Nichts. Hier war eine Gießkanne zurückgeblieben, dort ein Fahrrad, die schlaffen Ketten auf den Zufahrtswegen ließen Tierhäuser unversperrt. Georg sah die Weiße Oryx unbewacht im Kral stehen, die Hilfsgatter tatenlos davor. Eine Weile stand er am Zaun, der Regen setzte ein. Sein Blick ruhte auf dem Tier, die Antilope kratzte sich mit dem Huf. Sie hatte dem Tierparkdirektor gefallen, weil sie selten war, und Georg, weil sie dem Tierparkdirektor gefallen hatte. Er sah das struppige fahle Fell, das Himmelsgrau darüber, das Wasser in den Pfützen und den fremden Lastwagen gegenüber der Direktion, wo zwei oder drei gleichgültige Männer das Direktionsbüro ausräumten.

Der Einzug der neuen Herren stand unmittelbar bevor.

Georg fröstelte.

Eine aufschießende Krähe zerschnitt den kalten Himmel und sank gleich wieder im Tiefflug zu Boden. Ihr Krächzen hallte Minuten nach in der eisigen Stille.

Der Park war bereits Erinnerung.

Georg wusste, was er zu tun hatte.

Der Weg nach Hause entlang der Tierparkmauer: Ausgemusterte Blätter leuchteten nutzlos vom dunklen Asphalt, die Bäume und Sträucher wandten sich von ihnen ab. Der mit Wolken verschmutzte Himmel versandte staubfeinen Niesel in die Stadt. Die aufgestellte Kapuze schützte Georg vor dem Lärm der Autos, dem Regen, dem dampfenden Trainingsanzug des Joggers und den grellen Blitzen der Plakatwände und Pornozeitschriften am Kiosk.

Er war nur ein Schatten zwischen anderen Schatten, ein kleines Stück Grau. Seine Kontur löste sich im Wetter auf, im Verkehr, in der Menge der Menschen. Schatten, Punkte, Eile und Flüche: Menschen, die unter denselben Wolken entlangeilten.

Flüchtige Menschen, die wussten, wohin sie wollten.

Fünfter Teil

Das Ende der Geschichte

1

Es ist der neunte November 1991, und Sergej Krikaljow weiß, dass er sterben wird. Sie haben es ihm gesagt, heute, vor zwei Stunden, sie können ihn nicht holen, nicht jetzt, sie wissen nicht wann.

Sie wissen überhaupt nichts mehr. Sie denken an ihre Familien, irgendwann muss ein Ingenieur auch einmal an sich selbst denken, auch ein Funktechniker, ein General. Er will, dass das nicht wahr ist. Er will, dass er ihnen nicht gleichgültig ist, dass sie ihn nicht völlig vergessen hier oben. Aber es ist unglaublich wahr; es ist so verdammt wahr, dass es nicht zu glauben ist. Manchmal muss er sich selbst darüber wundern, dass es ihn hier noch gibt. Nahrung hat er genug, Tuben und Dosen in den Beuteln, die reichen noch Monate, bis ins Frühjahr vielleicht, und dann? Sie müssen ihn nicht töten, sie werden ihn einfach abstellen, wie einen Versuch. Zuletzt wird er die Kabel annagen, wie eine Ratte, die Stoffbeutel anfressen. Wenn er länger daran denkt, spürt er, wie sein Magen heißer wird als die Sonne und die Füße kalt, kälter als der Mond.

Es gibt Dinge, die werden einfach weitergehen, wenn Krikaljow tot ist, die Aggregate werden surren, aus Schaltkreisen und Platinen dünsten weiter Gerüche. Die Mir wird weitersegeln durch das Farbenmeer, ein Totenschiff, aber der Kapitän wird nicht festgenagelt sein, nicht am Mast, er wird mager sein, ganz dürr, wie Spinat, was man nicht sieht in seinem Pinguinkostüm; äußerlich unverändert wird er dick und aufgeblasen herumtrudeln und nahezu leer, wie eine haltlose Boje. Es wird nicht leicht sein, Glück zu haben, dass die Technik ausfällt, bevor er verhungert ist. Er könnte erfrieren, was schöner sein soll, ganz warm wird einem dabei, jeder kennt solche Erzählungen; er kann auch ersticken, das ist kurz, aber fies. Das Beste ist der totale Druckabfall, der absolute GAU, es würde ihn zerreißen, auf der Stelle, Sergej Krikaljow, ein blutiger Fleischklumpen, unidentifizierbar, damit könnte er wohl leben; wenn schon, dann so, dann sollten sie dieses Bild für die Schulbücher nehmen: Gagarin, Titow, Tereschkowa, und die Buletten hier, das ist Krikaljow, der letzte Sowjet.

Die vereiste Backe hat sich zurückgemeldet; dass nichts, aber auch gar nichts abklingt hier oben. Vielleicht wird er auch an diesen Zahnschmerzen sterben, wer wird das jemals wissen. Niemand wird irgendetwas wissen, wenn er erst einmal tot ist, nur der Weg dorthin steht ihm noch frei; er kann ihn bewusst gehen, seine Fresstuben durchrechnen, sie rationieren, seinen Todestag ausrechnen, wie die Wochen bis zu seinem Geburtstag als Kind oder die vielen langen Tage auf dem Kalender, sorgfältig in vier Reihen, bis zu den großen Ferien.

Das verdammte Ding hält nicht still, es dreht sich nach allen Seiten, trudelt brennend im Raumschiff, aber das Wachs kann nicht abfließen, es pocht und glubbert, aber es fließt nicht ab. Krikaljow versetzt der Kerze einen Stoß, er lässt sie durch die Station schweben, in jeden Winkel, bis es wieder Tag wird, und schwebt hinterher, wohin die Kerze sich dreht. So wird er jetzt weiterfliegen, immer der Kerze nach, dem pulsierenden Wachs hinterher.

Vor dem Fenster verglühen die Tage und Nächte, Strohfeuer am Firmament, aber Oberstleutnant Krikaljow sieht sie nicht mehr, er sieht nur die Kerze, die er mit dem Finger antickt, damit sie nicht stehen bleibt und er weiß, wo er hingleiten muss, ohne Hunger, ohne Wünsche, immer dem blubbernden Rot hinterher, das ihn leitet, ihm eine Richtung gibt.

Viel später erst, als die Kerze nicht mehr brennt, sitzt er in der Ecke, nicht auf dem Klo, das Klo braucht er jetzt nicht mehr, er ist auch so allein, allein mit seinem Kopf, in dem Elena mit ihm redet und Captain Kirk und Oberst Krik, die ihre Sternenwagen besteigen und auf dem Saturnring fahren, Runde um Runde in die unendliche Zeit, die es für ihn nicht gibt, nichts weiter als die große Finsternis, aus der alles Leben kommt und in die es zurückgeht, das Chaos der Griechen, der dunkle Himmel der Genossen, der in den Träumen schwarz ist, aber in Wirklichkeit voller Lichter, mit der Schrotflinte hineingeschossen in den dunklen Samt, hinter dem das eine große Licht wartet, das klein in den Luken auf und ab flackert, wie dieser weiße, blinkende Stern, der ihm winkt, ihm etwas zuruft aus kalter, kältester Nacht im Sternbild des Monoceros.

2

»Vergiss die Ziege.«

Georg hatte Leonhard im Hof aufgestöbert, kurz vor dem Nachmittagsschlaf. Er hockte zwischen zwei schwer belegten Teppichstangen, das Muster des Bademantels stach kaum ab, das Buch in seiner Hand wirkte unverändert, Georg kannte die aufgeschlagene Seite. Das Schiff würde nicht segeln, nicht an diesem Tag, es würde erneut anfangen zu regnen, die Passatwinde wie immer unberechenbar.

Das Schiff sollte trotzdem ausfahren. Georg hatte es so

bestimmt; er hatte damit gerechnet, dass es schwierig werden würde. Leonhard war unbeweglich; unbeweglich wie
festgefroren. Ganz besonders heute, wo es so kalt war, die
Teppiche so warm, das Muster stimmte. Es gab überhaupt
keinen Grund, sich zu bewegen: außer einem, dem Grund,
den Georg nannte.

Wenn die Weiße Oryx ein Grund war.

Noch in derselben Nacht würden Unbekannte die Oryx
aus dem Tierpark schaffen und dem Zugriff der Besatzer
entziehen. An einen sicheren Ort im Osten. Sie verstanden
sich mit halben Worten.

Jedenfalls bis hierhin.

Der andere der beiden Unbekannten würde Leonhard
sein. Georg würde das Fahrzeug beschaffen.

Das Verständnis begann heikel zu werden. Leonhard hob
eine Augenbraue:

»Vergiss die Ziege.«

Es war so schwierig, wie Georg gedacht hatte.

»Kein Diebstahl, keine Entführung, keine Aufregung.«
Leonhard wechselte seine Grundsätze so ungern wie eine
Seeanemone ihren Standort. Schlechter als ein schlechter
Standpunkt erschien ihm ein ungewisser.

»Und außerdem...«

»Außerdem?«

»Ziegenallergie.«

»Damit kannst du deine Omas täuschen. Mich nicht.«

»Vergiss die Ziege.«

»Ich kann sie nicht vergessen. Ich kann überhaupt nicht
vergessen, und schon gar nicht die Oryx. Sie war alles, was
er noch hatte.«

»Er?«

»ER.«

»Und?«

»Ein Vermächtnis. Ich finde, das überzeugt«, sagte Georg achselzuckend. Aber Leonhard war noch immer nicht davon überzeugt, überzeugt zu sein. Er schloss die Augen, lehnte sich zurück und brachte einen neuen Einwand hervor: Niemand würde tatenlos zusehen, wie sie die Oryx bei Nacht und Nebel aus dem Tierpark schafften. Georg versicherte, dass es zur Zeit tatsächlich niemanden gäbe, der dies bemerken würde, der Tierpark lag leer und verlassen, kein Mensch kümmerte sich noch um irgendetwas. Es sei der größte Freundschaftsdienst, um den er je einen Menschen gebeten habe.

»Vom Zwielicht bis zum Zwielicht?« vergewisserte sich Leonhard.

»Von der Dämmerung zur Dämmerung.«

Der Felsen bröckelte. Gleich musste der weiche Standzylinder daran abgleiten oder samt und sonders in den weißen Meeresboden versinken.

»Und jemand anders...?«

Georg schüttelte den Kopf.

»Kein jemand anders...?«

Wiederholtes Kopfschütteln. »Ja oder nein?«

Leonhard schwieg.

Georg stand auf und verharrte zwischen den Teppichen. Arabeske Muster, Pfauen, Rauten, Herzen, alles ohne Bedeutung, ohne Sinn.

Leonhard kramte einen Schlüssel aus der Bademanteltasche und hielt ihn Georg hin.

»Was soll das?«

»Sieh oben im Schrank nach, ob du was Entsprechendes findest: Tarnkleidung.«

Am Spätnachmittag des kommenden Tages startete die Transaktion. Leonhard mit Fellmütze, Weste und Kradmeldermantel hatte sich wie für den Russlandfeldzug ausstaffiert; so kalt, wie seine Ausrüstung verhieß, konnte es in der Stadt seit dem Beginn verlässlicher Temperaturaufzeichnungen nicht werden. Georg dagegen trug nur ein dünnes Hemd, das Wetter interessierte ihn so wenig wie die Verpflegung oder womit auch sonst Leonhard sich maßgeblich beschäftigte. Sein besonderer Trumpf für die Nacht war ein Leihwagen, versehen mit einem gut geschmierten Pferdehänger, der Aufkleber *Vorsicht Turnierpferde!* war idiotisch genug, seine gegenwärtige Bestimmung fügte ihm nichts hinzu.

Die nasse Karl-Marx-Allee lag wie ausgestorben da, Schaufenster des Sozialismus, in denen noch Requisiten standen, aber der Inhaber hatte gewechselt. Irgendwo hier zwischen Straussberger Platz und Frankfurter Tor hatte das bessere Leben gewohnt; ein Leben, das man nur im Sommer und an schläfrigen Nachmittagen gehört hatte, wenn Menschen Schatten waren, Sputniks darüber hinwegkreisten. Jetzt aber war es Herbst, bitter kalt, und vom besseren Leben keine Spur. Der letzte Rest der Frankfurter Allee, dann Straße der Befreiung; der Tierpark, auf diese Weise mit dem Auto angefahren, sah aus, als sei er nie betreten worden. Hinter dem Eingang alles Dreck und Lehm, zerfahrene Wege an der Direktion, zurückgelassen von den Transportern.

Die Weiße Oryx stand noch immer im Regen, Wüstenpflanzen verwandeln sich zu Regenzeiten in Schwämme oder Tanks, die Oryx sah einfach nur beschissen aus. Die Augen von Kälte und Nässe getrübt, über die Gesichtsmaske liefen graue Tränen, das Maul troff wie schlecht gedichtet. Leonhard war bestürzt, aber Georg drängte ihn zur Eile. Immer wieder blickten sie sich um, bis sie auf Georgs Zeichen entschlossen das Gatter öffneten; die Oryx trottete ein wenig zur Seite. Um sie in den Hänger zu bekommen, mussten sie sie aus dem Kral treiben. Georg klatschte in die Hände, das Tier zuckte und begann zu scharren, während Leonhard sich noch immer im Hintergrund hielt zwischen Tränke und Heulager.

Georg wurde ungeduldig, er bedeutete ihm, nun endlich mit ins Gehege zu kommen. Leonhard berief sich auf seine Ziegenallergie. Georg versicherte ihm, die Oryx sei eine Antilope.

Es linderte Leonhards Befürchtung nicht. Er dachte daran, dass er jetzt wunderbar bei Kaffee und Kuchen im Krankenhaus sitzen könnte und mit den Damen über seine Allergie räsonieren. Einige zögerliche Schritte, ein paar müde Klatschgeräusche in den Novembertag; kurz darauf begann das Niesen. Allergien hatten offensichtlich andere Grenzlinien als die Naturgeschichte.

Die Oryx blieb misstrauisch. Sie presste sich ängstlich in die Ecke des Krals, und Georg hatte alle Mühe, Leonhard und das Tier zu dirigieren. Als nichts gelang, klaute er ein Halfter aus dem Ponystand und streifte es der Antilope nach etlichen Mühen über. Mit gutem Zureden, Halfter und Strick verschwand das Tier schließlich im Pferdehänger.

Leonhard war bereits völlig fertig. Sein Atem nebelte keuchend in der Luft. Er sah aus wie Sau. Der Mantel mit Schlammspritzern verschmiert, die Haare nass und verklebt, während Georg noch erstaunlich frisch wirkte: der Schutzengel der Helden und Willensmenschen gegen den Dreck.

»Sollen wir denen denn nichts zurücklassen?«

Georg zuckte die Achseln. »Wir schreiben gar nichts. Sie werden denken, die Oryx sei ausgebüchst.«

Die Vorstellung, wie die gesamte Belegschaft den Tierpark nach der verschwundenen Ziege absuchte, gefiel Leonhard, Georg wollte ohnehin den ganzen Verein in Mitleidenschaft ziehen. Gleichwohl überlegte er es sich anders, der Reviertierpfleger genügte ihm.

Die Zeit drängte, nach einigem Hin und Her entschieden sie sich für ein Schild, vorsichtshalber in Leonhards Handschrift:

BIN ZURÜCK NACH ARABIEN!

Mit Schlamm gemalt auf eine herumfliegende Pappe, ein Stück Umzugskarton. Sie legten es in den Heustand.

Kein Mensch hatte sie beobachtet, unablässig fiel der Regen, der Tierpark gehörte sich selbst. Ein letztes Mal blickte Georg sich um, dann schloss er das Gatter und stieg rasch in den Wagen. Leonhard folgte ihm, die Hände in den Manteltaschen vergraben. Er schüttelte den Kopf:

»Was für eine aberwitzige, sinnlose Aktion.«

Auf eine gewisse Weise allerdings hatte Georgs finstere Entschlossenheit ihm imponiert. Es war dieser gefährliche Optimismus, an dem die Welt zugrunde ging, aber er machte das erste und einzige Mal einen starken Eindruck auf ihn; vielleicht weil gerade Georg es war, von dem Wille und Optimismus so überraschend Besitz ergriffen hatten.

3

Wenn der Regen nachließ, würde sie den Schirm zusammenschieben, aber vielleicht würde sie noch etwas länger damit warten, vielleicht fing der Regen gleich wieder an, das Wetter war zu unbeständig für alle sicheren Schritte. Immerhin flatterte ihr Mantel noch, der helle, hochgeschlitzte, den Rainer ihr geschenkt hatte, und wenn man die vereinzelten Menschen sah, die auf der anderen Seite der Spree entlangeilten, hastig mit gesenkten Köpfen, wusste man, dass den Elementen nicht zu trauen war.

Der Eisensteg hinüber zum Park war angerostet, er konnte viel von den Elementen erzählen, dem Regen und dem

Fluss unter ihm, sie kratzte ein wenig mit dem Absatz darauf, bis nichts mehr zu hören war, weil die S-Bahn über alles herüberdonnerte und zwischen allem hindurch, Wolken und Wasser und den bleigrauen Wänden des Pergamonmuseums, das aussah, als stünde es in sich selbst.

Sie konnte sich kaum noch vorstellen, wie sie vor einem knappen Jahr hier gegenüber auf dem Dach gesessen hatte; es war so viel länger her, dass es fast Mühe machte, darüber nachzudenken. Nicht das Mädchen mit den kurzen dunklen Haaren und ihren beiden Jungs rechts und links, die Glühwein tranken wie sie und über die Dachpappen der Stadt schauten mit diesem vorfrühlingshaften Winterblick, wie in einem der schönen französischen Filme. Nur dass sie, Rosalie, es war, die das gewesen sein sollte, das war es, was sie nicht sah, was vielleicht gar nicht so war und auch nie gewesen sein konnte, schon damit sie sich glücklich wie jetzt auf Rainer freuen konnte, der gleich kommen würde, jeden Augenblick.

Bis dahin aber stand sie allein auf der Insel, auf der einst ungezählte Flussläufe den Morast zerschnitten hatten, wo es nach jenem Sumpf gerochen hatte, in den Könige und Kaiser ihre schweren Bauten wider die Natur und für die Geschichte gesetzt hatten. Man musste die Augen zumachen, um in dieser Jahreszeit grünes Schilf, Rohrkolben, gelbe Schwertlilien unter Schichten von Stein hervorsprießen zu lassen, damit Falter die Luft durchgaukelten und sich andere Vögel dazu vorstellen ließen als Tauben.

Aber es war nicht dieses Museumsinselgefühl, das sie empfand, nicht der Schneeblick vom letzten Winter. Zu viel anderes hatte sich über dieses Bild gelegt, zu viel Menschliches; erst letzte Woche war sie durch alle vier Museen gegangen, auf der Suche nach einem Thema für ihre Arbeit bei Brandauer. Zunächst hatte sie an moderne Architektur gedacht, wegen Rainer vielleicht, aber nicht nur wegen Rainer. Frank Lloyd Wright war ihr eingefallen, den sie schon immer gemocht hatte und über den man in Kalifornien gut würde schreiben können, Frank Lloyd Wright und Kalifornien, das passte. Aber dann hatte sie in der Staatsbibliothek gesucht und allein hier so viel über Frank Lloyd Wright gefunden, dass es ihr unmöglich erschienen war, auch nur einen einzigen Gedanken zu denken, der noch nicht zuvor gedacht worden war, und darüber hinaus hatte sie noch einige ganz andere Erfahrungen gemacht. Die Stasi hatte einen sehr langen Dienstweg, die Zeit zwischen dem Betreten des Gebäudes und den ersten Büchern, die man zur Hand nahm, betrug Stunden. Es gab ein ganzes System von Gebühren und Garderoben, Passierscheinen, Tages- und Wochenausweisen, jeder Saal gehorchte eigenen Regeln, denen sich die Bediensteten unterworfen hatten, gnadenlos und mit harten Gesichtern, wie Mitglieder eines Ordens, und es war ihnen anzusehen gewesen, wie gerne sie sich von Bittstellern wie Rosalie befreit hätten. Und dann war nichts dabei herausgekommen als dieses schwindelnde leere Gefühl. Sie war die Stufen hinuntergegangen und hatte die Straße im Abend gerochen; die eiligen Autos, die an alledem vorbeifuhren, als bedeutete es nichts.

Die nächsten Tage hatte sie dann in den Museen verbracht, sie brauchte ein neues Thema, aber auch hier fand sie nichts als das Gefühl, dass es schon alles gab und dass es inmitten der Kunst auf gar nichts mehr ankam, schon gar nicht auf Rosalie. Mit einem Mal waren ihr alle die Bilder und Büsten, die Friese und Reliefs wie Leichenteile erschienen, ein grotesker Friedhof: ägyptische Katzen und romantische Flusslandschaften, kitschig-römische Alabasterknaben und sozialistische Meister; es war so völlig gleichgültig, was man machte.

Vor ihr wölbte sich die Brücke; überall standen Steinfiguren im Dunkel. Die riesige Wand des Pergamonmuseums warf ihren Schatten in die Spree. Die Sonne war herausgekommen, sehr spät, wahrscheinlich gab es sogar einen Regenbogen; der Himmel war dunkles Grün, auf dem Wasser standen orangene Schaumkämme mit Neigung zu Rostrot; am zweiten Mai fünfundvierzig hatte der erste russische Soldat die Insel betreten.

Ein weißer Wagen war über die Brücke gefahren. Der weiße Wagen umschlich sie wie ein Panther. Der weiße Wagen hielt neben ihr.

»So tief im Dunkel vergraben, Schatz?«

Rainerlächeln.

Sie hatte sich zusammengerafft, auf der Stelle, auf der sie stand; der hochgeschlitzte Mantel flatterte nicht mehr; ihr war warm. Sie stieg ein.

»Bereit für einen großen Abend?«

»Immer bereit.«

»Woran hast du gedacht?«

»Hab's vergessen«, sagte Rosalie. Und fast stimmte es. Sie merkte, dass sich ihr Leben augenblicklich wieder zu einem Ganzen formte, und dass dieses Ganze etwas mit Rainer zu tun hatte, der jetzt den Wagen startete, mit all diesem Schwung, mit dem er rückwärts fuhr, über die Schulter sah, ohne mit dem Lächeln aufzuhören, das er sich für sie bewahrte, dass all dies ihr galt, wie sie hier neben ihm saß, so dass draußen die Reifen quietschen konnten, so viel sie wollten, und selbst das Museum, das so dunkel und bedrohlich vor ihr gestanden hatte, klein und kleiner wurde.

4

Die Transaktion war sorgfältig vorbereitet, ähnlich der von Christoph Kolumbus, als er auf der sicheren Grundlage unglaubwürdiger Quellen, mathematischer Stümperei und fahrlässigen Gottvertrauens den Weg ins gesuchte China sehr genau um sechstausendsechshundert Seemeilen falsch berechnet hatte. Georgs und Leonhards Ziel, ein Ort ganz im Osten, sollte in zwei Stunden erreichbar sein. Kaum länger, und die Weiße Oryx würde sicher auf den Hof eines im Lande weltberühmten Dichters gelangen, den Georg erstens ausfindig gemacht und zweitens ebenso mühsam davon überzeugt hatte, das Tier auf ein weites Feld zu stellen; immerhin war die Oryx ein kleines Kapitel deutsch-deutscher Geschichte, für die er sehr zuständig war.

»Wenn es denn unbedingt sein muss«, hatte der Dichter am Telefon geschmeichelt geknurrt; er war ein vielbeschäftiger Mann, der selten auf seinem Gut weilte, und nannte Georg den Namen eines Kontaktmannes, Kustos am Naturhistorischen Museum, ein Spezialist für Paläobotanik und im Besitz eines Zweitschlüssels zum Hof. Die Schlüsselübergabe war für fünf Uhr verabredet.

Der Weg vom Tierpark zurück nach Mitte dauerte länger als geplant, die Straße der Befreiung war in Stadtrichtung gesperrt, in Friedrichsfelde vorwärtszukommen war mühselig. Eine Weile stimmten sie ein unschuldiges Thema an, wie ein Lied, redeten übers Café Rotonde, über Ehrenburg und das dem Bürger so sehr verhasste Wetter. Sie brauchten eine halbe Stunde, bis sie die Frankfurter Allee erreichten, weitere fünfzehn Minuten bis zum Etappenziel. Die Invalidenstraße, eine einzige Baustelle, zwang sie zu raubvogelgleichem Kreisen um das Karree, überall Halteverbot. Nach drei weiteren Ehrenrunden parkte Georg den Wagen in der Feuerwehrzufahrt zum Naturhistorischen Museum. Dann entriegelte er den Hänger und schenkte ihrer Beute einen kurzen prüfenden Blick; kein Laut, kaum ein Lebenszeichen, vielleicht etwas Nasendampf. Die Oryx sah bereits aus, als ob sie hierhingehörte.

Der Bau schloss in einer halben Stunde; Kustos Rico war bereits gegangen. Georg wählte Ricos Privatnummer, der Paläobotaniker klang unwillig, war aber bereit, noch einmal zurückzukommen; Leonhard und Georg verstreuten sich derweil in den Räumen.

Das Museum roch irgendwie; ein Tierfriedhof, verschlissenes Leben, mal mit und mal ohne Fell. Die Felle waren verwaschen, manchmal durchgescheuert wie abgetragene Anzüge, man konnte erkennen, dass sie auf kürzere Nutzungsdauer berechnet waren.

Die Zeit drängte, die Oryx stand bereits zehn Minuten im Halteverbot.

Im großen Hauptsaal türmten sich Knochen zu Tieren, gigantische Aufbauten, wie Eisenskulpturen. Der Brachiosaurier auf dem Podest hatte seine Schlacht schon vor achtzig Millionen Jahren verloren; die Oryx draußen im Hänger strampelte noch.

Leonhard gähnte. Das Gerippe zeigte sein vorsintflutliches Grinsen; es war gemeinsam mit dem Brachiosaurus ausgestorben; ein Code, den keiner mehr verstand. Leonhard blickte unverwandt in die poröse Zahnmaske und dachte an Kaffee.

Das Einzige, was sich fand, war ein völlig neu funkelnder Colaautomat, der zum restlichen Museum passte wie die vielen verblichenen Viecher ringsum zum Begriff *Leben*. Er warf eine Münze in den Schlitz, zog eine Eisenlade hervor, nahm eine Coladose heraus und ging zurück in den Saal.

Der Brachiosaurus grinste noch immer mürbe. Wahrscheinlich wunderte er sich darüber, dass er überhaupt zusammenhielt: auf die Knochen kommt es an; eine übersichtliche Botschaft. Er hätte ebenso gut ein Schiffswrack sein können, oder zwei Öltanks; sein Gewicht wurde in Tonnen bemessen, Leonhard erinnerte sich: *Brachiosaurus,* 22 Meter lang, 50 Tonnen. Es war das erste Mal, dass er als Kind diesbezüglich von Tonnen gehört hatte.

Die Coladose öffnete sich zähneknirschend und spuckte.

Wenig später traf Rico am Schauplatz ein. Der Paläobotaniker war dürr wie herbarisiertes Gestrüpp und mindestens ebenso mürbe; eine ausgemusterte Karottenjeans pumpte die dünnen Beine auf, der magere Oberkörper in traditioneller Elaste.

»Na, Jungs.«

Er sah überhaupt nicht nach »Jungs« aus, eher nach Schreibtisch, schlechtem Licht, Staubluft. Es gab viel zu tun, jede Pflanze im Ostteil der Stadt fiel nun in sein Fach, Überbleibsel aus geschichtlicher Zeit, die vollständige Kartografie aller verbliebenen Reste beanspruchte Jahre.

Rico bedeutete ihnen zu folgen; er wirkte überaus nervös und schaute sich gleich mehrfach auffällig um. Das Einzige, was sie sahen, waren die toten Glasaugen der Tiere, stumme Zeugen, die, wenn sie hätten reden können, gewiss andere Probleme gehabt hätten als Ricos Geheimnis.

»Ihr seid also Georg und Leonhard.«

Unwidersprochen. Wie viele Jungs mit Pferdehänger vor der Tür waren denn hier versammelt?

Der Kustos blieb misstrauisch. Er behielt den Schlüssel in der Hand, lange, als wollte er ihn am liebsten wieder einstecken.

»Also, keiner sagt, dass ich es war, der euch den Schlüssel gegeben hat. Ist das klar, Jungs?«

Die Übergabe zog sich hin, Geheimnisschwüre hüben wie drüben; das Museum schloss seine Pforten.

Sie gingen zum Wagen, Georg setzte sich ans Steuer, die Novembersonne senkte sich hinter die Häuser. Hier und da standen Ampeln in der Dunkelheit, dazwischen Nutten, hochhackig gestiefelt, uniformiert in schwarzen und weißen Skijacken und mit den gleichen Haaren. Sie sahen aus, als wenn sie alle vom selben Ausrüster gesponsert würden.

Die Mädels am Park sahen den Pferdehänger langsam an sich vorbeifahren. Sie bemerkten, dass keine Turnierpferde darin waren, man konnte nicht einmal einen Arsch über der niedrigen Rückwand sehen. Die Mädels mochten Pferde, und ein brauner schweißglänzender Arsch unter der halbge-öffneten Plane wäre ihnen bestimmt aufgefallen, obwohl es sie zwang, nach anderen Ärschen Ausschau zu halten.

Bald allerdings würde man den Pferdearsch auch dann nicht sehen, wenn er tatsächlich im Hänger vorhanden ge-wesen wäre. Gleich würden Georg und Leonhard von der Oranienburger Straße in die dunklere Spandauer Straße ab-biegen.

Gleich würde das Licht verschwinden.

5

Der Fernseher goss blaue Bilder ins Lokal, das hektische Ge-zappel atemloser Fische auf einem Kutter. Ein blondes Mäd-chen hüpfte frohsinnig durch ein Spalier aus Tonnen und schwarzen Männern; Bilder und Text ignorierten sich in ge-konnter Verachtung, die Anwesenden guckten auf ihre Piz-zen.

Es war nicht schön hier auf der Friedrichstraße, Ecke Ora-nienburger, aber sie hatte darauf bestanden: etwas aus ihrer

Welt, außerdem waren die Pizzen großartig. Der schnoddrige Mexikaner wäre die andere Möglichkeit gewesen, aber wenn es draußen nass und kalt war, war die Cantina innen zu kitschig. Und irgendwie hatte sie weder Lust auf den Mexikaner noch auf Erklärungen.

Der Fernseher wiederholte jetzt eine Sendung zum zweijährigen Jubiläum, die Bilder gehörten nicht ganz zusammen, manche waren vom November 89, andere vom Dezember 90, es waren keine neuen dazugekommen. Sie setzte sich nahe an Rainers Seite. Ein Zeitungsverkäufer mit mindestens griechischem Einschlag verkaufte Stadtmagazine. Dann kamen die Pizzen, sie schmeckten wie versprochen, Rainer aß ruhig und langsam, und Rosalie merkte nicht zum ersten Mal, dass Pizza Spinaci sich nicht essen lässt, jedenfalls nicht so, dass man gut dabei aussieht, aber Rainer grinste nur, er wusste, dass es die Pizza war, die nicht mitspielte, und nicht sie.

Der Kellner schnippte auf der Fernbedienung herum, landete aber überall beim Jubiläum. Die schnellen Wechsel lenkten die Aufmerksamkeit für Sekunden auf das Programm: gegrölte Gesänge, auf der Ehrenloge Regenschirme, die unverwandten Gesichter weißhaariger Potentaten, graublonde Prinzessinnen in vollem Wichs, die üblichen Vertreter eines demokratischen Staates; im Hintergrund bimmelte eine Glocke.

Rainer hatte einen schweren silbergrauen Ring, wahrscheinlich ein Siegelring. Er hätte ihr erzählen können, dass er den Ring von seinem Vater hatte, der ihn zu denselben Manschettenknöpfen getragen hatte wie jetzt sein Sohn, in einer anderen Zeit; er hätte weiter erzählen können, dass sein Vater stolz auf den Sohn war, weil er eines künftigen Tages sein beigefarbenes Büro übernehmen und es weiß streichen würde, wenn er randvoll mit neuen Ideen aus Amerika zurückkam. Aber Rainer erzählte nichts, er hatte den Mund voll mit Pizza, und es fiel schwer genug, zwischen den Bissen zu lächeln, jedenfalls aufmunternd und verständnisvoll, wegen des Spinats. Der Ring galt dem Abend, ebenso wie die Manschettenknöpfe, Hemd und Anzug, Rosalies Kostüm und der hochgeschlitzte Mantel; sie hatten Großes vor, wenn die Pizza gegessen war, und natürlich hatte sich Rainer sorgfältig umgeguckt, als sie diesen Laden betreten hatten, der nichts von ihrem weiteren Abend hatte, aber eben viel von Rosalies Idee. Sie war sehr energisch gewesen; man musste sie einfach gern haben.

Die ehrenwerte Gesellschaft winkte von einem Balkon einen Gruß ins Volk, der nun keiner mehr war, sondern eine Wiederholung. Die winkenden Arme zuckten unverwandt weiter in die Menge, es konnte Jahrzehnte dauern, bis sie zur Ruhe kamen.

»Weißt du, es gibt tolle Restaurants in San Francisco.«

»Fischrestaurants?«

»Fischrestaurants, italienische Restaurants, mexikanische Restaurants. Was du willst.«

»Hm. Wie weit ist das genau, von Sacramento nach San Francisco?«

»Mit dem Auto zwei Stunden. Durch wunderschöne Täler, alles Weinbau, die Hänge sind grün im Sommer und im Spätsommer violett.«

»Und weiße Häuser dazwischen?« Sie hatte Filme gesehen.

»Weiße Häuser dazwischen.«

Vor dem Fenster war der Tag zu Ende; der Pizzageruch lebte weiter in die Nacht. Die sardischen Fischer in Öl und Plastikrahmen schauten in die Ewigkeit und auf die Friedrichstraße, atmeten Käse, Fett und Tomaten. Der hellblaue Kalkanstrich, die pflanzenlosen Fenster, die waren auch schon vor Rosalie da gewesen. Wieder dachte sie daran, wie viel das war, was schon ohne sie da war, und dass es bereits eine Geschichte vor ihr gegeben hatte, was man ja wusste, aber so ganz wirklich sich nicht vorstellen konnte, dass alles auch für sich so war, ganz für sich, und nicht blasses Vorspiel für den eigenen Auftritt. Immerhin, das Vorspiel schrumpfte zusammen; sie sah Franziska vor sich und den Kleinbus, und Gerds Gesicht gestern, als er ihr die Sachen aus dem Treppenhaus abnahm und im Innenraum verstaute, und ganz zum Schluss hatte er Franziska selbst verstaut, auf dem Beifahrersitz, mit einem roten Kleid – einem Kleid zum Umzug! – und mit der schweren Tasche auf ihren Knien: Da war es schade um Franziska gewesen und vielleicht noch mehr schade um die Vorgeschichte, die in dem weißen Kleinbus aus ihren Augen fuhr, zum Berg nur, aber für Rosalie genügte das vollständig.

Es fühlte sich gut und richtig an, wenn sie jetzt die Teller zurück zur Theke brachte und lächelte.

Der Kellner musterte sie: »Bella donna.«

Rainer umfasste ihre Schultern, ein siegessicherer Arm, ein Signal, nicht nur für sie.

Der Kellner sah wieder die Kasse.

Der Fernseher blieb im Raum zurück, auf dem Bildschirm hupten die Trabis; ein letzter Triumph, sie würden aussterben, aus einem Zug erschossen, der eilig vorüberfuhr: dem Zug der Zeit. Bärte brüllten und Jeansjacken hüpften, alles Ossis, man konnte sich glücklich schätzen, nicht dabeigewesen zu sein.

Sie traten hinaus in die schlechte Straßenbeleuchtung. Rainer öffnete Rosalie die Beifahrertür, sie musste auf den Mantel aufpassen.

Damen haben den Vortritt, wenn sie alt genug sind, nicht mehr jung zu sein und in Begleitung älterer Männer; der

Vortritt machte etwas mit Rosalie: Er machte sie unschuldig, wetterfühlig, zerbrechlich.

Die Friedrichstraße lag rechts und links und träumte von früher oder später; das Jetzt war ein Nichts; dahinter lag eine lange Nacht.

6

Die Nacht wurde sehr schlimm. Es kam halt anders.

Eigentlich hätten sie zunächst etwas essen müssen, Leonhards Hunger war unausweichlich, aber schon mit dem Essen fing es an, es war eigentlich gar keine Zeit zum Essen mehr da. Eine Weile überlegten sie gleichwohl, beim schnoddrigen Mexikaner vorbeizufahren, man konnte Encheladas mitnehmen für unterwegs, aber diesmal riet Leonhard ab, das Risiko erschien ihm zu groß. Der Mexikaner war scharfsichtig, er würde den Hänger entdecken, und vielleicht sollte man ihn besser nicht in die Transaktion einweihen, möglicherweise sogar neigte der schnoddrige Mexikaner zu Erpressungen.

Hungrig geworden – beim Gerede über Encheladas hatte Georgs Magen mit Leonhards gleichgezogen –, fuhren sie in die Stralauer, parallel zur Spree. Die Absperrgitter am S-Bahnhof Jannowitzbrücke zwangen zu weiteren Schleifen, bevor es in die Holzmarktstraße ging, diesmal zielstrebig gen Osten. Ein Stück weißer Mauer stand hier, grau im Dunkel und fast überall verschmiert; lauter buntes Zeugs, man durfte sich fragen, wer so etwas tat. Mattes orangenes Licht hob sich aus dem Dunkel, die Ostlaternen glommen wie Ölfunzeln, vom Schienengelände hinterm Hauptbahnhof klagte ein Laut; eine einsame Maschine schrie ihr gespenstisches Leid in die Finsternis. Am Osthafen wartete eine weitere Absperrung auf Kunden; der Verkehr stand eine halbe Stunde.

Die Scheibenwischer ruhten, die Zeiger auf halb acht, der Regen lief über die Windschutzscheibe und bildete kleine, schnell sterbende Bäche. Georg durchwühlte das Handschuhfach nach passenden Kassetten. Leonhards Nase begann zu bluten, im Schein der Armaturen und aus heiterem Himmel, wie die heilige Maria von Tschenstochau. Der Hänger im Rückspiegel stand unbeteiligt in der Nachtluft, von nervösen Autos mit laufenden Motoren umlauert.

Georg legte eine Kassette ein: Der *Wind of Change* blies, von den *Scorpions;* Besseres war nicht zu finden.

»Alles in Ordnung?«

Leonhard hockte still auf dem Beifahrersitz, ein Taschentuch gegen die Nase gedrückt, seltsam entrückt. Er brauchte nicht zu antworten, weil endlich der Verkehr weiterging, Georg den Wagen anließ und im drohenden Schatten der Eisenbahnbrücke über die Spree fuhr in die Treptower Straße, am schwarzen Park entlang und weiter über die Köpenicker Landstraße, die Chemietürme zur Linken, zur Rechten zurückgesetzte Villen, verrammelt und verschlagen hinter mächtigen Toren. Dann ein Industriegebiet, schmierig wie aus einem Endzeitfilm. Eine Viertelstunde später in Niederschöneweide die nächste Straßensperre; eine Umleitung, es ging hoch an die Spree, die Köllnische Weide breitete sich aus, ebenso die Köllnische Vorstadt, Ziegeldächer und Butzenscheiben; Kokmistgeruch und Bratwürste erfindet jede Fantasie gern hinzu; wieder spürten sie, wie der Hunger kam.

Hinter der Schlossinsel ging Georg vom Gas, die erstbeste Imbissstube lag nur wenige Meter weiter, sie parkten das Auto samt Hänger im Halbdunkel zwischen zwei Laternen. Ein kurzer Blick versicherte Georg, dass die Oryx noch da war. Sie hatten über zwei Stunden gebraucht bis hierhin, in der gleichen Zeit hätte man Magdeburg erreichen können oder Rostock.

Die Imbissstube verströmte ortsübliche Gemütlichkeit, fettgetönte Scheiben und Neonlicht, dazu Stehtische aus Plastik ohne Stühle und mit fleddrigen Zeitungen darauf, ohne Sportteil, dafür drei Beilagen farbige Reklame.

Gleich nach dem Eintritt öffnete Leonhard seinen Mantel, das heißt, er versuchte es. Der Mantel war alt und selten gebraucht, und ärgerlicherweise hatte sich der Reißverschluss verhakt, die Zugbahnen aber waren unten auseinander gegangen, so dass sich die Mantelschöße langsam voneinander lösten. Leonhard ruckelte weiter, nahm Schwung, und der Zug fuhr hoch bis zum Hals, aber keinen Millimeter wieder zurück. Die Mantelschöße hatten sich derweil völlig geöffnet; der Zug am Kinn machte es unmöglich, den Mantel über den Kopf zu ziehen, der längst keiner mehr war, sondern ein Zelt.

Die Prozedur interessierte keinen; ein Taxifahrer, den Wagenschlüssel auf der Tischplatte neben fleckigen Kaffeetassen, starrte düster auf den mit Kippen übersäten Boden in unendliche Tiefen. Am Fenstertisch ein Dicker mit einem Stapel Bouletten, langsam kauend mit der ungetrübten Ruhe eines gern gesehenen Stammgastes.

Leonhard schlenderte als erster zur Theke, ungerührt und ungebrochen im Zelt; Georg folgte zögerlich, die Augen zu Schlitzen gekniffen, den verstohlenen Blick durch das Fenster gerichtet in die weite Köpenicker Nacht.

Der Stubenchef mit graugekräuseltem Bart praktizierte Berliner Charme; möglicherweise ging es ihm gut dabei, Georg lebte seit einem Jahr in der Stadt, aber die Absicht hinter diesem Ton war noch immer schwer zu erraten.

»So, Sportsfreunde. Gewählt?«

Georg nahm Gyros mit Tsatziki, Leonhard einen strammen Max.

Der Chef machte sich an einem Pommessack zu schaffen, kippte die bleichen Dinger in einen ranzigen Kessel, wie ein Müllmann. Keine Miene verriet, dass er ihre Bestellung gehört oder verstanden hatte.

Der Dicke am Nebentisch suchte jetzt das Gespräch. Er hatte den Hänger gesehen, draußen vor der Scheibe.

»Pferdetransport?«

Leonhard bestätigte.

Der Dicke hatte eine Boulette in den Mund geschoben, den weit größeren Teil davon.

Georg wandte sich ab und starrte planlos auf die verspritzte Speisentafel. Leonhard studierte den Ausblick auf das Gefährt.

»Seht gar nicht wie Reitfreunde aus«, nuschelte der Dicke durch die Boulette. »Eher wie Penner.«

Georg blickte in den Raum: Zwei Schulmädchen waren hereingekommen mit geflochtenen Rastalöckchen in ihrem fisselig farblosen Berliner Haar; der Taxifahrer, der noch immer keinen Grund auf dem Boden fand; der Dicke, der nach Verdauung roch und nach schlecht abgepacktem Fisch.

Der Chef nickte kurz. Böse Bestätigung. Dem Dicken reichte sie völlig. Er lachte auf und verspritzte Boulettensprenkel über den Ecktisch.

Auf der Theke dampften die Menüs, geschmackvoll auf Bauerntellern, karminrote Blumenranken und Jagdmotiv.

»So, Jungs.«

Leonhard im schlammverspritzten Zelt trug seinen Teller zum Tisch; gelassen, mit der größtmöglichen Selbstverständlichkeit. Die Mädels sahen ihm abfällig nach, ihr Gruppengefühl solidarisierte sie im Nu mit der Heimatfront.

Georg und Leonhard aßen schweigend; es würde darauf

ankommen, das Misstrauen der einheimischen Bouletten-freunde in Grenzen zu halten. Nur selten wagte Georg einen verstohlenen Blick aus dem Fenster: ein Betrunkener, der sich in der Nähe des Hängers herumtrieb, ein Polizeiwagen sogar, der nichts ahnend daran vorbeischlich. Dann wand-te er sich wieder Leonhard zu, der so ruhig, so unangreifbar war in dieser feindseligen Umgebung und seinen strammen Max verspeiste, langsam und sorgfältig, als hätte er selten angenehmer gespeist.

Leonhard packte Georgs Reste ein, die Nacht konnte lang werden. Der Stubenchef verweigerte die entsprechende Plastiktüte; Leonhard nickte freundlich und erstand leise lä-chelnd zwei Jägermeister.

»Kompliment an den Koch«, sagte Leonhard zum Ab-schied.

Der Taxifahrer war weg; der Dicke versuchte erneut zu lachen; die Schulmädels würdigten sie keines Blicks.

Die Oryx stand unbehelligt im Hänger, eine der beiden Laternen war ausgegangen. Sie rutschten zurück auf die Autositze, plumpsatt und vom Straßenwind gezaust und mussten kichern.

»Weißt du eigentlich, wie ich mich fühle?«, fragte Leon-hard eine Weile später.

»Na?«

»Colonel Nicholson.«

»Colonel Nicholson?«

»Die Brücke am Kwai.«

»Hm?«

»Ich meine, eine Sache durchzuziehen, die eigentlich gar nicht die eigene ist. Und dann hat man damit angefangen, und auf einmal wird es doch die eigene Sache, so dass man furchtbar stolz darauf wird.«

»Stolz?«

»Wir ziehen das jetzt durch.«

»Ziehen wir?«

»Wir ziehen.«

Sie sahen sich an, Georg im Hemd, Leonhard im Zelt. Von nun an würde das »Unternehmen Oryx« ihr einträchtiges Abenteuer sein. Sie würden die Sache durchziehen heute Nacht. Sie nickten und waren sich sehr einig, während Georg den falschen Weg nahm und ungebremst in die Wendenschlossstraße einfuhr.

In den Boxen wiederholte sich der *Wind of Change*.

»Weißt du«, sagte Georg, der Leonhard dicht neben sich fühlte, »wenn wir da sind, campieren wir im Stroh.«

Sie tranken den Jägermeister gegen die Kälte und für das Gefühl zwischen ihnen; sie kicherten und lachten in den Sitzkissen des Wagens diesseits alles anderen, was geschah, sie zündeten sich Zigarren an, die sie im Handschuhfach fanden, und beide wussten sie jetzt, dass das, was sie taten, richtig war, dass es einen Sinn hatte, und für Georg war es das tiefste Glück, das er seit langem empfunden hatte, dass Leonhard ihn verstand, ganz ohne den Tierparkdirektor gekannt zu haben, einfach nur verstand, und fröhlich zogen sie an ihren Zigarren, unterdessen die Straßenlaternen weniger wurden, die Lichter spärlicher, die kalte Feuchte der Nacht sie umschlang.

Der Motor ruckelte, bockte und kam schlagartig zum Stehen, als hätte gerade in diesem Moment jemand den Stecker rausgezogen; langsam rollte der Wagen mit Hänger an den Straßenrand.

7

Brandauer hatte ein großes Gesicht und eine niedrige Stirn. Beim ersten Mal war ihr nur das Gesicht aufgefallen, jetzt sah sie auch die Stirn. Wenn man sich sein Gesicht einprägte, dann weil diese Stirn niedrig war; in Karikaturen, schlechten Filmen und Werbetrailern für Hustenbonbons hat jeder Professor eine hohe Stirn, oder er hat weiße Haare wie Albert Einstein und kichert senil, aber das waren keine echten Professoren, und diese Brandauerstirn war einfach kurz und flach.

Kurz und flach waren auch die Gespräche um sie herum gewesen, seit sie vor drei Stunden hier angekommen waren; fünfhundert Meter vom Italiener, sie hätten zu Fuß gehen können, aber Rainer fuhr alles. Schon auf dem Parkplatz hatte sie sich über die Karossen gewundert, die hier vorgefahren waren, zwischen Trümmern und Bauzäunen, selbst der Eingang in den Tränenpalast war schlammiger aufgeweichter Boden, notdürftig ausgelegt mit Paletten; es roch nach Kies.

Die Party war richtig wichtig, der Türsteher kontrollierte mit Wärterblick; kurzgeschoren im weiträumigen Anzug mit Lederschlips.

Innendrin war die Luft blau, Kellner wuselten zwischen Fahrkartenschaltern, oder etwas, das aussah wie Fahrkartenschalter, überall Anzüge und Smokings, Champagnerlächeln und ein Laufsteg, dahinter eine Riesenleinwand mit Bildern, noch immer das Jubiläum.

Es waren Hunderte von Menschen da, vielleicht sogar tausend. Rosalie hatte gar nicht gewusst, dass solche Partys überhaupt stattfanden in ihrem ureigenen Viertel, aber erstaunlicherweise hatten alle, die hier waren, davon gewusst:

Designer, Werbeleute, Politiker sogar, dann Geschäftsführer, Architekten, Bankleute, Galeristen, Gesichter, die nach Fernsehen aussahen, Filmleute und Models. Rosalie staunte, dass ebensolche wichtigen Leute immer genau wussten, wo man gerade hingehen musste; möglicherweise war es gerade das, was sie wichtig gemacht hatte. Es waren aber auch andere Leute hier, Leute in schrägen Outfits, Transvestiten und bunte Gestalten, bei denen kaum denkbar war, wie sie die Eingangskontrolle überstanden hatten.

Sie stand an der Theke, etwas unterhalb von Brandauers Gesicht. Rainer grinste verschwörerisch zu ihr herüber.

»Generation Berlin«, sagte Brandauer. Es war das Motto des Abends, und wie es schien, hatte er sich damit beschäftigt.

»Was auch immer das sein mag«, sagte Rosalie.

Ihr Gegenüber hob die Brauen. Es schien nicht das zu sein, was er von ihr erwartet hatte.

»Ich meine, es ist halt so'n Werbespruch.«

Brandauer nahm einen kräftigen Schluck Champagner. »Das ist mehr als ein Werbespruch«, entschied er. »Es ist wirklich etwas Neues, was hier passiert, ganz neue Chancen, eine Chance für Deutschland und eine ganz neue Generation.«

Er wusste mehr als sie, war sich seiner Sache sehr sicher. Wenn man sich einer Sache so sicher war, brauchte man sich nicht darüber zu unterhalten, dachte Rosalie. Warum redete er überhaupt mit ihr? Er musste viel getrunken haben in den ersten Stunden, breitschultrige Bewegungen wie ein Fußballtrainer und dazu das Skilehrerlächeln, nicht schlecht für einen Mittvierziger, sehr smart, wenn man es mochte: Sekretärinnenschwarm.

»Wir haben viel vor uns in dieser Stadt.«

Wir, war die Generation Berlin? Die Architekten? Die

Uni? Brandauers Lehrstuhl, den er, sehr ausführlich erzählt, seit kurzem hier besetzt hatte? Es war nicht ganz leicht, alles Folgende zu verstehen, es war laut und lauter geworden um sie herum, Brandauer erzählte sehr lang, auch die Pointen streckten sich. Sie musste nicht alles verstehen, um zu verstehen, wie wichtig es für ihn war dazuzugehören, zu den Champagnergläsern, den tollen und wichtigen Leuten, dem Flair der Stadt, von dem Rosalie nicht verstand, was Brandauer damit meinte. Er erzählte von der Kaufhausruine in der Oranienburger, von Deutschen und Juden, von Prenzlauer Dichtern, mit großem Schwung, als hätte er selbst all dies erschaffen. Für ihn begann nun die Pionierzeit, wie er es nannte; für Rosalie war sie mit diesem Abend zu Ende.

Rainer, im Gespräch mit Kollegen, winkte jetzt zu ihr herüber. Eben zündete er sich eine Zigarre an, er hatte sie vom Barkeeper erstanden, mit dem komplizenhaften Charme zweier großer Jungs, die sehr genau wussten, was gut für sie war.

»Wirklich gute Leute«, sagte er, als er wenig später bei ihr stand und sich nach allen Seiten umwandte. »Supertypen, die siehst du sonst nirgends.«

Rosalie nickte. Es war auf eine gewisse Weise interessant, aber nicht weltbewegend oder gar berauschend, mindestens ebenso unangenehm. Vorgefertigte Formen. Sie fragte sich, in welcher Form sie selbst dazugehörte, zur Generation Berlin, als irgendwo aus der Menge auf einmal Sandra auf sie zukam. Hätte Rosalie darüber nachdenken können, was sie nicht konnte, sie hätte Sandra nicht sehen wollen und bestimmt nicht an diesem Abend.

»Hi, Rosa. Ist ja irre, du hier?« Ein Lächeln wie Fernlicht.

Rosalie schloss unwillkürlich die Augen. Sie musste sie nicht lange schließen, denn auch Brandauer hatte Sandras Licht in der Dunkelheit gesehen.

Sandra gehörte also dazu. Zur Generation Berlin.

»Sie machen bestimmt ewas Kreatives?«, hörte sie Brandauer in ihrem Rücken fragen.

»Oh ja. Ich bin Werberin.«

»Sehr interessant. Und bestimmt sehr lukrativ.«

Brandauer machte ihr Komplimente, noch bevor Sandra Fuß fasste, die Komplimente klangen abgespielt, ein Vorspiel für seine eigene Weisen. Minuten später redete er nur noch von sich, Rosalie kannte den Text, ein paar Nuancen unterschieden sich doch, bezeichnenderweise bemühte er sich gegenüber Sandra um einen intellektuelleren Ton; *Arbiträr* hörte Rosalie, *Dekonstruktivismus* sogar, sie zuckte zusammen, und dann *Polysemie;* es klang eindeutig.

Sie blickte zu Rainer, der an der Theke lehnte, die Zigarre in der Hand, und die heftigen Winke der Kollegen abwehrte, die weiter zu ihm herüberlachten. Er hatte sie beobachtet, wie sie für Sekunden dagestanden hatte, mit sehr offenen Augen, ganz bei sich.

Er legte den Arm um sie.

»Schon müde? So früh?«

»Generation Berlin«, sagte Brandauer, zum wiederholten Mal. Der Begriff hatte ihn unterwandert; wäre er diese Nacht zum Denkmal erstarrt, hätte man ihn in den Sockel meißeln müssen.

Aus dem Blaulicht näherte sich eine weitere vertraute Gestalt, wenn vertraut hier das richtige Wort war: der Agenturchef. Auch er glänzte in einem teuren Anzug, die noch immer grüne Brille hob ihn hervor. Sandra umarmte ihn, schürzte die Lippen; sie bestand auf einem Kuss. Brandauer lächelte vielsagend, Sandra plapperte ihr Leben aus; der Agenturchef bestätigte, Brandauer gratulierte artig: Sie hatten große gemeinsame Pläne, wollten heiraten, in der Silvesternacht unter dem Brandenburger Tor.

Rosalie hatte genug gehört und Rainers Rücken gesehen, der sich wieder seinen Kumpels zugewandt hatte, die Zigarren qualmten, sie hatte vergessen, ihm zu folgen, sie ging zur Theke und holte sich ein Glas Wein, löste sich von der Gruppe und trat in die Menge. Rings um die Bar war es langweilig, ältere Herren in Anzug und Smoking, Silberrückengespräche und fettes Lachen. Eine ausgemusterte Schönheitskönigin drängte sich nach vorn; ihr aufgeworfenes Profil von unerfüllten Erwartungen verknittert, übertüncht von der verblichenen Arroganz verlebter Triumphe.

Rosalie wollte zur Tanzfläche gehen, nach den Transvestiten gucken, die schlangengleich durch die Menge geglitten waren. Ein dicker Typ quatschte sie an und drückte ihr ein Champagnerglas in die Hand, er hatte was mit Pharma zu tun, wenn sie richtig verstand, aber so richtig verstehen wollte sie nicht. Er hatte schon kräftig gebechert, auch auf sein Hemd, das Jackett war verrutscht, die Krawatte gelockert, er drückte sich ungefragt an sie, ein gieriger, unersättlicher Bauch. Rosalie hätte auf der Stelle kotzen mögen, sie suchte nach einem Spruch, den sie natürlich nicht fand; sie wand sich energisch aus seiner dicken Hand und blickte in den Raum, die vielen Leute, die dunklen Glasscheiben darüber; sie blickte länger als eine halbe Stunde, die Musik wurde besser, und dann sah sie Edgar, ein paar Meter entfernt und von einer Traube umringt, mit kurzen Haaren und im Anzug. Er grüßte nicht, stand kerzengrade und lächelte schwach. Sie war sich nicht sicher, ob er sie wirklich gesehen hatte, und wenn, so ließ er sich nichts anmerken. Wahrscheinlich aber fragte er sich längst, was sie hier machte, und für Sekunden dachte sie, wie recht Edgar damit haben musste, sie fühlte sich unsicher, ein Gast auf einer Hochzeit, zu der niemand sie eingeladen hatte. Was machte sie hier eigentlich?

Sie machte kehrt; wenn Edgar sie nicht gesehen hatte, dann sah auch sie Edgar nicht. Der Pharmamann auf dem Rückweg warf gerade eine neue Runde; auf der Großleinwand, von dröhnenden Technorhythmen getrieben, stürmte das Volk durch Fernsehbilder. Davor begann eine Modenschau, ein Szene-Designer schickte merkwürdige Frauen auf den Laufsteg. Sie fühlte sich müde und suchte Rainer, an der Bar lauerte Professor Brandauer von irgendwelchen Leuten umgeben, er stand schief, der Champagner vielleicht, Brandauers Kopf saß sehr tief, die Leute waren wichtig, Unternehmer, irgendwer vom Film, ein Senator, also doch nicht der Champagner. Sie suchte weiter nach Rainer und konnte ihn nicht finden, spürte, dass ihr flau wurde, und suchte das Klo.

Sie suchte lange, der Palast war jetzt randvoll mit Menschen, kaum ein Durchkommen. Kurz vor dem Ziel wieder alte Bekannte, der Agenturchef. Dass man in großen Mengen gleichwohl immer denselben Leuten über den Weg lief. Sandra hing ihm im Arm. »Flitterwochen« war etwas, das Rosalie verstand, und dann einen Satz, gesprochen von Sandra, ein wenig gerülpst:

»Den braunen Arsch in den Sand setzen.«

Das hatte Rosalie gehört, sehr laut und sehr deutlich. Sandra hatte Qualitäten.

Brandauer musste eine Abkürzung zum Klo kennen, oder er war heute Abend schon oft da gewesen, jedenfalls stand er direkt im Eingang, und natürlich quatschte er sie sofort an. Er hatte nun jegliche Balance verloren, sein Arm fiel regelrecht auf sie drauf, seine niedrige feuchte Stirn tuschierte ihren Nacken. Zuvor hatte sie ihn nur lästig gefunden, vielleicht irritierend, jetzt fand sie ihn widerlich.

»Eine tolle Frau«, nuschelte er. »Du bist eine tolle Frau. Wirklich. Du musst nur nicht immer so, so… distanziert sein. Genau, distanziert, das isses.«

Diese Art von Eindruck war es also gewesen, von dem Brandauer gegenüber Rainer gesprochen hatte; Rosalie war ärmer um eine schöne Idee. Brandauers schwerer Arm, der sich nur mühsam abstreifen ließ, wie ein Python, das flaue Gefühl im Magen, dieser ganze Aufmarsch der falschen Leute, all dies zusammen machte sie fertig. Der Klospiegel zeigte ihr bleiches Gesicht.

Die anderen feiern, und ich werde älter, dachte Rosalie; ein Greisengedanke. Aus der Nähe betrachtet wurde alles so wertlos. Vielleicht hatte sie tatsächlich nichts mehr verloren in dieser Stadt; vielleicht wurde es Zeit, dass sie wegging; der Klospiegel zeigte feine Falten, sie driftete davon, war ganz woanders. Keine Hektik mehr auf dem Klo, keine Türen, die auf und zu klapperten, keine Frauen, die vor den anderen Spiegeln standen und sich schminkten; vielleicht wurde es Zeit für Kinder.

Nicht weit von ihr stand Sandra und strich dunkleres Make-up über den Gesichtssamt. *Den braunen Arsch in den Sand setzen.* Das musste man nicht nur sagen, das musste man erst einmal denken.

Jenseits des Klos wurde die Welt gleichgültig, es leerte sich langsam. Sie fühlte sich sicher in der Dunkelheit und fand Rainer wieder, der heftig winkte, wo hatte sie nur gesteckt die ganze Zeit über. Die Musik war leiser, die Champagnergläser standen jetzt länger.

Eine Frau in goldfarbenem Abendkleid sagte: »Ich hoffe nur, dass sie genug Taxis bereitgestellt haben.«

Ihr Begleiter sagte: »Kümmere dich nicht darum, Schatz.«

Auf der Tanzfläche bebten die Transvestiten. Rosalie wollte fahren, Rainer zog sie an sich, sie bahnten sich ihren Weg. In zwei Jahren würde man die Transvestiten bezahlen.

Der Türsteher hatte sich gesetzt.

Rainers Mantel war weich.

8

Das Gemeine Uferaas ist schrecklich. Seit Jahrmillionen sammelt es sich an einem einzigen Tag im Jahr an der Dähme. In wirbelnden weißen Wolken steigen die Männchen unmittelbar über dem Wasser empor, bevor sie mit weit ausgebreiteten Vorderflügeln und gespreizten Schwanzfäden schwebend wieder absinken. Noch in der Luft greifen sie die drängelnden Weibchen mit verlängerten Vorderbeinen um die Hüften und begatten sie im Verlauf weniger Sekunden. Im mehlig gestäubten Wahnsinn kristallklaren Glücks segelt das vereinigte Paar luftig dahin, schwerelos, befreit von aller Last in Seele und Darm, der nichts zu verdauen braucht, mit Luft gefüllt den leichten Körperchen ihren Auftrieb gibt. Bei Einbruch der Nacht nähert sich der Tod. Eilig stoßen die Weibchen ihre Eier ins schwarze Wasser ab, in denen Larven reifen, zu vierjähriger Tortur zwischen Steinen, Algen und Schlamm verdammt, und noch in den Kiefern des gefräßigen Stichlings dem geflügelten Moment des Glücks entgegenfiebernd.

Wenige hundert Meter weiter hatten sich Marschall Schukow, General Eisenhower, Feldmarschall Montgomery und General Lattre de Tassigny getroffen und in einem hässlichen Haus, sagt man, Tee miteinander getrunken. Es war der 5. Juni 1945. Das sagte man auch.

Leonhard erinnerte frühere Tage, an denen er regelmäßig hier gewesen war, und ein Kind. Mit dem Großvater im Ruderverein: die Regattastrecke der Nazis, Olympia sechsunddreißig und wie viele Weltmeister der Arbeiter und Bauern. Leonhards Opa hatte gut gerudert, war sogar eigens nach Nürnberg gekommen dafür: Ruderkolonne auf dem Reichsparteitag oder so was Ähnliches, und der Führer ganz oben auf der Galerie. Ein einziges Mal hatte Leonhard als Kind mit dem Opa in den Westen gedurft, und natürlich waren sie sofort nach Nürnberg gereist, der Opa auf die Aschebahn ins Stadion und Leonhard auf die Tribüne; die Brezel in der Hand hatte er auf demselben Platz gestanden wie der Führer, ins selbe Stadion hinabgeblickt auf denselben Opa.

Auf der anderen Seite der Dahme standen Villen in der Dunkelheit, man konnte sie nicht sehen, aber Leonhard wusste, dass sie da waren. Als Kind hatte er unter ihnen das Schloss für oder gegen die Wenden gesucht, aber es gab keine Wenden und kein Schloss, nur Stasi-Villen, Kleingartensiedlungen und eine vernagelte Imbissbude hinterm Seglerheim. Eine Anglerhütte musste einige hundert Meter abwärts am Wasser stehen, dort waren sie fischen gewesen, in der Dämmerung erst und hinein in die Nacht mit diesem fast lautlosen Kranz hungriger Möwen über dem mondhellen Wasser, der damals genauso dort gehangen hatte wie eben jetzt.

Leonhard fischte einen angebröselten Keks aus der Jackentasche und zielte träge ins Dunkel empor.

»Schöne Scheiße.« Georg hatte die Motorhaube geöffnet und starrte halb blind vor Dunkelheit und fehlender Fachkenntnis auf einen unübersichtlichen Salat aus Kabeln. »Ich denke, das wars.«

Leonhard war weniger pessimistisch. Eine Zeit lang blickten sie vereint auf den Motor, zwei Männer in Erwartung des Mondes. »Einspritzschlauch, Zündverteilerkappe«, Leonhard murmelte seltene Fremdworte wie ein Chirurg im Operationssaal.

Georg ging zum Hänger; aus dem Inneren drang kein Laut, weder Blöken noch Wimmern, nicht einmal ein Schmatzen. Ein Zeit lang überlegte er hin und her, dachte an Tierschutzverordnungen bei Transporten. Dieses Stück am

Wasser, das der Blick eines Stadtplaners nie gestreift hatte, würde sie gewiss für länger gefangen halten, wenn sie überhaupt noch hier wegkamen. Er öffnete den Riegel, packte die Oryx am Zügel und führte sie hinaus auf die saftige Wiese. Die Architekten hatten ihr den Rücken zugekehrt, als sie den Segelclub gebaut hatten, die Tribüne für die Regattastrecke, die schwere Brauerei. Irgendeine Wiese eben in dieser nicht endenden Stadt ohne Sinn, ein Mosaik mit viel zu vielen herausgebröckelten Steinchen.

Er fand einen kurzen Ast, der sich mühelos in die feuchte Erde rammen ließ, und band den Zügel daran fest. Die Oryx begann sofort zu grasen, irgendetwas in ihr war sicher eine Ziege.

Georg sah sich um. Unruhiger Himmel, keine Lichter ringsum. Und dann kamen sie langsam vom Wasser herüber, erst unerkennbar in der Nacht, dann weiße Schwaden, ein dichter undurchdringlicher Nebel.

Noch nie seit Beginn wissenschaftlicher Naturbeobachtung war das Uferaas so spät geschwärmt. Der Juli war früh, aber möglich, der August die vorgesehene Zeit, viermal, nach überraschend kalten Sommern, hatte es Schwärme im September gegeben. Das Ausschwärmen des Uferaas' im November aber war gegen jede Theorie und Berechnung. Was mochte es ausgelöst haben, eine einzigartige kosmische Strahlung, irgendetwas Ungewöhnliches im Novemberwind?

Georg watete durch den Nebel; er hörte Leonhard niesen.

Der Moment aber, das Ereignis, verstrich, wie alle wirklich großen Momente immer übersehen werden. Es war ein kolossaler Tag in der Naturgeschichte, eine Millionenjahresensation, für die niemand Augen hatte: der neunte November neunzehnhunderteinundneunzig. Der Mond hing trübe über der Wildnis und ebenso diese mehlig weiße Wolke aus ungezähltem Leben, die jetzt ausdünnte und den Blick auf vier wackere Skinheads freilegte, die ihnen wenige Meter weiter in der Dunkelheit gegenüberstanden.

Gorillas im Nebel.

Man konnte ahnen, wie Dian Fossey sich gefühlt haben musste, als sie das erste Mal von Gorillas auf einem Brombeerpfad angegriffen wurde. Ein Weibchen und ein großes Männchen kamen brüllend und schreiend auf sie zugestürmt. Einen Moment lang blieb sie einfach stehen, wie ihr Ziehvater Louis Leakey ihr geraten hatte. Als sie weiter auf sie zurasten, brüllte sie sie an. Sie rannten weiter. Im letzten Moment warf sie sich seitlich ins Brombeergestrüpp, und die beiden riesigen Affen sausten wie ein Zug an ihr vorbei.

Diese blieben.

Konnten sogar sprechen.

»Ich fasse es ja nicht«, bekundete der Anführer echte Überraschung. »Touristen.«

Ein anderes Mal schloss Dian Fossey die Augen, klammerte sich an einen Baum und machte sich in die Hose. Als sie die Augen wieder aufschlug, waren die Gorillas weg.

Diese waren noch da.

Sie standen nahe um sie herum und amüsierten sich über Leonhards Aufzug.

»Unterwegs nach Osten?«

Leonhard mimte den Blinden; er machte sich weiter an den Zündkabeln zu schaffen, als ob es nichts um ihn herum in der Welt gab; ein Kfz-Mechaniker in der Autowerkstatt zwischen drängelnden Kunden bei Hochbetrieb.

Einer der Hautköpfe packte ihn am Kragen; das Zelt klaffte. »Eh Opa, ich red mit dir. Was soll der Mummenschanz?«

»Das wollte ich gerade euch fragen.«

»Stolz und mutig, Opa«, grinste der Hautkopf und drehte

sich um zu seinen Artgenossen. Keine Gorillas mehr; mord-
lustige Schlittenhunde, die bereits einen Kreis um sie gezogen hatten, fest und bedrohlich, wie von Jack London ent-
laufen; leises Knurren in den Kehlen, böse Knopfaugen, die
in der Dunkelheit funkelten.

»Also, Alter, was ist?«

»Nur ein bisschen campieren. Ist doch ein beschaulicher
Platz hier.« Leonhard schielte hinüber zur Böschung, jeden
Augenblick konnte die Oryx ins Bild kommen. Fatalerweise
lenkte er die Aufmerksamkeit seiner Gesprächspartner damit in dieselbe Richtung, in der, noch fataler, gerade eben
ein schwarzweißgemusterter Kopf zum Vorschein kam.

»Ich fasse es ja nicht«, wiederholte sich der Führer.

»Wir – äh, sollten die Lage vielleicht drüben an der Bude
besprechen«, schlug Georg vor, aber die Skinheads hatten
vorerst jegliches Interesse an ihnen verloren und marschierten zackig zur Böschung.

»Na, Volksgenossen, schon mal so 'ne Ziege gesehen?«

Gelächter, dann Gejohle.

Vielsagende Blicke.

»Geklaut«, stellte der Rudelführer fest.

»Hört mal, Freunde, das ist eine... eine Rasseziege. Wir
kommen gerade von einer Ausstellung.« Georg bemühte
sich um schnelle Vermittlung.

»Soso. Rasseziege. Welche Rasse?« Die Skinheads waren
in ihrem Metier.

»Arabisch. Jedenfalls nicht türkisch.«

Kratzende Hände auf polierten Schädeln. Die Oryx wurde gemustert und für undeutsch befunden. Dunkle Augen,
große Ohren, gewölbter Nasenrücken. Semitischer Typus.
Zum Zusammenschlagen freilich bot sie sich wenig an. Man
erwog eine Konfiszierung.

»Requiriert.«

Georgs Unruhe wuchs. Er wusste, dass er etwas tun musste, und er wusste, dass ihm nichts einfiel.

Leonhard wagte einen Ausfall. Er trat jetzt näher auf einen Hautkopf zu und riskierte einen Blick, von dem er glaubte, dass er ihn später als verächtlich beschreiben könnte. Der Skinhead wich keine Handbreit zur Seite.

Sie musterten sich. Der Hautkopf konnte das bedeutend besser als Leonhard. Seine gedrungene Gestalt war eine einzige Spannung, die Arme sehnig, seine Haut, die ins rötlichfleckige spielte, gestrafft wie ein Zelt. Er wäre ein 1a-Packer geworden.

»Nun gut, was wollt ihr für die Ziege haben?«, fragte Leonhard beiläufig.

»Zweihundert Reichsmark«, sagte der Skinhead moderat.

»Ihr nehmt die falschen Tabletten«, sagte Leonhard. »Solche, von denen einem die Haare ausfallen.«

Der Aufstand der Anständigen währte geschlagene und geprügelte drei Minuten, in denen, aufs Wesentliche gekürzt, Folgendes geschah:

Die Skinheads waren offensichtlich nicht auf Beute aus, sie wollten nur spielen. Zudem passten die Jungens mit der Ziege nicht ins Beuteschema. An schwierigen Gegnern, flinken Algeriern, nächtlich getarnten Sudanesen und handfesten Türken trainiert, stellte sich den Hautköpfen die schwierige Frage nach der Wahl der Mittel. Der Rudelführer pfiff kurz durch die Zähne, die Schlittenhunde zogen den Kreis zusammen.

Es gibt Momente der Verzweiflung, in denen auch den Kleinen und Schwachen übermenschliche Kräfte wachsen, so dass sie sich gegen jeden noch so starken Feind behaupten; bedauerlicherweise beschränken sich diese Momente ausschließlich auf die Fantasie. Der Stiefel des ersten Skinheads traf Georg in die Magengrube, alle weiteren ließen sich nur noch schlecht zuordnen. Leonhard stand fester auf den Beinen, den Rücken an eine Kastanie gedrückt, das Zelt wie einen Kriegermantel im Wind: Söldnerführer Freiherr von Mansfeld, seines Schwertes wie Schildes beraubt, erwartet mit bloßen Händen den Feind. Die Skinheads malträtierten ihn stehend, die Schläge trafen Gesicht und Magen; Leonhard presste die Zähne zusammen, gab kaum einen Laut von sich.

Dann war auch das vorbei.

9

Rosalie drückte sich in den Ledersitz und sah schweigend, wie Häuser weniger wurden und Landschaft kam. Auf der Gegenseite zogen Autos nach Westen, immer an ihnen vorbei, aufflackernde Lichter, laut und schnell auf dem Weg in stille Parkbuchten, flüsterleise Garagen.

Die Innenstadt lag lange hinter ihnen; der Fernsehturm, der noch Arbeit hatte, der Leninplatz ohne Lenin, eine offene Wunde; die ausgewunkenen Straßen, leergefluchten Häuser, abgedankten Fahnen, müdegeflatterten Ideen. Der Mond war hervorgekrochen, hinter tiefschwarzen Wolken und über der Rummelsburger Straße. Rainer drückte Tasten, die Musik wurde laut.

Wummernde Boxen.

Sie hatte nicht nach Hause gewollt, nur raus hatte sie gesagt, nach Osten, zum See, hatte sie gesagt. Er hatte sich gewundert, so kalt draußen, so nass. Sie hatte darauf bestanden. Sie war launisch, kapriziös, süß. Ihr war nach See.

Sie sollte den See kriegen.

Im Auto war es warm. Ihr Rock hatte die Schenkel freigelegt. Das machte ihn erst leise und langsam und dann rasend.

Sie sollte den See kriegen und ihn dazu. Hier zu sitzen, neben ihm, im Ledersitz, im hochgeschlitzten Mantel und mit freigelegten Schenkeln. Der Wagen fuhr schneller jetzt, die Bäume flitzen vorbei, die Wuhlheide unbelaubt. Das letzte Mal war es Sommer gewesen, eine ganz andere Landschaft, manchmal durfte man sich weigern zu glauben, dass beides das Gleiche ist; kleine Gedanken, von der Traurigkeit entworfen. Es war schwer, die richtige Einfahrt zum See zu finden, wenn die Landschaft eine andere war. Sie fand sie trotzdem. Das Armaturenbrett leuchtete ein letztes Mal; Rainer zog den Schlüssel heraus. Schluss mit den Boxen.

Rosalie stieg aus.

Rainer folgte ihr nach.

Seine Nähe war angenehm, aber nicht jetzt, sie machte sich los und ging Richtung Wasser. Rainer folgte ihr auf den Fersen. Er hatte sich auf diesen Augenblick gefreut, und er hatte einiges vor mit ihr, trotz der Kälte und des Regens; dass nichts davon passieren sollte, stimmte ihn unruhig. Gleich am Wasser umarmte er sie erneut und küsste wild ihren Nacken, aber Rosalie war versperrt, wiederum entwand sie sich, es war ihr mehr als nur unangenehm. Warum wollte er hier und jetzt mit ihr vögeln, hier und jetzt ihre Erinnerungen übermalen? Ein gengetriebener Löwe, der die Jungen seiner Vorgänger tötet.

»Lass mich allein. Bitte. Nur eine winzige Viertelstunde.«

Rainer blieb stehen, widerwillig. Er schüttelte den Kopf.

Sie blickte flüchtend umher, alles kalt. Sie suchte einen Weg; einen winzigen versteckten Weg, um zu sich zu finden. Ihre Pumps klebten im Boden, feine schmatzende Laute.

Es war nicht dasselbe. Einfach nicht dasselbe. Nichts war noch da, nur der See, der schon da war, als rundherum Eiszeit war, kreidebleiches Licht, schwere Tiere in zotteligen Wollmänteln, das ganze Diorama.

Sie sträubte sich nicht mehr. Die Tundra der Gefühle lädt zum Verweilen ein. Manchmal auch zum Verirren.

Sie saß im Gras, hatte längst aufgegeben, ihre Tränen zu missachten. Eine entsetzliche Angst hatte sie erfasst, die Sterne eines Tages schlicht ertragen zu können.

Georg war da, war nicht mehr da, war noch da.

Was soll man noch sagen?

Der Mond verschüttete kübelweise Milch in den Kanal.

Aus der Böschung trat ein völlig durchlöchertes Punkmädchen im handelsüblichen Kostüm. Sie stolperte eine Weile über die nächtliche Wiese, bis sie Rosalie entdeckte.

Schwankend fiel das Mädchen neben ihr ins Gras.

»Was gibt es denn da zu flennen, schöne Frau?« Die Alkoholfahne entrollte sich in Sekunden zu voller Länge.

»Erzähl mal«, sagte das Mädchen. »Vielleicht heul' ich ja mit.«

10

Kolumbus hatte ins Schwarze getroffen, als er ins Blaue gesegelt war. Es war nicht beabsichtigt, aber die Welt verzeichnete es als einen Erfolg. Man weiß nicht genau, wie lange Georg und Leonhard reglos auf der Wiese lagen, dreitausendsechshundert Meter südwestlich einer Stelle, an der ein Punkmädchen saß, eine schöne junge Frau neben sich im Kraut; auch das keine Absicht.

Eine ganze Weile glichen sie Findlingen am Ufer, bis alles ruhig war. Kein Licht war da, das sie beschien, die Sonne würde vor sechs Stunden nicht aufgehen müssen. Als nichts geschah, nur weiterhin das da war, was schon geschehen war, rappelten sie sich auf, langsam und schwerfällig, Krieger nach der Schlacht, die über schreienden Bäuchen, verdrehten Hälsen und zuckenden Beinen ihre Einheit suchen. Was zu Gesicht kam, waren Wurzeln, Eispapier, ein Kilometerstein.

Wie lebt es sich mit einer solchen Verletzung? Nicht den äußeren Verletzungen, die waren schnell erzählt. Georgs Gesicht wies einige sehr sichtbare Blessuren auf, Farbtupfer in Rot und Braun, ein rosafarbenes Hemd, das zu lange unter einem Bügeleisen gelegen hatte; sein Magen eine harte heiße Platte, irgendwas war damit geschehen, aber es war nicht leicht zu sagen was. Rippen selbst können nicht schmerzen, sagt man, aber etwas, das sehr eng damit zusammenhing. Leonhards Gesicht unterschied sich von Georgs nur in den Dingen, die es bereits zuvor unterschieden hatten, es war runder, etwas flächiger, ansonsten war es Georg ähnlicher geworden, die gleichen Farbtupfer. Über Magen und Rippen wollte er nicht sprechen, es verursachte vergleichbare Schmerzen, dafür hatte es bei ihm zusätzlich einen Fuß erwischt, mindestens verstaucht, der Knöchel schwoll an.

Interessanter waren die inneren Vorgänge. Georg hatte sich nicht selten zuvor geprügelt, vornehmlich auf Schulhöfen und Schulwegen, es hatte etwas Sportliches gehabt, etwas von Judo, war aber, wie er jetzt merkte, schon ziemlich lange her. Leonhard hatte pazifistischer gelebt, seine gegenwärtigen Empfindungen unterschieden sich gleichwohl kaum von denen Georgs: Über allem anderen stand das Gefühl eines unzulässigen Eingriffs, wie eine Operation samt Organentnahme ohne Genehmigung. Kaum denkbar, sich weiterhin vollständig und vollwertig zu fühlen, nach einer solchen Intervention.

»Vergiss die Ziege.«

Das war es, was Georg befürchtet hatte; dass der Kreislauf unten war, musste unter diesen Umständen als normal betrachtet werden, auch die schlechte Moral; dass ihre Solidarität jetzt aufbrach, war eine Katastrophe. Auch Georg war die Oryx für Minuten gleichgültig gewesen, sehr lange Minuten zugegebenermaßen, aber der Sinn ihrer Mission war zurückgekehrt mit der sorgfältigen Begutachtung eines jeden unversehrten Körperteils. Sollten denn alle ihre Blessuren vergebens gewesen sein?

Leonhard spuckte über seine Füße. »Vergiss die Ziege.«

»Ich kann sie nicht vergessen. Eine Frage der Überzeugung.«

Leonhard spuckte weiter, es war Blut dabei. »Welche Überzeugung? Sozialismus, Schintoismus, Animismus? Die Ideen sind längst im Eimer. Für wen willst du das, verdammt, noch tun?«

Georg blickte zu Boden; er ging wortlos, suchte und fand die Oryx unversehrt und unbeteiligt auf der Wiese, er packte sie am Halfter und führte sie zurück in den Hänger, unaufgeregt, geradezu stumpf, als brächte er das Tier jede Nacht auf diese Weise ins Bett.

Eine ganze halbe Stunde saßen sie anschließend schweigsam im Auto, während draußen nun wieder überall Regen fiel; ein ziemlich heftiger Regen. Irgendwann knisterte Butterbrotpapier, Leonhards finstere Gedanken hatten Zuflucht zu Georgs Resten gefunden, Lammfleisch und Tsatziki, das erste brannte auf der Lippe, der Gurkenquark hingegen war nahrhafte Krankenkost für geschwollene Münder.

Georg versuchte ein Gespräch. Er hatte die Vorteile ihrer Situation gesucht; mindestens einen hatte er gefunden. Leonhards Zelt war aufgesprungen, der Zug hat sich gelöst. Außerdem: Der Anstand der Zuständigen würde sich ihrer annehmen.

»In der Auguststraße gibt es einen Typen…«

»Hm?«

»…der von Skinheads aufgemischt wurde. Nachher, bei

der Polizei, hat er dann gestrunzt. Er hätte ein türkisches Mädchenleben damit gerettet und so.«

»So?«

»Weißt du, was er gekriegt hat?«

Kauen.

»Einen Orden. Stell dir vor.« Georg erläuterte. »Einen Orden für heldenhaftes Verhalten: ein unschuldiges Leben gerettet. Bei uns aber ist das doch wirklich so.«

Leonhard wiegelte ab und fasste sich an den Mund. Das Lammfleisch brannte zu stark. Ihm war ganz und gar nicht nach Orden zumute. Der Vergleich hatte nur eines mit ihnen gemeinsam: Er hinkte.

Die Natur hatte sie inzwischen völlig eingerahmt; alle Scheiben beschlagen. Leonhard öffnete die Tür; Georg folgte jeder seiner Bewegungen.

Totenstille.

Vom Wasser kein Laut. Kein Gluckern. Keine Möwen.

Leonhard öffnete die Motorhaube, ein kleiner Knack. Er kontrollierte den Benzinstand, vielleicht war die Tanknadel kaputt, aber der Tank war mindestens halb voll. Er kontrollierte die Elektrik, Blinker, Fernlicht, alles in Ordnung. Er fummelte ein bisschen an der Zündverteilerkappe rum. Nichts. Georgs Resignation war jetzt vollständig. Leonhard prüfte die Benzinpumpe, holte die Sicherung heraus wie ein Projektil, hielt sie vor das Standlicht. Er beugte sich in den Wagen, öffnete das Handschuhfach, fand tatsächlich neue Sicherungen darin und setzte eine von ihnen ein. Dann startete er den Motor, er funktionierte.

Er funktionierte!

Wasser in Wein zu verwandeln mochte ein Wunder sein; was Leonhard in Georgs Augen vollbracht hatte, war eindeutig mehr, eine Auferweckung von den Toten. Er dachte, wie hilflos Leonhard gegenüber der Oryx gewirkt hatte, er dachte, wie großartig er den Wagen repariert hatte. Er dachte, wie wunderbar sie sich ergänzten. Er dachte, dass die Nacht am Ende nun doch noch eine gute Wendung genommen hatte.

Im Auto war es kalt wie draußen, Georg merkte, wie alles an ihm schmerzte und dann plötzlich, dass Rosalie nicht da war. So, als wäre es ihm gerade aufgefallen, gerade, in diesem Augenblick. Es war nicht das erste Mal, aber es schmerzte wie immer. Für Sekunden stellte er sie sich vor, schrecklich genau, dann brachte er sich in Sicherheit:

»Ist es jetzt warm oder kalt? In Tasmanien.«

»Tasmanien? Es ist nie kalt. Vielleicht nachts. Aber nie wirklich.«

Leonhard begann zu erzählen, in aller notwendigen Ausführlichkeit: das vorzügliche Klima, das Hochland, von Buttongras bedeckt, die immergrün belaubten Bäume, darüber kahle Berghäupter, der Macquarie-River in seinem nebelverhüllten Flussbett, der aufglänzte wie am ersten Tag der Schöpfung, an dem der schnüffelnde Beutelwolf seine Pfoten in den feuchten Ufersand drückt, von Eukalyptusbäumen beschattet, auf denen schon der Mondkalk liegt, die ganze unendliche Stille der Nacht.

Der Lastwagen war ein Transporter und wollte eigentlich nach Hause. Er war siebenhundert Kilometer gefahren an diesem Tag, den ganzen weiten Weg durch Polen, in wenigen Minuten wollte er vom Müggelheimer Damm hinter der Kämmereiheide in die Wendenschlossstraße Richtung Friedrichshagen abbiegen, in einer Viertelstunde würde er vor den schwarzen rechteckigen Stahltoren des Schlachthofs stehen. In weniger als einer Stunde würde er in der Flakenseestraße im Bett liegen, von stillen Straßenlaternen bewacht.

Es kam anders.

Die Uhr auf dem Armaturenbrett zeigte halb drei, als Georg und Leonhard mit dem Hänger aus der Wendenschlossstraße hinaus in den Müggelheimer Damm einbogen, wo die Straßen schöne Namen, wie *Plehmpfad* oder *Grüne Trift am Walde* haben und dann tatsächlich überall Wald beginnt. Es musste irgendeinen Grund geben, warum der Damm hier nicht von Laternen beleuchtet war, wahrscheinlich hatte es mit dem Osten zu tun, aber selbst Leonhard kannte den Grund nicht. Stattdessen waberte jetzt schwerer Nebel auf der dunklen Schnellstraße, der zu Eis gefror, sobald er sich senkte. Es war kaum möglich weiterzufahren.

Und dann war der LKW da, plötzlich, ganz unvermittelt, als hätte jemand eine Tarnkappe weggezogen, direkt vor ihnen mit bösen stechenden Augen. Georg bremste sofort, der Lastwagen heulte auf, der Wagen samt Hänger rutschte über die Straße wie ein Schlitten im Eiskanal, sauste auf die Böschung zu, ein zweiter Bremsversuch, der Wagen rutschte in den Graben. Dann brach die Kopplung. Der Hänger knallte zur Seite wie ein Ziegelstein und schlidderte seitlich über die Fahrbahn. Zehn Meter weiter, sie fielen in ihre Gurte, der Wagen kam zum Stehen.

Georg und Leonhard sahen einander an. Es war unwirklich ruhig, kein Laut von der Straße zu hören, Leonhard öffnete als erster die Beifahrertür und kletterte in den feuchten Graben. Georg ruckelte an seiner Tür, sie klemmte, sprang aber auf, der Nebel war unwirklich und von der Fahrbahn her noch immer kein Laut.

Dann blökte es. Einmal, zweimal. Ein Blöken aus hundert Kehlen.

Sie hasteten die Böschung hinauf, Leonhards Fuß schmerzte.

Die Sichtweite betrug vielleicht drei Meter, der Anblick, der sich darin bot, war unglaublich. Wilde Leiber, Beine und

Köpfe tanzten im Nebel, entfesselte Kälber, wo immer man etwas erkannte. Georg und Leonhard schritten durch sie hindurch, waren plötzlich umringt. Einige der Kälbchen fielen immer wieder um, die Beine knickten weg; keines wusste, wo es hinsollte, keines von ihnen kannte die Freiheit, die sie jetzt gespenstisch und unvermittelt umgab.

Einige Meter weiter erklärte sich alles. Der LKW war ihnen ausgewichen, allerdings ebenfalls ohne Glück. Ein Baum hatte seinen Weg von der Fahrbahn herunter gebremst, der Aufprall hatte den Wagen erschüttert, die Ladeklappe war aufgebrochen, und die Kälber tanzten um den LKW rum, der sie gefangen gehalten hatte, eines hinter dem anderen her. Der Lastwagenfahrer aber stand dazwischen, so heillos durcheinander wie die Kälbchen, ein überforderter Dompteur in abgewetzter Cordjacke und kariertem Holzfällerhemd, der die kalte schwarze und nebelige Welt, in der er herumlief, nicht mehr verstand.

Georg und Leonhard teilten ihre Wege. Georg ging geradewegs auf den Lastwagenfahrer zu; Leonhard bevorzugte die Suche nach der Oryx.

»Sind Sie… ich meine…«

Der Mann blickte Georg aus weit aufgerissenen Augen an. »…sind Sie O. K.?« Was für eine Frage. Jetzt war sie gestellt.

»Du Idiot.« Gekeucht, nicht gesprochen. »Kannst du nicht aufpassen?«

Die gegenwärtige Lage beantwortete die Frage sofort. Georg überlegte, was er jetzt tun sollte. Eigentlich könnte er dem Lastwagenfahrer helfen, die Tiere einzusammeln. Er verabscheute Massentiertransporte, so gesehen konnte er es genauso gut auch bleiben lassen; die Waagschale der Moral senkte sich zu Letzterem.

»Pack an, Mann.« Der Lastwagenfahrer beendete den

unabgeschlossenen Denkprozess. Georg streckte die Hände nach dem ersten Kälbchen.

Fast fünfzig Meter weiter fand Leonhard den Hänger in Seitenlage. Um ihn herum ein paar der versprengten Kälber, alles eiskalt und klatschnass. Aus dem abgerissenen Gefährt drang kein Laut.

Er humpelte zur Tür, entriegelte sie und schaute hinein: finster. Er seufzte tief, holte Luft und tastete sich tief gebückt in den Innenraum. Die Oryx lag seitlich verrutscht im Hänger, wie ein in die Ecke geschmissenes Steiftier, steif gefroren; nur der reichhaltig verteilte Kot und Urin erinnerten daran, dass sie organisch war.

Leonhard trat näher heran und blickte wie geistesabwesend auf das Tier: »Eine widerborstige, unglaublich überflüssige Ziege«; ein Satz, der erst einmal, zwei Jahrhunderte zuvor, von Levaillant bei der Beschreibung der südwestafrikanischen Beisa gedacht worden war, was Leonhard nicht wusste. Es schmälerte den Verdienst nicht.

Was dann in einer einzigen Sekunde geschah, erklärt sich wie folgt: Die Oryx war heiße Temperaturen gewöhnt, sehr heiße sogar, etwa fünfzig Grad Celsius. Aber auch Oryxantilopen sind eben nur Säugetiere mit einer Körpertemperatur von achtunddreißig Grad. Um die vor Hitze flimmernde Wüste träg aber heil zu überstehen, fließt das heiße Schlagaderblut, unmittelbar bevor es in das Schädelinnere eintritt, eng an den Venen vorbei, in denen das von der Nase zurückströmende und über die Atmung gekühlte Blut abfließt. Auf diese Weise wird alles Blut, das das Gehirn versorgt, um etwa drei Grad abgesenkt.

Es war das Geheimnis des Oryxerfolges in der Wüste, das Hirn auf diese Weise kühler zu halten als den restlichen Körper; aber es war ein geradezu grotesker Mechanismus angesichts einer Außentemperatur von nicht einmal zwei Grad. Das Gehirn der Oryx war während des Transports unter den Gefrierpunkt gesackt, und es ist ein fataler Mechanismus, kühlen Kopf zu bewahren, wenn das Gehirn dabei einfriert. Die plötzliche Blutzufuhr durch den Schreck traf das stillgestellte Gehirn wie ein Schlag, die Synapsen splitterten wie Eiszapfen und lösten eine Reaktion aus.

Der Bruchteil einer einzigen Sekunde; die Oryx versuchte zu denken. Jedenfalls so weit ein Oryxgehirn zu denken vermag. Vermutlich war es das erste Mal in ihrem Leben, und es kostete sie viel Mühe. Immerhin hatte es ein Ergebnis: Es produzierte einen Irrtum.

Die Oryx brauchte nicht von ihrer Mutter zu lernen, wie man sich gegen Löwen und Leoparden verteidigt. Sie konnte das einfach so. Sie brach nach vorn aus. Und sie tat es im falschen Moment. Ein einziger plötzlicher Ruck, eine Drehung des Kopfes, eine Nackenspannung, kurzes Anziehen und ein Schlag nach oben.

Ein einziger Stoß.
Er genügte.
Georg lief quer durch den Schrei.
Er rannte zum Hänger.
Leonhard spuckte Blut.
Jetzt schrie Georg.
Leonhard fiel ohne Eile auf den Asphalt.

Er fand sie, weil er sie doch gesucht hatte, am See. Das Punkmädchen war unverrichteter Dinge abgezogen, nichts zu lachen und nichts zu flennen. Er setzte sich zu ihr und schloss sie von hinten in die Arme; sie war durchgefroren, ganz kalt.

Der Wind spielte mit den Sträuchern in der Nähe. Wenn es heller werden würde, würde man sehen, dass es Rotdorn war, die fingrigen Zweige, die aus dem Boden schossen und niemals brachen.

Zuerst hatte sie gedacht: Ich will gar nicht, dass Rainer da ist, ich will, dass alles allein ist und einsam, und auch sie war kaum da. Jetzt aber war sie froh, es wurde wärmer vom Rücken her, etwas Vertrautes wanderte in ihren Körper, er hielt ihre Hände. Einen kleinen Moment später zog er sie hoch.

Auf dem Weg zum Auto merkte sie, wie die kalte Luft ihr das gegeben hatte, was sie gesucht hatte, etwas zum Atmen. Er hielt sie in den Armen, eng an seinen großen warmen Körper gedrückt, wenn ihre Beine versagten, würde er sie tragen.

Das weiße Auto hatte auf sie gewartet, irgendwo im Gras, und in der Dunkelheit sah es aus, als lebte es und sah ihnen zu, wie ein Pferd, ein tapferes Reittier, das treu, brav und kauend ausgeharrt hatte.

Auf dem warmen Autositz fühlte sie sich zurückgeholt an ihren richtigen Ort, ins Bett gesteckt, wie ein Kind, aber gerne ins Bett gesteckt. Das weiße Laken, das auf sie zukam und sich über sie legte, war eine Wolke. Weißer Staub; dicke Flocken, wirbelnde Tiere ringsumher, die Windschutzscheibe verklebt. Vom Scheibenwischer abgeräumt, den Blick freigelegt: die Straße übersät mit Leichnamen, abgewetzte Motten, zerschlissene Uferfliegen; Millionen kurze Lebensgeschichten, einfach zu Ende erzählt.

Rainer ließ den Motor an. Die Scheinwerfer blitzten auf, zuckten erneut durchs Dunkel. Nur eine einzige Minute hatte sie sich ihrem hellen Blick geöffnet: die ganze leiddurchleuchtete Welt.

Der Lastwagen füllte die Sicht vollständig aus. Breitbeinig verdeckte er den Blick auf den abgetragenen Nachthimmel am Firmament.

Georg kniete neben Leonhard.

»Leonhard«, keuchte er, »Leo, verdammt…«

Er sah das Blut, das aus den zwei Öffnungen in Leonhards Brust pochte, ruckartig, in immer neuen Schüben. Die Hörner mussten tief eingedrungen sein.

Leonhard röchelte.

Georg riss sich das Hemd vom Körper und presste es auf die Wunden.

»Leo, verdammt…«

Das Hemd färbte sich in Sekundenschnelle; das Blut wollte nicht versiegen.

Der Lastwagenfahrer trat auf den Plan, er sah Georg über Leonhard gebeugt, sah das Blut auf der Straße, die herumspringende Oryx und verstand gar nichts:

»Fang doch einer das Vieh ein«, lallte er wie von Sinnen.

Ein Humor für Betrunkene.

Warum half ihm der Kerl nicht?

Georg schrie den Lastwagenfahrer an, bis der Mann tat, was er sagte. Gemeinsam hoben sie den Verletzten zum Seitenstreifen, auf die taugraue Erde. Leonhard spuckte Blut. Die Luftröhre fauchte wie eine geplatzte Gasleitung.

Die Hörner hatten die Lunge durchbohrt, die Blutungen ließen sich nicht stillen.

Georg schrie alles durcheinander, »Krankenwagen«, »Notfall«, »Verbandskasten«, »Funk«.

Der Lastwagenfahrer rannte zu seinem LKW. Das Hemd auf Leonhards Brust war rot und nass.

Der Regen hatte vollständig aufgehört.

Neben ihnen knickte jetzt ein Kälbchen in der Hinterhand ein, andere lagen schon länger am Boden und wälzten sich, zu schwach zum Laufen oder durch den Unfall verletzt. Ein gespenstisches Blökkonzert, wie auf einer Almwiese;

ein einziges Kalb ragte daraus hervor, weiß wie dreckiger Schnee, von wilden Bocksprüngen geschüttelt und mit langen geraden Hörnern; sehr blutigen Hörnern.

Alles das war nicht wirklich.

Die Scheibenwischer waren jetzt ausgestellt; das Armaturenbrett leuchtete heimelig, grüne Striche und Kreise, klein und präzise, man konnte ihnen vertrauen.

Rosalie fröstelte.

Der Wagen hatte ein Holzlenkrad.

Was man im Dunkeln sieht, dachte Rosalie.

Im Handschuhfach lag eine Flasche Schnaps. Teures Zeugs in mattschwarzer Flasche. Rainer steuerte mit der Linken, die Rechte griff nach der Flasche.

»Einem Remy Martin ist es egal, wo er getrunken wird…« Er zwinkerte ihr zu. »Trink, dann geht es dir besser.«

Rosalie öffnete den Schraubverschluss. Es war nur ein Rest in der Flasche, ein kleiner Rest.

Trank.

Sie schüttelte sich.

Trank nochmal.

»Geht's dir jetzt besser?«

Sie nickte. Drehte den Verschluss wieder zu.

»Leer?«

Sie nickte.

Die Heizung war schnell und sehr warm. Der Wagen fuhr schnell durch die Nacht, Bäume, Böschungen in mittlerer Entfernung, nur eine Ahnung, raschelnder Wind.

Rainer fingerte am Kassettenteil, die Musik kam wieder, er drehte die Bässe lauter, nahm die leere Schnapsflasche aus ihrer Hand, wog sie und schüttelte, kurbelte das Seitenfenster herunter.

Sie schloss die Augen, dachte nicht einmal daran, sich umzusehen.

Wieder kein Rettungswagen, das Auto fuhr langsamer, schon weil die Durchfahrt neben dem LKW so eng war und überall Kälber am Straßenrand standen. Die Boxen wummerten, ein weißer Sportwagen. Aus dem Fenster flog eine leere Flasche.

Leonhard lag auf dem Rücken, auf seinen Mantel gebettet wie ein Soldat, den Kopf noch immer in Georgs Schoß. Mullbinden umwickelten seine Brust. Der Nebel war aufgerissen; die Kälbchen verstummten, auch die Oryx hatte sich beruhigt, graste still am Fluss im fahlen Licht der Wiese wie ein Mondschaf.

Einen Moment hatte Georg daran gedacht, aufzuspringen und sich in den Weg zu stellen, vielleicht konnte der Sportwagen Leonhard ins Krankenhaus fahren.

Der Lastwagenfahrer erriet seine Absicht und hielt ihn zurück. Der Rettungswagen war besser.

Leonhard öffnete die Augen. Er lag da, ohne sich zu rühren, es war schwer, irgendetwas zu begreifen.

Der Lastwagenfahrer drückte den Verbandskoffer zu.

Georgs Herz raste. Der Krankenwagen musste jeden Augenblick kommen.

Geräusche drangen an Leonhards Ohr. Der Lastwagenfahrer stöhnte.

Das Knacken einer Bierdose.

Dann Fahrgeräusche von fern, immer näher.

Die Geräusche ebbten ab.

Nichts.

Absolute Stille.

Leonhard versuchte zu sprechen.

Georg beugte sich zu ihm.

»Vergiss die Ziege.« Leise geflüstert.

Georg nickte. Bemühte sich zu lächeln. Warum kam der verdammte Krankenwagen nicht?

Leonhard spuckte. Und dann kam sie, für winzige Sekunden nur, diese urplötzliche tiefe Scheißangst vorm Sterben. Alles würde vorbei sein, gleich, in wenigen Minuten. Unvorstellbar. Das totale Ende, hier auf dem Seitenstreifen, wo sonst Papiertaschentücher aus Autos flogen und Bierdosen.

Georg fasste seinen Kopf, strich ihm durchs nasse Haar. »Der Krankenwagen kommt, gleich, ist schon ganz nah.«

Leonhard hatte noch immer eine Scheißangst vorm Sterben. Der Blutverlust führte ihn langsam der Auflösung entgegen.

»Vergiss die Ziege.«

Georg wollte lächeln, schreien.

Flüsterte.

»Bleib ... hier.«

Zwei Kälbchen blökten.

Leonhards Kopf hob sich, ein Blutstrom floss aus seinem Mund. Die Ziegen sprangen über Hürden, über Brücken, über alles. Er schluckte, hustete, jagte mit Georg über eine plane Ebene, die ihm in diesem letzten Augenblick einfiel, wahrscheinlich südlich des Macquarie River, so dass sie ins Leere vorwärts irrten.

Er schloss die Augen.

»Wir schicken sie in die Wüste zurück, in die Nifud, in einem großen Paket«, flüsterte Georg heiser. Sein Herz war ein heißer Klumpen.

Der Himmel über den Oatlands war schwarz und violett und dann gar nicht.

Die Flüssigkeit, die aus Leonhards Mund rann, war gelb.

Georg schrie.

Der Lastwagenfahrer stieß ihn an.

Georg schrie weiter.

Der Lastwagenfahrer löste den Kopf des Toten aus der Umklammerung, griff Georg unter die Arme und schleifte ihn vor einen Baumstamm.

11

Die Tage nach dem Unfall war der Herbsthimmel so blau, wie Georg ihn nie zuvor gesehen hatte. Es war, als verhöhnte die Natur auf diese schamlose Weise alles das, was in ihr vorging. Das Schöne am Leben ist, dass es immer irgendwie weitergeht, aber manchmal ist das auch nicht schön. Die Nacht hatte Georgs Tage mit einem Schlag verändert; ein fürchterlicher Realismus hatte sich in ihnen breit gemacht, wie ein Virus, hatte alles erobert, das ganze System lahmgelegt. Wann immer er sich in einen anderen Gedanken gerettet hatte, kam das Dunkel wieder und riss ihn zurück. Es war ein unbeschreibliches Gefühl, das den Magen zusammenzog, am liebsten hätte er gekotzt, aber es gab nichts zu kotzen. Die finsteren Gedanken quollen einfach in ihm herum und peinigten ihn, seine Schuld, dass er es war, der Leonhard zu dieser Fahrt überredet hatte, die Nacht am Wasser, der Unfall, der niemals hätte passieren dürfen.

Bis zum Unfall war die Nacht ein Drama gewesen, man hätte es später beim Bier erzählen und dabei lachen können. Der Unfall aber hatte eine ganz andere Wirklichkeit.

Eine Viertelstunde nach Leonhards Tod war der Rettungswagen gekommen, und die hektische Sinnlosigkeit eines Rettungswagens, der nichts mehr zu retten hatte, hatte allem den Rest gegeben. Das orange gestreifte Gefährt stand wie ein Höllenbote am Straßenrand. Die Nothelfer hoben Leonhard auf eine Trage, die längst eine Bahre war; ein Polizist notierte Namen und Adressen. Die Oryx aber graste unbehelligt im Dunkel, hundert Meter entfernt. Georg sah, wie der Rettungswagen mit Leonhards Leichnam ins Schwarze fuhr, die Sirene heulte irrlichtern durch die Nacht und erstarb, möglicherweise hatte man sie gelöscht. Der Lastwagenfahrer stellte Warnlichter auf, der Polizist informierte die Straßenwacht und verschwand.

Georgs Auto war fahrtüchtig, der Lastwagenfahrer half ihm beim Hänger, gemeinsam stellten sie das Ding auf die Füße, ein Abschleppseil ersetzte die gebrochene Kopplung. Georg erinnerte sich nicht, wie er die Oryx einfing und sie in den Hänger verfrachtete, er erinnerte nicht den Weg hinaus aus der Stadt. Er war aufgewacht, als das erste Licht durch den Oderbruch fiel, ein unerträgliches helles Grau. Die Elemente hatten sich beruhigt; das Chaos schien, zumindest temporär, gebändigt. Georg fuhr durch die Hofeinfahrt, entlud den Pferdehänger, und stellte das Tier auf die Wiese zu ein paar Schafen. Dann brachte er den Hänger zurück in die Stadt; der Plan war erfüllt, die Oryx vor feindlicher Übernahme gerettet. Er hatte es zu Ende geführt, es bedeutete ihm nichts.

Am Morgen rief er Rosalie an, von einer Tankstelle kurz vor der Stadt; er wählte die Nummer, hörte das Knacken in der Leitung und Rosalies warme Stimme voller Schlaf. Er sagte: »Leonhard ist tot.«

Er versuchte ihr zu erzählen, was passiert war; es war nicht leicht, aus seinen Augen schossen die Tränen, alles löste sich auf, minutenlang konnte er nicht sprechen, es war das erste Mal seit seiner Kindheit, dass er weinte, und Rosalie hörte ihm geduldig zu. Als sie sprach, sprach sie ruhig und gefasst. Sie hatte sich über sein Auto aufgeregt, seine Arbeit im Tierpark, die Art, mit Leuten umzugehen, sich zu kleiden; jetzt machte sie ihm keinen Vorwurf, nicht einen ganz kleinen. Sie fragte nicht wieso oder warum, nach dem Sinn ihrer Fahrt, die Oryx aus der Stadt zu bringen, fragte tatsächlich nicht einmal, was eine Oryx ist. Sie nahm es hin, nahm alles so hin, wie Georg es ihr erzählte. Sie wirkte sehr ruhig, sehr stark.

»Wir müssen uns um die Beerdigung kümmern«, sagte sie. »Irgendeiner muss das jetzt tun. Irgendeiner ...«

Ihre Stimme brach ab und erstickte in Tränen.

Den anderen Tag rief Rosalie zurück, und ihre Stimme klang rau und dumpf, als sie von der Beerdigung sprach. Die Stadt hatte sehr viele Friedhöfe, nur ein einziger davon kam in Frage. Leonhards Onkel und seine Tante hatten ihr Einverständnis gegeben, dass er nach Friedrichsfelde kam. Sie waren auf Usedom und froh, dass Georg und Rosalie die vielen Besorgungen in ihrem Namen erledigten. Die Tante wollte sich um nichts kümmern, sie fand, dass sie ohnehin zu viel Pech im Leben gehabt hatte. Der Onkel seufzte, auch er hatte mit allem abgeschlossen; Leonhards Leben war jetzt eine fertige Sammlung, ein ziemlich schmales Album.

Die Beerdigung fand am Vormittag statt, vier Tage später. Das schöne Filmblau wollte nicht weichen, ein Himmel Güteklasse 1a. Möwen flogen darin herum, von der Spree und vom Müggelsee her, Schreie hier und da. Der Bahndamm lag hinter ihnen, sie gingen die Kleingärten entlang, durch den schütteren Sand der Kiefernböschungen. »Man kommt hier nicht zufällig vorbei«, hatte ein kluger Mann gesagt, das stimmte, man musste hingehen.

Gemeinsam schritten sie jetzt durch die dicke Sonne. Rosalie in Schwarz mit dunkler Designer-Sonnenbrille sah aus wie die wunderschöne junge Witwe eines Mafioso. Georg dagegen trug Mantel und Pudelmütze, der Kopfverband konnte darunter verschwinden; Schrammen und Blessuren an Nase und Mund blieben sichtbar.

»Und, tut es noch weh?«, fragte Rosalie. Sie strich ihm sanft übers Gesicht.

»Nur wenn ich lache. Die Gefahr wird in naher Zukunft nicht bestehen.«

Den Eingang zum Friedhof markierten gewaltige Gitter. Die leichte Brise, die aufkam, war nicht unangenehm.

Georg und Rosalie hatten sich sehr gewünscht, dass Leonhard in Schlafanzug und Bademantel beerdigt werden sollte; aber das war verboten. Georg hatte den Bademantel trotzdem mitgebracht; er hing ziemlich schlaff von der Schulter wie das Handtuch eines diensteifrigen Kellners, nur aus Frottee.

Georg seufzte. Das Grau von Leonhards Tod, das höhnische Wetter, die Schönheit von Rosalie: alles nebeneinander; sie schritten aus, über schlecht geharkte Wege. Gleich hinter dem Eingang die große Anlage, der rote Porphyr: *Die Toten mahnen uns.* Die Toten mahnen immer. Auch die Stadt mahnte an dieser Stelle: Gehwegschäden, ein kleines Schild vor dem Aufgang zu Rosa Luxemburg und Karl Liebknecht, deren polierte Platten hier lagen, Platten mit einer Inschrift und ohne etwas darunter.

Georg sah nicht länger hin. Er wollte nicht weiter nachdenken, nicht über diesen Staat, der das gebaut hatte; nur an den Opfergedenkstätten waren die Regierenden aufrecht gewesen. Ständig hatte man Mahnmale enthüllt oder Denkmäler. Die Denkmäler waren nicht zum Denken dagewesen, nicht einmal zum Gedenken; das Gedenken war für die Denkmäler da, ständig hatte man es ihnen demonstrieren müssen. Kein Funke war daraus zu schlagen gewesen, nichts, das Rot hatte werden wollen und lebendig.

Die Anlage lag hinter ihnen, unter ihnen trockene Blätter. Rosalies Blick wanderte ins Blaue, richtige Wintermöwen mit ausgebleichten Köpfen. Ein älterer Mann hatte sich vor das Mäuerchen gestellt und musterte die Erde; eine halb ausgehobene Grube, zwei Meter lang, einen Meter breit.

Leonhards Grab.

Sie blieben stehen.

Der Totengräber hatte seine Schaufel mitgebracht und eine Flasche Schnaps. Er bediente beides in abwechselnder Reihenfolge, und als das Grab vorschriftsmäßige Tiefe hatte, war er fertig; genau in diesem Moment. Er musste eine verzweifelte Übung darin haben, rechtzeitig fertig zu werden, so dass weder er selbst noch die Flasche in die Grube fielen, auch dann nicht, als die Arbeit getan war, denn er torkelte erstens bedächtig und zweitens zur anderen Seite, wo er dann sitzen blieb, eine ganze lange Weile lang, wortlos und nicht betrübt. Auch das eine Kunst.

Aus der Ferne krochen Trompetentöne zu ihnen, eine traurige Melodie. Rosalie spürte die Tränen in ihren Augen, sie dachte an ihre letzte Begegnung mit Leonhard auf dem Hügel im Monbijoupark, an ihre damals so unbestimmte Zukunft, eine Welt voller Morgen, und an das Kastanienschloss. Georg schluckte und fasste sie am Arm.

In der schlichten weißen Kapelle warteten fünf Menschen. Leonhards Onkel, die Tante, dazu drei alte Damen in Rollstühlen: Barz, Gruschwitz und Salchow. Georg hatte im Krankenhaus Bescheid gesagt, wie rührend, dass sie gekommen waren. Die Damen begrüßten sie und hielten Georgs und Rosalies Hände lange in den ihren. Die Gesichter tief und traurig, ein entschlossener, feierlicher Ernst vor dem aufgebahrten Sarg; ihr erster Ausgang seit Jahren, das Husten wollte nicht abebben. Gegen den Sarg lehnte ihr Kranz, sie hatten auf der Etage gesammelt: *Eure Jüngsten und Besten werden durch das Schwert fallen! Sankt-Hedwigs-Krankenhaus.*

Über Leonhards Tod wunderten sie sich nicht. Der junge Mann war ja so krank gewesen und so nett. Was offenblieb, war die genaue Todesursache.

»Weiße Oryx«, flüsterte Georg heiser.

»Weiße Oryx«, die Damen nickten ehrfürchtig und warfen sich untereinander schwere Blicke zu. Gelbfieber kannte man, grauen und grünen Star, auch schwarze Pocken. Die Weiße Oryx, an der man so schnell verschied, kannten sie nicht.

Der Organist orgelte sich einen runter; ohne jede Beteiligung, es klang, als wenn er übte. Die Rede des Pfarrers war eine Ode an die Einfallslosigkeit; wie eine Laudatio auf einen Trostpreis. So dürr wie die Worte des Pfarrers hätte Leonhards Leben gar nicht sein können, nicht einmal für Leute, die ihn nicht kannten. Georg hatte nichts sagen wollen, jetzt bereute er. Rosalie schwieg und blinzelte ihm einverständig zu: so eine beschissene Rede. Georg sah sich außerstande, weiterhin tatenlos zuzuhören. Sie hatten diese Trompetentöne gehört vorhin, hörten sie noch immer, wenn etwas Wind kam.

Er löste sich aus der Kapelle und machte sich auf die Suche. Die Töne führten ihn auf einen kleinen Hügel in der Mitte des Friedhofs. Ein alter Mann saß auf einem Grabstein und blies in die Herbstluft. Georg trat näher heran; der alte Mann beachtete ihn nicht, spielte seelenruhig weiter. Georg wartete bis zum Ende.

»Schönes Stück.«

Der alte Mann hob die Brauen und musterte Georg wie einen Rekruten. Untauglich, Hopfen und Malz verloren.

»Wie heißt es?«

Endgültig verloren. Der alte Mann setzte die Trompete wieder an, hüstelte, besann sich dann aber eines anderen. Ein Blick voll verzeihender Geduld: »Was willst du?«

»Das Stück …?«

»Spanien«, sagte der Mann. »Weißt du davon?«

»Ich war in Spanien, mehrfach.«

Der Trompeter zuckte verächtlich die Achseln. Es war nicht das Spanien, das er meinte: »Alles Spanien, hier ringsherum, internationale Brigaden.«

Die Grabsteine waren grau und eher klein. Gashaltiges Gewürm darunter. »Ich wollte Sie etwas fragen …«

»Ich war dabei«, nickte sich der Mann zu.

»… ob Sie vielleicht für uns …«

»Spanien.«

»Spanien oder Nichtspanien«, sagte Georg. »Ob Sie vielleicht für uns spielen könnten. Unser Freund wird gerade beerdigt, und da dachten wir, dass Sie vielleicht etwas Transzendentes …«

»Transzendentes?« Der Spanienkämpfer schloss die Augen; Folterbataillone marschierten dahinter auf. Er schien nicht wirklich zu wissen, was Transzendenz war. Er mutmaßte Verrat; dafür würde er sich nicht hergeben.

»Nicht dafür.« Der Mann protestierte heftig. Mit solchen Schweinereien hatte er nichts zu tun.

Georg witterte ein Missverständnis. Noch einmal lobte er den Trompeter, lange und umständlich. So schöne Musik.

Der Spanienkämpfer hielt die Augen geschlossen. Er wollte nichts Schönes spielen; etwas Richtiges, etwas Wahres, etwas, das den richtigen Leuten Mut machte.

Georg hielt Leonhard für den Richtigen.

Der Mann erwartete die richtigen Worte.

Georg erwähnte Leonhards Leben, sein Schicksal, seinen Vater, einen getreuen Genossen, gefallen im Kampf mit dem Klassenfeind.

Klassenfeind. Der Trompeter öffnete die Augen. Klassenfeind war das richtige Wort. Georg erklärte den richtigen

Weg; der Trompeter kannte ihn ohnehin. Das Alter ließ ihn langsam gehen, ein wenig humpeln, die Trompete sicher im Arm.

Als sie eintrafen, ruhte der Sarg bereits in der Erde, obendrauf der Kranz. Der Trompeter trat an den Erdkrater und stellte sich in Positur. Die Melodie wurde erkannt, nach wenigen Takten: *Auferstanden aus Ruinen.*

Georg zog die Pudelmütze vom Kopf. Die Sankt-Hedwigs-Delegation straffte sich.

Rosalie schlug die Hände vors Gesicht. Sie wusste nicht, ob sie lachen oder weinen sollte.

Der Pfarrer lächelte blass. War das nun Blasphemie, und wenn ja, gegenüber wem? Immerhin handelte es von der Auferstehung, man konnte es also als ein christliches Lied betrachten, wenn man so wollte. Der Pfarrer war ein kleines hageres Männlein, und er war Realist. Er wollte es so. Die Kirche wusste sich nicht in der Lage, große Bedingungen zu stellen; man musste nehmen, was man bekam.

Georg schenkte dem Trompeter ein aufmunterndes Lächeln. Es wäre nicht nötig gewesen, der Trompeter war nur noch Trauer und Melodie. Die Melodie berührte Georg stark, mehr als er gedacht hatte. Er sah die geschlossenen Augen des Trompeters, den Pfarrer sah er nicht. Der Friedhof wurde unwirklich, eine Bühne unter vielen, oder doch nicht unter vielen, eine sehr große Bühne in feierlichem Glanz. Seine Tränen gaben langsam ein Bild frei, zeigten drei Fahnen, die emporgezogen wurden: seine eigene Fahne und Rosalies Fahne und in der Mitte Leonhards Fahne, Hammer und Zirkel im Ehrenkranz, weithin erhöht: die Seele eines Goldmedaillengewinners, die gen Himmel gezogen wurde. Er sah den Trompeter, sah die Damen stramm in ihren Stühlen; er sah Rosalie, die die Hände vom Gesicht nahm, warm lächeln.

Dann gab er Leonhard den Bademantel mit ins Grab.

Die Trompetentöne krochen über die Blumen, die Gräber, den Kiesweg und malten langgezogene blutrote Streifen in den Himmel.

So wurde Leonhard beerdigt.

12

Auf dem Kiesweg gingen sie nebeneinander; noch einmal gemischte Gefühle, Arm in Arm. Ein ausgestorbener Fußgängertunnel führte sie unter der S-Bahn durch, eine schmale Brücke überspannte die Straße der Befreiung. Das Wetter hatte sich in der letzten halben Stunde verschlechtert, und als ob sich der himmelblaue Krampf mit einem Mal gelöst hätte, fing es nun tatsächlich an zu regnen. An der Kirche zum Guten Hirten spannte Rosalie den Schirm auf, Georg steuerte das Café an. Sie faltete den Schirm wieder zusammen und schüttelte den Kopf; sie konnte sich kaum vorstellen, Georg in diesen Laden hinein zu folgen.

»Hier seid ihr hingegangen, Leonhard und du?«

Georg bestätigte. Jede Woche, in der Ecke unter dem Ehrenburg-Bild, sie waren so was wie Stammgäste gewesen.

»Absurd«, sagte Rosalie, drückte die Messingklinke und trat ein. Der Kellner schaute zu Georg hinüber und lächelte vielsagend. Kurz darauf wählten sie aus ihren Lackkarten.

Rosalie fuhr sich mit beiden Händen durchs Gesicht bis ins Haar, wie eine Wäsche, so, als müsste sie sich neu besinnen. »Worüber habt ihr gesprochen?«

»Zuletzt?«

»Zuletzt.«

»Tasmanien, glaube ich«, sagte Georg.

»Tasmanien«, sie nickte und blickte ihn sehr ernst an. »Weißt du, ich gehe auch weg. Richtig weg, meine ich.«

Sie war schon richtig weg, noch richtiger ging nicht. »Wohin?«

»Nach Kalifornien, Rainer hat ein Projekt da. Kann Jahre dauern. Vielleicht dauert es Jahre.«

»Und dann kommst du zurück?«

»Oder nicht, wer weiß.«

»Wer weiß.«

Rosalies Geschichte erzählte von neuem Schwung und Hoffnungen, die sich mit einem neuen Leben in der Neuen Welt verbanden. Sie erzählte von den vielen kleinen Sicherheiten zwischen Rainer und ihr, die sie bei Georg immer vermisst hatte, nur eben viel zu lange nicht gewusst, dass sie sie vermisst hatte. Sie erzählte und erzählte.

Georgs Blick schweifte aus dem Fenster.

Sie folgte seinen Augen.

»Absurd«, wiederholte Rosalie.

Dann tranken sie weiter, einen Kaffee nach dem anderen, sie verbrachten Stunden in dem Café, in das Rosalie gar nicht hatte hineingehen wollen. Sie erzählte jetzt von Franziskas Auszug und von Gerd, der ihr zuwider gewesen war, vom ersten Augenblick an, und von Edgar, der sie enttäuscht hatte, er lebte sein Leben einfach durch das Leben der anderen hindurch.

Ein später Triumph, dachte Georg. Er nützte so wenig.

»Vielleicht«, sagte Rosalie, »ist die Frage nach dem Ende eine unendliche Frage.«

»Und die Antwort darauf eine unendliche Geschichte?«

Georg und Rosalie gingen zur U-Bahn, Hand in Hand. Sie waren nie im Planetarium gewesen.

»Eigentlich merkwürdig.«

Sie fasste seine Hand. Die U-Bahn-Station Friedrichsfelde lag in unmittelbarer Nähe; der Bahnsteig, totenstill zwischen den Zügen, war um diese Stunde ganz verlassen. Wenig später quietschte die Bahn ein. Im Bahnhof Lichtenberg lärmten ein paar zivile Nazis, Georg und Rosalie stiegen die Stufen hinauf zur S-Bahn, zwei Stationen zur Frankfurter Allee. Der Rest ging weiter auf Stelzen, das Abendrot verausgabte sich, die Wolken wanderten in den Pfützen mit, nach und nach entflammten die Lichter von Lichtenberg, gelbe Punkte in grauweißen Silos, und noch immer die Frage, wie es dahinter wohl aussah.

Sie schwiegen.

Georg dachte, dass er inzwischen etwas davon wusste, ein klein wenig, dachte an Elena, von der er Rosalie nichts erzählt hatte, was gab es da schon zu erzählen.

Auch sie blickte zu den Fenstern. Sie fragte sich, was wohl passierte, wenn man alle Wohnungen dieser Blöcke übereinanderlegte, etwa so wie bei Schönheitsquotienten für Gesichter. Wie eine solche Durchschnittswohnung wohl aussah?

Storkower Straße; Landsberger Allee. Auf den Bahnsteigen sammelten sich die mutmaßlichen Bewohner. Jugendliche, erkennbar an ihren ideenlosen Gesichtern, Rentner, die überhaupt nichts mehr sahen, und Muttis, vollgehängt mit Beuteln auf dem Weg in die Platte; Gefühle, die zu Georg, nicht zu ihnen gehörten. Sie brachten ihn darauf zu fragen, wie es eigentlich mit dem Haus stand, dem neuen Eigentümer und natürlich auch mit dem Hausmeister. Und dann erzählte Rosalie, dass das Haus bald von der jüdischen Gemeinde renoviert wird und dass alle Mieter bis zum Frühjahr rausmüssen, in Umsetzwohnungen. Nur dass sie ja keine Umsetzwohnung brauchte, weil sie mit Rainer nach Sacramento ging, dass jetzt auch Korkow ausziehen musste, aber nicht wieder zurückkommen würde, weil er als Hausmeister nicht mehr gebraucht werden würde und weil die Miete für ihn dann auch zu teuer sein wird. Korkow hatte Briefe geschrieben, sehr verzweifelte Briefe an die Wohnungsbausenatorin, aus der größten seelischen Not heraus, wie er meinte, aber die Ministerin hatte ihm nicht geantwortet. Und da hatte der Hausmeister beschlossen, nach Hellersdorf zu ziehen, in einen Neubau, und als er Neubau sagte, hatte er einen Plattenbau aus den Siebzigern gemeint, und das hatte Rosalie dann auf einmal ganz stark berührt.

Georg nickte in sich hinein, er brauchte nicht einmal den Kopf zu bewegen dafür. Die neuen Herren, die die Eisenbahn bauten, hatten den Osten erreicht, die S-Bahnhöfe wurden saniert, Leonhard war tot, und der Hausmeister ritt nun aus dem Film, nach *Heller's Settlement,* das sie *Hell* nannten, hinter sich eine sterbende Welt, keine Geschichten mehr, nur noch Geschichte. Er musste ein bisschen über sein eigenes Bild lachen, den schwitzenden Hausmeister in der Kunstlederjacke auf dem Pferd, aber auch dieses Lachen blieb unsichtbar; *once upon a time in the East.*

Die Silberkugel des Planetariums war bereits untergegangen, überall Nacht jetzt; die Autos der Prenzlauer Allee waren weniger, dafür doppelt so laut. Eigentlich hatten Georg und Rosalie gedacht, dass man Sternwarten nach Einbruch der Dunkelheit besuchte; die Öffnungszeiten an Morgen und Nachmittag belehrten sie eines Besseren; das Gebäude war zu, Georg wollte kaum davon lassen, enttäuscht am Türgriff zu rütteln. Möglicherweise fehlte nichts als der Zauberspruch.

Wo sie nun einmal da waren, wollten sie nicht gehen. Ein Zettel an der Tür nannte die wichtigsten Tagesdaten, Astronomie für jedermann. Zwischen den Sträuchern an der Rückfront standen Bänke; der Thälmann-Park war nur Wiese bei Nacht. Löwenzahnblätter quollen hervor unter dem Klinkerweg im Schein der Nachtlaterne. Der Himmel darüber verzeichnete keine besonderen Vorkommnisse. Der zunehmende Mond, der im Sternbild des Wassermanns stand, hatte ein Viertel erreicht, er würde erst kurz nach Mitternacht aufgehen, um dann wie üblich nach Westen zu verschwinden. Merkur stand zu tief, um noch sichtbar zu sein, und Jupiter sollte erst später um ein Uhr erscheinen. Vier Stunden vor Sonnenaufgang würde sich Venus dazugesellen und als strahlend heller Morgenstern am östlichen Himmel stehen. Dann aber würden Georg und Rosalie bereits in ihren Betten liegen; das Einzige, das ihnen blieb, war die flüchtige Hoffnung auf eine Sternschnuppe, einen zaghaften Vorläufer des für die Nacht vom siebzehnten auf den achtzehnten November erwarteten Leonidenschwarms.

Es war eine außergewöhnliche Nacht für Georg und Rosalie, gleichwohl und trotzdem; die Stadt aber ahnte nichts davon. Sie war unsichtbar wie ein Nachttier, das atmet, auch wenn man es nicht sieht, im Dunkel verborgene Häuser, die jetzt und seit hundert Jahren hier herumstanden, die schwarzen Treppenhäuser, die Flure und Zimmer, in denen man von Weltfeldzügen geträumt hatte und von Pellkartoffeln.

Sie saßen dicht beieinander, die Schultern hochgezogen, die Kragen aufgestellt. Sie verstanden sich noch immer ohne Worte; es hatte nicht gereicht, solange sie sich *mit* Worten nicht mehr verstanden hatten.

»Offene Aussprache«, fragte Rosalie, »von Herz zu Herz?«

»Was möchtest du wissen?«

»Nichts«, sagte Rosalie. »Ich möchte dir zuhören.«

Georg begann, er erzählte von seiner Wohnung, seinem Essen, seinem Schlafen und Einschlafen, auch dass er sich nun einen neuen Job suchen musste. Von Rosalie sprach er nicht. Was hätte er sagen sollen? Nicht jeder Liebesschwur ist eine Einladung, für das ganze restliche Leben mit dabei zu sein. Er bewahrte sich davor, den Faden einer Geschichte aufzunehmen, in die er kein Vertrauen mehr hatte.

Rosalie lauschte und stellte ihre Fragen. Ihre Augen wichen nicht aus seinem Gesicht.

Er erzählte weiter, immer weiter fort. Nichts Trauriges lag in seinen Worten, aber Traurigkeit umhüllte Georg wie Nebel. Da saß er über dem Löwenzahn und redete über sein Leben. Von Plänen, die bestimmten, Entscheidungen, die halfen, Veränderungen, die trieben, Stimmungen, die verflogen. Er gehörte schon gar nicht mehr richtig dazu.

Nach einer Weile versagten die Worte ihren Dienst.

Die Sterne blieben, wo sie waren, man konnte sie noch immer nicht sehen.

Und nun erzählte Rosalie. Von einem jungen Mann und einer jungen Frau, die sich beim Straßenbahnfahren trafen und von da an ohneeinander nicht mehr schlafen wollten, von seiner Leichtigkeit, die Rosalie so eingenommen hatte; dem Gefühl, er könnte seine ganze Welt jeden Tag neu erfinden, was sie dann auch beide getan hatten, als sie in diese andere Stadt gezogen waren. Dort aber hatte sie gelernt, dass das Leichte nur die Kehrseite seiner Schwere war, was sie nicht störte, sie hatte nichts gegen die Schwere, man brauchte Schwere, wenn man nicht verblöden wollte, aber diese seine Schwere war sehr einsam, nur für ihn selbst gemacht. Sie war nicht der Blick ins Leben, wie es war, es war ein Blick durch alles hindurch, der ins Bodenlose fiel und sich nur haltlosen Halt suchte, verlorene Ideen, verlorene Menschen. Und die Schwere war groß, sie war das Wesentliche an ihm, das, was blieb. Die Leichtigkeit aber war mit den Glückshormonen verflogen, wie Zugvögel in den Süden, und im Norden breitete sich die Eiszeit aus, schichtweise deckten die Flocken die Bäume, und die Zugvögel kamen nicht zurück. Und sie? Sie hatte einen neuen Mann gefunden, der etwas wirklich Leichtes hatte, weil er sich selbst und das Leben liebte und einen anderen Menschen lieben konnte, weil sein Blick auf den festen Grund der Wirklichkeit fiel und nicht ins Bodenlose. Und sie verliebte sich in ihn. Er machte sie glücklich, sie passten zueinander, und seit drei Tagen erwartete sie von ihm ein Kind.

Die Geschichte brach ab. Ein glückliches Ende.

Georg nickte, langsam, wie mechanisch.

Die Sterne fielen vom Himmel. Sie waren schon lange schlecht angeklebt gewesen, und nun verloren sie endgültig den Halt.

Sie hatte über ihn nachgedacht und ein Kind angesetzt. Beides zugleich.

Ihr abwartender Blick wandelte sich in den Handschuh, der sich auf seine Schulter legte, sein Haar.

Das Wasser in seinen Augen bot den Sternen eine weitere Rutschbahn.

Ihre Hand fuhr langsam über ihn hinweg, holte Strähnen aus seiner Stirn.

Mach's wenigstens mit dem Ende gut, dachte Georg. Und um was zu tun, um wenigstens anderen Frauen nachzugucken, sah er zwei halbblonden Mädchen im Schein der Straßenlaterne nach; zwei nicht besonders hübschen Mädchen.

Rosalie lächelte aufmunternd. Sie forderte ihn auf, wieder über sich zu reden: Das half bestimmt.

Georg zog eine kleine Grimasse. Was gab es da noch groß zu erzählen. Er hatte beschlossen, da er von den Leidenschaften ohnehin nicht würde lassen können, sich auf möglichst untätige oder unnötige, zumindest folgenlose Leidenschaften zu verlegen. Das Herz würde einem am Ende ja ohnehin einmal brechen. Warum also nicht schon jetzt?

»Du bist jung, du siehst gut aus, du wirst eine andere finden«, sagte Rosalie.

Wieder die Grimasse, Georg blickte geradeaus.

»Natürlich wirst du dich wieder verlieben, irgendwann«, sie lächelte, »in einem ganz anderen Roman.«

Rosalies wohlklingende Stimme spielte jetzt die Melodie: Sie erzählte von schwierigen Übergängen, von Kontrapunkten und gelösten Spannungen. Eine wunderschöne Weise.

Georg ergab sich dem Klang. Vielleicht wollte er schon gar nicht mehr wissen, welche Gaben Rainer hatte, die er nicht hatte. Und vielleicht würden es schlicht zu viele sein, um sie zu benennen. Er wollte und würde nicht mit Rainer tauschen, das war jetzt ein anderes Leben, eines mit Kindern, es erschien ihm viel zu wirklich für sich selbst.

»Das Wichtigste«, sagte Rosalie, »ist doch, dass unsere Geschichte nicht in Vergessenheit gerät, dass wir sie verwahren – für uns!«

Die Bank stand inmitten der Nacht. Der Hintergrund färbte kaum noch ab.

Der Regen setzte erneut an und entschied sich zu einem durchgängigen Fisseln. Die Kälte hatte ihre Körper ganz erfasst, Erinnerungen und Anekdoten sie eingefroren. Sie waren zur Unsterblichkeit erwacht. Niemand hätte sie noch zum Leben erwecken können.

Ein Windstoß fuhr über sie hinweg. Und als Georg unmerklich gähnte und Rosalie beschloss, dass sie nun nass genug war und auch zu viel gefroren hatte, erhoben sie sich gleichzeitig von derselben Bank. Und da sagte er dann, indem er ihr ein letztes Mal in die Augen sah:

»Weißt du was, es ist das Schönste gewesen, das, was wir zusammen erlebt haben.«

»Ja, ganz bestimmt«, sagte Rosalie. »Es ist das Schönste, was wir erlebt haben.«

Sie umarmten sich stumm, wie sie gekommen waren, und entfernten sich, jeder für sich in eine andere Richtung. Nach vielleicht hundert Metern drehte Georg sich um. Da stand sie klein, zerbrechlich und zweifelhaft.

Sie war gar nicht mehr da.

13

Im Frühjahr stand Rosalie zum letzten Mal im Türrahmen ihrer ehemals gemeinsamen Wohnung. Zeitlos schön. Sie war nur mit einem Hemd bekleidet, Georgs Hemd, sie hatte es beim Renovieren getragen. Eineinhalb Jahre war das her.

Die Hose hing wie eine abgestreifte Schlangenhaut im Stuhl.

Die Wohnung war fertig, alle Wände weiß gestrichen, sie legte die Farbrolle in den Eimer, wischte sich die Finger ab.

Dann sah sie sich um.

Am liebsten hätte sie die ganze frisch gestrichene Wohnung beklebt, mit Fotos von Georg & Rosalie. Georg & Rosalie beim Einzug, im Hintergrund, hochkant gestellt das große alte Eisenbett; Georg & Rosalie auf dem Fahrrad, verschneite Straßen, orangenes Laternenlicht; Georg & Rosalie auf dem Dach der Museumsinsel, dampfenden Glühwein in der Hand; Georg & Rosalie bei Leonhard am Berg, auf Usedom am Lagerfeuer und im Meer, Georg, der »Geht es uns gut?« sagte.

Es gab keine Fotos.

Sie kratzte sich am Fuß und hob den Eimer in die Spüle, die wieder nackt und fleckig und allein stand, die gekälte Wand, die halb geöffnete Tür der Einbauspeisekammer, in deren Innern sich nichts mehr verbarg, nur die Regalbretter, die Georg gesägt hatte, im Dunkel verwaist, mit sich selbst allein und dem hartnäckigen Farbgeruch ihres blassen Lacks.

Das Telefon klingelte.

Rainer.

Sie beeilte sich, glücklich zu klingen.

Er hatte die Flugtickets. Jetzt war es endgültig. Alles war endgültig, sie würden fliegen.

»Und, wie fühlst du dich?«

»Gut.«

»Nur gut?«

Sie fühlte sich großartig. Und noch einige Sätze mehr, die sie Rainer jetzt sagte. Ihr Lachen plätscherte in den leeren Raum wie Milch in eine Schüssel.

»Ich hol dich ab«, sagte Rainer.

»Ich komme zu dir«, sagte Rosalie. Rainer war nie in ihrer Wohnung gewesen, man musste das nicht ändern, jetzt, so kurz vor Schluss.

»Aber es macht mir nichts aus, weißt du, ich könnte in zwei Stunden nach der Arbeit ...«

»Ich komme zu dir«, sagte Rosalie. »Bis dann.«

Sie legte den Hörer auf und stellte das Telefon zurück auf die Dielen. Die Dielen schimmerten, ein mattes Schimmern zunächst, dann ein glänzendes, der lackierte Holzfußboden, den sie mit Georg gestrichen hatte, war Wasser, glitzerndes Wasser jetzt, das hell aufstäubte in der Bucht von Año Nuevo. Sie hatte Farbe am Auge, kramte einen Spiegel aus dem Karton und pulte an ihrem Augenlid. An den Rändern ihres Ichs zeichnete sich das Fenster mit dem Hof im Spiegel, Signaturen eines gelebten Lebens: eine übrig gebliebene Weinflasche, das Stück angeschmutzer Seife in der Spüle, Georgs Regalbretter, ein zurückgelassener Schreck aus zerbrochenem Glas im Bad.

Wenn die Bindung fiel, blieben nur noch die Bilder übrig. Die Ereignisse des verlebten Jahres hatten ihre sieben Sachen gepackt und krabbelten schon unter der Haustür hindurch ins Freie.

Wie klein sie geworden waren.

Sie nahm den Besen und fegte den letzten Sternenstaub aus den Ecken zusammen. Es war traurig, dass man Geschichte nicht erfinden konnte, nicht einmal die eigene Lebensgeschichte. Wahrscheinlich kam es auch gar nicht darauf an, wahrscheinlich hatte es sogar etwas Beruhigendes, wie Georg gesagt hätte, Georg war immer so komisch gewesen.

Manchmal rührend.

Die Sonne. Um diese Zeit stand sie immer so da.

Ihr Blick wanderte im Zimmer umher: alles leer. Diese Leere, diese unwirkliche Leere, die nicht mehr die gleiche war wie bei ihrem Einzug, die ohnhin nie mehr die gleiche sein konnte nach Georg, nach Rosalie, ihrer Geschichte, eine geschichtliche Leere stand im Raum, ein universelles Gestern, unendlich, bewahrt für alle Ewigkeit, ganz bestimmt unendlich, bis zu dem Moment, wo Rosalie die Wohnung gleich für immer verlassen würde, die Tür ins Schloss fiel, magische Kräfte die Falten glätteten, die Böden imprägnierten, den Blick aus dem Fenster auswechselten.

Ein kleines Stück Zeit blieb noch.

Die Leere der Wohnung: ein Glücksversprechen an den Nachmieter.

Sie ging zum Fenster. Es war viel passiert mit ihnen. Aber eben nicht nur mit ihnen, auch um sie herum; die Welt war jetzt anders. Der Zustand der Stadt war fast über Nacht zu einem Provisorium geworden und das Provisorium, das Georg und Rosalie so sehr geliebt hatten, zu einem Zustand. Es hatte diese zwei Jahre gedauert, bis man begriffen hatte, dass eine neue Zeit angebrochen war. Man datierte sie eilig um beide Jahre zurück, und die Bagger planierten die Telefonzellen vor dem Reichstag, der noch immer in Großbuchstaben drohte. Man plante jetzt überhaupt sehr viele neue Dinge, und die Welt war plötzlich voller Nachbildungen, die dabei halfen, sie zuverlässiger zu machen, Zitate, die man bemühen konnte. Das ganze Land hatte diese Sprechweisen über sich selbst verinnerlicht und war zu einem lebenden Tableau seiner eigenen Darstellungen geworden. Vielleicht war alles jetzt einfach zu normal, um noch normal dargestellt zu werden. Die Nachbildungen versetzten Rosalie in eine neue Welt voller Rätsel und hüllten ihre ureigensten Erfahrungen in einen Schleier. Rosalies Welt war jetzt ein Teil von etwas anderem. Ein unmaßgeblicher Teil überdies; er würde nicht in den Geschichtsbüchern erscheinen.

Ihre Welt war jetzt signiert. Die Brücken waren geflickt; die Halbinsel mit dem Festland verbunden.

»Armer Georg«, seufzte Rosalie.

Arme Rosalie.

Die Geschichte kippte Wagenladungen von Schutt auf ihre gemeinsame Vergangenheit. Sie machte ihre Liebe auf einmal sehr alt.

Sie dachte daran, wie Georg im Sommer mit ihr im Kachelhof gestanden und auf das Baugerüst gesehen hatte: die Zerstörung der Zerstörung. Sie war viel zu hart gewesen damals zu ihm. Das Baugerüst stand noch immer da, Schnee hatte seine Bretter und Streben auch diesen Winter geziert, die Handwerker waren nicht viel weitergekommen seitdem. Es konnte Jahre dauern, bis der Hof einmal fertig war. Sie würde nicht mehr in der Stadt sein, wenn es so weit war. Sie würde in Año Nuevo am Strand stehen, die Fesseln im Wasser, die Knöchel im Sand. Sie würden ihren Kindern davon erzählen, die nichts begriffen, weil sie dafür noch zu klein waren. Aber sie würden ihre Mutter fragen, irgendwann eines Tages: »Sag mal, wie war denn das vorher…? Du warst doch dabei.« Dann würde Rosalie wirklich erzählen, erzählen, wie es wirklich war.

Sie löste sich vom Fenster, ging ins Bad und räumte die Flakons von der Ablage, die Seifendöschen und Schwämme. Sie sortierte sie sorgsam und verstaute alles in Kartons. Der Blick auf die Wanne riet ihr, nicht einfach zu gehen; nicht ohne ein letztes Bad.

Rosalie hatte einen Kern, den sie in der Badewanne wiederfand. Georgs farbverkleckstes Hemd lag auf dem Boden, sie streckte sich. Der Schnaps auf dem Wannenrand verfehlte nicht die beabsichtige Wirkung, die Geschichte warf kaum noch einen Schatten, dünnte allmählich aus, zu märkischem Sand, zu Mietskasernen, Kanälen und Schrebergärten, verlor sich in ihrer unermesslichen Weite, die ganze unsägliche, lastende Welt.

Sie rasierte sich die Beine, betrachtete sich dabei im Handspiegel. Ihr Gesicht war ein bisschen zu schön für Sorgenfalten. Zwischen einem letzten Stück Seife und dem letzten Cremedöschen lächelte Rainer braun, entspannt, zahnpastabesprenkelt aus Barbados.

Das Foto gab es also; sie nahm es zur Hand.

Es gab etwas, worauf sie sich freuen konnte: ihr zukünftiges Leben.

Es würde glücklich sein, das Meer glitzern, die Sonne tanzen, Kinder darin spielen, Salz und Seewasser und der feine Sand in den Mundwinkeln.

Dachte Rosalie.

Aber es war doch auch alles sehr traurig.

14

Das Stadion der Weltjugend wurde abgerissen, ohne dass diese dagegen protestiert hätte.

Georg ging planlos daran vorbei. Er meinte jetzt, dass die Zeit, die sie gemeinsam hatten, gar nichts Besonderes war, zwar noch immer besonders für Rosalie und ihn, aber nicht besonders darüber hinaus. Alles war zur Ordnung zurückgekehrt. Die Freiheit war ausgebrochen, nun musste man sie wieder einfangen. Die Menschen gaben sich Mühe, sie lebten weiter, als ob es keine Freiheit gäbe, ließen sie es sich nicht anmerken und machten den unsinnigsten Gebrauch davon, indem sie dahin flogen, wo es wärmer und trockener war, um anschließend in die Kälte und Nässe zurückzukommen, die dann noch kälter und nässer war.

Um neun Uhr stand Georg am Supermarkt und schob Einkaufswagen zusammen, irgendetwas hatte er tun müssen, den langen Winter über, jetzt machte er dies. In einer halben Stunde waren die Paletten mit den Obstkisten an der Reihe; die Abgase der Autos zogen von der Chausseestraße herüber auf den Parkplatz. Einen Moment hielt er inne, strich kurz über sein geschorenes Haar, und der Gestank wehte an seinem lautlosen Gesicht vorbei und an den Einkaufswagen, zusammengeschoben in ihren Pflöcken.

Die Autos waren mehr und größer geworden in diesem Winter, und sie fuhren in beide Richtungen, von Ost nach West und von West nach Ost. Die Wirklichkeit ahmte nun die Fiktionen nach, die Politiker, Architekten und Feuilletonisten von ihr entworfen hatten, überall Baukrater und schwarze Löcher. Auch die Kräne waren mehr geworden; nicht nur verschmutzten sie jetzt täglich den Blick, auch in den Zeitungen waren sie nun zu sehen. Europas größte Baustelle wuchs mit einer Entschlossenheit heran, als habe ein Fernsehsender sie gekauft. Die Architekten planten einen so neuen persönlichen und weltläufigen Stil für die Stadt, dass diese schließlich mehr und mehr aussehen würde wie alle anderen Städte auch.

Er hatte innegehalten, weil er einen Kunden gesehen hatte, den er kannte, einen blassen Jungen in seinem Alter: Henning. Er sah anders aus als früher, irgendwie älter, und seine Bewegungen waren schwer und langsam. Er ging auf Georg zu, als traute er seinen Augen nicht recht, dann umarmte er ihn schließlich doch, in der von Leonhard übernommenen Art, etwas zaghaft dabei und unsicher. Er schien eine Frage stellen zu wollen und wartete damit unnötig lange.

»Geht es dir gut?«

»Jaja, geht schon so. Und dir?«

Henning ruhte in seinem Mantel. Die Antwort kam langsam, so als ob er überlegte, ob er verbergen sollte, was ihn bedrückte. »Ja, weißt du, alles nicht so leicht zur Zeit.«

Georg fing einen freilaufenden Einkaufswagen ein. Sekunden später stellte er die gewünschte Frage. Henning antwortete; einmal aufgetaut, flossen die Worte wie Sturzbäche von seinen Lippen, er erzählte von seinem großen Krach mit der Kirche, wegen seines Einsatzes für die Hausbesetzer, von den aufreibenden Drohungen der Kirchenoberen, den Anhörungen und Verhandlungen. Zuletzt hatte er aufgeben müssen und seinen Job als Pfarrer geschmissen.

»Und jetzt?«

Henning zuckte die Schultern. »Wer weiß.« Er selbst wusste es jedenfalls nicht.

Sie wechselten noch einige belanglose Sätze und kamen auf Leonhard. Henning wusste von seinem Tod, er hatte davon gehört, wenige Tage nach der Beerdigung. Er betrauerte sehr, nicht dabei gewesen zu sein, sein Gesicht wurde noch weicher, als es ohnehin schon war, und seine Augen waren feucht.

Es war schön, mit jemandem zu reden, der Leonhard gekannt hatte, und nach einer Weile regte Henning an, ob Georg nicht Lust hätte, mit ihm gemeinsam rauszufahren, nach Usedom, einfach raus hier aus dieser Stadt. Georg nickte, warum nicht. Es denkt sich leichter weit weg von zu Hause, dachte er.

Henning freute sich, er umarmte Georg, diesmal mit Überschwang. Sie verabredeten drei Tage, das kommende Wochenende.

Die Zugfahrt nach Usedom zog sich, als stellte der Bummelzug ihre Idee gleich zu Anfang in Frage. Das Gespräch schleppte sich dahin, wie das Abteil, obwohl Henning fast ohne Unterlass erzählte. Er war noch immer bei seinen Scharmützeln mit Presbytern und Synodalen, lauter Namen, die Georg nichts sagten und ihn ebenso wenig interessierten. Die Kirchenoberen waren die Bösen, das hatte Georg auch schon vorher gewusst.

Auf Usedom angekommen, war es nahezu unmöglich, ein Zimmer zu kriegen, es war kalter März, noch immer kaum Baugerüste zu sehen, die Türen waren verschlossen, und die Fassaden blätterten noch trostloser, als sie sie in Erinnerung hatten. Ein zinkgrauer Nachmittag am Meer; eine einsame Country-Band spielte für Glühwein und gegen die Kälte, die Zuhörer, einheimische Handwerker und Pommesverkäufer, klatschten lautlos in ihre Handschuhe. Nur mit Mühe fanden sie ihr Quartier, eine angegammelte Pension. Henning war unruhig, seit sie die Insel betreten hatten, er machte sich zu allem Gedanken und zu nichts, es war schwer, seinen Witzen zu widerstehen, ohne ausfällig zu werden. Georg merkte, dass er Henning früher wahrscheinlich nur ertra-

gen hatte, weil Leonhard dabei gewesen war, dass seine Anwesenheit Henning beruhigt hatte, auch dass er selbst nie
so genau hingeguckt hatte, weil man mit den Mädels über
Henning hatte lachen können, dass es nun etwas ganz anderes war, mit ihm allein zu sein, und dass es jetzt überhaupt
nichts zu lachen gab.

Schon am selben Abend hatte Henning ihn dazu gebracht,
alles als störend zu empfinden, was er tat. Sie hatten zum
Forsthaus hochgehen wollen, aber die Auffahrt war nun
mit Gittern und Schlagbaum versperrt. Henning war ebenso enttäuscht wie Georg, pausenlos quatschte er von Ver-
schwörung und Betrug. Er schmiedete jungenhafte Pläne
von Drahtscheren und Einbruch, nur um Leonhards Haus
noch einmal zu sehen oder um einen Prozess anzustrengen
oder sonst was. Georg verlor die Geduld und brüllte ihn an,
der ganze Scheiß war einfach nicht mehr zu ertragen.

Eine halbe Stunde später ärgerte er sich über sich selbst.
Er war ungerecht zu Henning, weil Henning nur Ersatz für
Leonhard war, und genau das war er nicht, nicht einmal der
schnödeste Ersatz. Wenn er genauer hinsah, dann war es für
Henning nicht anders. Ihm war klar, dass Leonhard ihr ein-
ziger Gesprächsstoff war; es konnte nicht reichen.

Beim Abendessen in der Pension brachte Henning das Gespräch auf den Unfall. Er war sehr darum bemüht, Georgs
Anteil an Leonhards Tod herauszufinden. Als ihm der Anteil
klar wurde, änderte er seinen Tonfall abrupt; er war wieder
Pfarrer geworden und sah seine Aufgabe darin zu vergeben.
Unaufhörlich pustete er Georg über den heißen Suppenlöf-
fel hinweg Trost zu.

Später im Zimmer fing er wieder damit an. Hennings
dünner weißer Leib neben sich im Bett war unangehm genug, sein Geruch hing im Zimmer, er schlief in Socken; hellbraunen Socken. Georg löschte die Nachttischlampe, war-

tete ab, bis er das selige Schnarchen aus Hennings Kehle hörte, und zog sich im Dunkeln an.

Eine bürgerliche Kneipe in der Nähe hatte noch Licht, Schlager quollen durch gelbe Butzenscheiben; ein paar Einheimische verteilten sich. Er fand einen Barhocker ohne Nebenmann, trank mehr als ein Bier, bis ihm so flau wurde, dass er die Dinge klarer sah.

Die Straße war stockfinster, nass vom Seewind.

Das Meer war sehr nah. Er spürte die Nähe, die kalten rundgekullerten Steine im Wasser, die klatschende Gleichgültigkeit der Wellen im Nacken.

Er fragte sich, was er hier verloren hatte.

15

Sie stellte die beiden Koffer auf den Bürgersteig und zog die Haustür zu. Es war überaus windig heute vormittag, das Flugzeug würde schaukeln, wenn es so blieb, sie fasste die Koffer, die schwer waren, aber es ging. Rainer hatte auf einem Taxi bestanden, aber sie war nie Taxi gefahren in dieser Stadt, und sie wollte auch nicht mehr damit anfangen, nicht hier. Lieber nahm sie die Bahn, um noch etwas zu sehen, wer konnte wissen, wann sie hierhin einmal zurückkam.

Die Stadt würde also bleiben. Hier würden nun andere Paare ihr Glück finden, die neuen Paare des neuen Jahres. Sie ging am Monbijoupark entlang, die neuen Paare gingen Sonntag vormittags in den Park, mit so vielen Kindern, wie sie hatten, obwohl es erst Ende März war und nicht warm und die Kondome der Nacht aus den Büschen lugten, cremefarbene und rosa Blütenfetzen, Blumen einer kaputten Nacht. Die letzten Wintermöwen kurvten darüber, eher beiläufig und ohne jeden Schrei. Die Schreie kamen von den

Bänken und vom kleinen Holzspielplatz; vor einem Jahr hatte es hier noch weniger Kinder gegeben.

Kurz bevor sie die Wohnung verlassen hatte, hatte Rainer angerufen: Du weißt, dass du nicht so viel schleppen sollst, und diesen Satz gesagt, den alle Frauen lieben, wenn diese Art Fürsorge sie trifft: in deinem Zustand. Im Hintergrund hatte Schröder gebellt.

»Ich bin schwanger, nicht krank.« Es ärgerte sie, dass er sie dazu genötigt hatte, zu sagen: »Ich bin schwanger.« Noch machte es ihr etwas aus, noch war es ihr überhaupt nicht selbstverständlich, so etwas zu sagen, ein genereller Zustand, der sie von außen ergriffen hatte, eine Rolle, die nicht sie selbst war, etwas, das sie zum Fall von etwas Allgemeinem machte, etwas, das sie zumindest noch üben musste. Und außerdem konnte man gar nichts sehen. Sie stellte die Koffer ab, die Griffe drückten schon sehr in ihrer Hand, und richtete sich auf: überhaupt nichts.

An der Ampel mit ihr wartete ein altes Paar, geduldig, es blieb rot; es störte sie nicht, sie standen und warteten und fühlten sich nahe beieinander. Die Autos, die Ampel, die Straße, die Stadt: Wenn man alt war und noch immer dicht zusammen, verblasste alles, klein und bedeutungslos im Gewebe der Erinnerungen. Wo kamen sie her, wo gingen sie hin? Was hatten sie in der Zwischenzeit gemacht?

Vor der Kaufhausruine hielten Touristen; Rosalie hielt nicht, sie trug ihre schweren Koffer, jetzt war es wirklich nicht mehr weit. Die Touristen würden sie nicht kümmern, sie würde sie vielleicht nicht einmal sehen, obwohl es ein Sonntagvormittag war, wo man immer viel sieht, weil drum herum nicht viel da ist und jeder Zeit hat, um zu gucken; aber diese Touristen standen im Weg, es war schwer, mit dem Koffer vorbeizukommen, und so kam sie auch nicht daran vorbei, ein paar Sätze über die Touristen zu denken, wenn sie hier schon so stieselig im Weg standen und gar nicht sahen, dass sie nur an ihnen vorbeiwollte. Die Sätze, die sie dabei dachte, waren nicht neu, aber vielleicht klarer als sonst, was am Sonntagvormittag lag oder daran, dass sie gerade in ihren Gedanken aufräumte, bevor sie für lange ging.

Sie war vorbei, nur ein einziger Mensch war jetzt noch vor ihr auf der Straße und kam ihr entgegen, ein Mädchen in Lederjacke, das schnell nahe war und schließlich stehen blieb und sie umarmte; ein schöner Zufall.

»Na, Rosa...?« Franziska erkannte die Situation sofort. »Die letzten Koffer?« Ihre Augen waren grau, aber sie strahlten.

»Ja, die letzten. Das war's. Schön, dich noch einmal zu sehen.«

»Ja, schön.« Sie freute sich wirklich.

Rosalie freute sich darüber, dass sich Franziska freute: »Dass wir uns hier nochmal treffen...«

»Du wirst mir fehlen.« Franziska musterte sie von oben bis unten. Ihr Gesicht war sehr ernst.

»Wie geht's Gerd?«

»Er ist ein Schwein«, sagte Franziska stahlhart und klar.

»Ihr wohnt nicht mehr zusammen?«

»Nein.«

»Hm.«

»War'n Fehler«, sagte Franziska lapidar.

Ein Fehler bestimmt und kein lapidarer. Aber auch kein Anlass für Rosalie zum Triumph: »Kann passieren.«

»Kann passieren. Ich wohne in der Husemann jetzt. Ist auch schön.« Sie beschrieb die Hausnummer, die Lage, Rosalie würde nicht vorbeikommen.

»Und das Denkmal?«

»Scheißdenkmal.« Es würde gebaut werden, von anderen

jetzt, vielleicht, oder auch nicht. Wenn die Falschen es bauten, war alles egal.

»Es kommt darauf an, wer es baut?«

»Natürlich kommt es darauf an«, sagte Franziska. »Stell die vor, am Ende beauftragen sie eine Firma mit dem Bau, die von der Arisierung profitiert hat, damals.«

»So wie Hähnchenmäster, die Naturschutzprojekte unterstützen?«

»Oder Industrieländer, die Weltarmutskonferenzen ins Leben rufen.«

»Ins Leben rufen ist gut.« Sie zögerte. »Ich bin schwanger«, sagte Rosalie.

»Kinder sind cool«, sagte Franziska. Sie fuhr sich durchs Haar, ein windiger Tag, wie gesagt. »Mädchen oder Junge?«

»Weiß nicht.«

»Mädchen sind besser. Wenn ich mal eins krieg, dann ein Mädchen. Rosa wär übrigens ein schöner Name. Rosa klingt gut, oder? Und du wärst immer ein Stück bei mir, auch wenn du längst im Zitronenhain sitzt oder am Meer und euer Geld zählst.«

»Weiß nicht.«

»Hm?«

»Na, Sacramento liegt nicht am Meer«, sagte Rosalie.

»Nicht mal so gut wie …?«

»Nicht ganz so gut wie.«

»Na, macht nichts.« Sie lachte. »Du musst mir schreiben.« Sie blickten einander an, Franziska in Lederjacke ein wenig von unten, Rosalie im Mantel ein wenig von oben.

»Hey. Ich wünsch dir richtig viel Glück, Rosa.« Sie drückte Rosalie an sich, lange und fest.

»Viel Glück.«

»Viel Glück.«

»Viel Glück«, dachte Rosalie.

Sie blickte sich um in der Stadt ihrer Sehnsucht, die nun die Stadt ihrer Vergangenheit war. Eine Stadt, angefüllt mit Häusern, Träumen und Hundescheiße. Und Menschen, die versuchten, vergeblich über Ampeln zu kommen.

16

Georg sah die Straße nicht, er hatte die Tierparkmauer vor Augen, ihm war, als hörte er die Pfauen heiserer. Die Nachbarin warf Fischköpfe hinter das Haus für die streunenden Katzen diesseits der Mauer. Gestern hatte sie das erste Mal lange mit ihm geredet und ihre Zuneigung zu Georg verstärkt. Sie hatte ihm einen Mantel geschenkt, den grauen Wollmantel ihres toten Mannes. Die Nachbarin hatte viele Fotos, ihr Vater, Onkel und Großvater, eine ganze Ahnengalerie toter Männer. Sie sagte Gale-ri-e, als sei es ein Schiff; lauter Seekadetten und Offiziere auf Hakenkreuzern. Ihr Mann war nicht auf den Schiffen, er hatte ausgesehen wie Georg; die gleiche Größe, der Mantel passte maßgeschneidert. Seine Fotos lagen in der Schublade; der Mann war ein Schwarzer gewesen aus Angola. Es gab Unterschiede. Die Nachbarin verabschiedete sich herzlich, sie hatte bei einer Tombola gewonnen, eine fest eingepackte Waage, sie gab sie ihm dazu.

Das stille Zimmer in Friedrichsfelde, ein lauschiger Blick aus dem Küchenfenster hinaus und in den Sonntagvormittag hinein, über die Tierparkmauer hinweg ins spärlich aufkeimende Grün, wo hinter dicken Stäben, man konnte gerade vier sehen, die Zunge des Malaienbären über den Rost winselte, von einer Schlehe preisgegeben, die kahlgeputzt hinter der Zoomauer stand, zu kahl für Georgs Geschmack.

Er kannte die Stadt nun recht gut, verglichen mit den Städten, die er nicht kannte.

Eine halbe Stunde später stand er an der U-Bahn-Station Richtung Alexanderplatz im Mantel des toten schwarzen Nachbarn, spazierte durch die windigen Straßen der Halbinsel und schaute sich um. Man konnte meinen, dass nichts passiert war im letzten Winter, die Baustellen hatten geruht, die meisten Häuser sahen noch aus wie früher, und man brauchte den kleinen Veränderungen kaum ins Gesicht zu schauen. Die Wolken, die gerade heute vorbeikamen, waren sehr hübsch, ein netter Einfall, hier vorbeizufliegen, in diesem Augenblick, der Kachelhof glänzte, man konnte sich seine zukünftige Schönheit vorstellen, lachende Stimmen, er dachte an Frauenstimmen auf eleganten Absätzen, aber natürlich auch Männer und Kellner und teuren Wein.

Die Oranienburger Straße war ruhig und friedlich und wollte nicht mehr sein, als sie war. Alles taghell, kein Schimmer von Nacht und Kälte, von frierenden Mädchen in Schwarz, aus weitestem Osten hierhin verschleppt, aus Anna-Dürr-Land, die von der Wolga träumten oder vom Ochotskischen Meer. Zwei neue Cafés hatten eröffnet, angekettete Stühle und Bänke warteten auf den Sommer. Die Pieckstraße hieß Torstraße, noch immer war hier das dunkle Zierfischgeschäft, und noch immer roch es nach Kohleöfen, nach Bratfett und Blumenerde. Er spazierte weiter, in die Chausseestraße hinein und am Haus des Blödelbarden vorbei, der jetzt in allen Zeitungen fleißig Meldung erstattete, dass bloß keiner vergaß, wessen Bruder Lustig er so lange gewesen war. Der schnoddrige Mexikaner war schon von Weitem sichtbar, er saß allein draußen vor seinem Laden, die Hände um einen Grog gelegt, und starrte rüber zur Tankstelle auf große Mädchen in schönen Autos. Alles beim Alten. Es gab Dinge, die sich nicht änderten.

Er stieg Schwartzkopffstraße in die U-Bahn und Friedrichstraße in die S-Bahn, zurück gen Osten, nach Villabajo, in den Treptower Park, wo hoch über ihm der letzte Sowjet der Stadt stand, den Park bewachte mit Kind und Schwert und hinabblickte, stolz und gütig auf blutrote Marmorplatten, über die andere Kinder jagten, mit Skateboards und Rollschuhen. Als hoch oben ein Flugzeug über den Park flog, sahen die Passagiere nichts als Bäume.

Georg trabte zurück zur Station. Vom Geländer der S-Bahn-Brücke rieselte grauer Anstrich; er sah sich um, keiner da. Dann setzte er langsam die Füße darauf, erst den einen, dann den anderen. Er breitete die Arme aus; er ging zwanzig Meter, oder einundzwanzig, ganz sicher, ganz ruhig, der Wind war jetzt schwach; er hörte die Autos nicht unter der Brücke. Dann war er drüben. Ein lauter Schrei kam aus seiner Brust, in seine Haarstoppeln kam wieder Wind. Es gab eine Geschichte, die dauern würde, die Geschichte von Georg & Rosalie. Nicht als Leben, aber als Geschichte.

Die Unterführung aus Friedenszeiten hallte nach; mit Graffitifresken ausgeschmückt und grell beleuchtet. Kinder verschiedener Länder irrten im farblosen Tag des Tunnels umher, wie Nachtfalter im Licht einer Straßenlaterne. Ein alter Mann, von neuen Geschäften in die Unterwelt verbannt, verkaufte braun karierte Unterwäsche in Zellophan und Plastikblumen in einem Eimer. Er saß einfach da und nickte mit dem Kopf wie ein Hähnchen, sah Georg nicht an, saß einfach nur da. Georg ging vorbei, einen Moment verweilte er unschlüssig, dann ging er zurück. Das Hähnchen nickte.

»Die sieht schön aus«, sagte Georg.

Er kaufte dem Mann eine rote Plastiknelke ab. Der Tunnel mündete auf einen Platz; die sozialistische Skulptur war ein Vogel, ein Adler oder eine Taube, man musste näher herantreten. Auf dem Betonsockel saß Jugend, Halbwüchsige mit Zigaretten und händchenhaltend. Dahinter ein geschlos-

sener Supermarkt; der Platz war zu groß. Die Häuser waren Kartons aus Grau. Mild und sonnenlos lag das braunverspiegelte Café im Nachmittag, fast leer. Die Tortenfrau seufzte, der Kuchen bröckelte. Draußen regnete es, Georg wartete ab. Auf der gegenüberliegenden Mauer stand ein Satz; er drückte sich gegen die Scheibe:
WIR WAREN DAS VOLK!

Die Sonne sank, die Menschen wurden blasser.

Es gab einen kürzeren Weg nach Hause.

Der Wind blähte sein Hemd, der Himmel entfernte sich, die Straße bekam wieder ein Geräusch aus Autos. Die Tierparkmauer fand kein Ende, der Verkehr schob sich daran vorbei. Die Fahnenmasten der Direktion standen zum Himmel. An der Zufahrt tropfte die Standarte des Senats; der Petz darauf hing verkehrt herum. Die Kamtschatkabären im Schaufenster würdigten ihn keines Blickes.

Die Haustür stand offen, trotz der Kälte; man fror im Treppenhaus. Die Wohnung wurde nicht wärmer, es gab Probleme mit der Heizung; er würde es morgen melden. Man konnte Fernsehen auch im Pullover gucken, das Fernsehen hatte nichts dagegen; es strahlte. Ein dicker Lastwagenfahrer konnte ein Auto an einem Seil ziehen; das Publikum klatschte; der Lastwagenfahrer rutschte aus, das Auto blieb stehen, Gott sei Dank.

Im Schlafzimmer stapelte sich Wäsche. Guanohügel, sie wuchsen von allein, wenn man sie nicht abtrug; der nachtblaue Schlafanzug. Er holte ein Glas aus dem Schrank, stellte die Plastiknelke ins Wasser und ging aufs Klo.

Er hatte sich hingestellt, tatsächlich das erste Mal gestellt: Hier stand er und dachte sich ein wirksameres Universum aus, nur für sich, eines, in dem man pinkeln konnte und Lust haben zugleich. Man konnte sich eine Menge solch schöner Dinge ausdenken. Die Nachbarin. Er stellte sich auf die Waage. Das Gewicht der Menschen war schwerer als die Erde; es drückte sie zusammen; die Erde verschwand.

Auf dem Fernsehschirm blieb Steppe oder Wüste und die silbergraue Kapsel in all dem kahlen Rot und Braun. Der Militärmarschall legt die Hand an die Mütze; die Kapsel öffnet sich. Oberst Sebastianov steigt zuerst aus, dann der Deutsche, Pinguine in rotem Eis. Den dritten müssen sie herausholen, der kann nicht gehen, hängt schlaff in ihren Armen wie ein Fallschirm. Sie bauen ihn auf der Kapsel auf, von fünf Mann gestützt, eine Pieta. Soldaten drum herum, die lachen und sich an den Rand der Kapsel setzen, die Beine schlenkern lassen, und nach dem Begrüßungsfoto den Tee reichen. Oberst Sergej Krikaljow trinkt, ein funkelnder Orden hängt an seiner eingefallenen Brust, wie schwerer Weihnachtsschmuck an einem durchgebogenen dünnen Tannenzweig, es ist kein Leben zu sehen in den bleichen Zügen; dass ein lebender Mensch so bleich werden kann. Die Soldaten reichen jetzt eine Sonnenbrille mit großen runden Gläsern, Fliegenaugen im weißen Gesicht; ein Guru ist der, ein Sektenführer und drum herum nichts als Steppe oder Wüste, irdische Luft.

»Wunderbarer Tee. Und das Wetter: wunderbar!« Ganz leise, aber man kann es hören. »Nichts hat sich verändert, nichts.«

Und dann ist diese Frau da, die ihn umarmt, eher klein, mit Sonnenbrille, nachtschwarzes Haar, eine Frau, wie sie ihm schon von Weitem auffällt, die unsicheren Bewegungen, mit denen sie näher kommt, bis die Soldaten ihr auf die Kapsel helfen in Krikaljows Arm. Den Namen geflüstert, von ihm zu ihr, den kann er nicht verstehen.

Sie werden jetzt viel beieinander sein und reden und reden, und die Soldaten werden sie allein lassen, bei Einbruch der Nacht, sie werden in Leninsk schlafen, weil draußen die Steppe oder Wüste erkaltet, dass selbst die Sandfüchse frieren, die Flughühner auf den Dächern, wie sie es immer tun, bis die Sonne das Licht ausknipst, für immer ausknipst und die Geschichte, alle Geschichte ausgeht, zu Ende ist.

Im Fenster, in dem noch immer der Tierpark war, flogen mintgrüne Sittiche.

Ein Blick auf die Uhr zeigte ihm, dass es jetzt Kaffeezeit war. Alles war gut, und das, was nicht war, würde gut werden. Er würde jetzt Kuchen essen ohne Wünsche.

In der Küche fand er einen Zettel und notierte:

Ich liebe sie. Es ist jetzt Viertel vor vier.

Er liebte sie nicht mehr, und es war schon kurz nach fünf.

17

Das Brandenburger Tor stand herum und sah aus. Auf dem Pariser Platz blühten Narzissen. Ein Mann stand unter dem Tor und sah nach oben. Eine Frau stand auf dem Rollfeld in Tegel und stieg als letzte in einen sehr weißen Bus.

Die Zeitungen schrieben von einer Aufbruchstimmung.

Der Mann war Georg und die Frau Rosalie.

Als die Frau, Rosalie, mit dem sehr weißen Bus über das Rollfeld fuhr, stand der Mann, Georg, noch immer unter dem Tor.

Autor

RICHARD DAVID PRECHT, geboren 1964, ist Philosoph, Publizist und Autor und einer der profiliertesten Intellektuellen im deutschsprachigen Raum. Er ist Honorarprofessor für Philosophie an der Leuphana Universität Lüneburg sowie Honorarprofessor für Philosophie und Ästhetik an der Hochschule für Musik Hanns Eisler in Berlin. Seit seinem sensationellen Erfolg mit »Wer bin ich – und wenn ja, wie viele?« waren alle seine Bücher zu philosophischen oder gesellschaftspolitischen Themen Bestseller und wurden in mehr als vierzig Sprachen übersetzt. Seit 2012 moderiert er die Philosophiesendung »Precht« im ZDF.

Richard David Precht im Goldmann Verlag:

Die Instrumente des Herrn Jørgensen (mit Georg Jonathan Precht) Die Kosmonauten • Liebe. Ein unordentliches Gefühl • Die Kunst, kein Egoist zu sein • Anna, die Schule und der liebe Gott • Lenin kam nur bis Lüdenscheid • Tiere denken • Erkenne die Welt. Geschichte der Philosophie I • Erkenne dich selbst. Geschichte der Philosophie II • Sei du selbst. Geschichte der Philosophie III • Jäger. Hirten, Kritiker. Eine Utopie für die digitale Gesellschaft

(📕 Alle Titel auch als E-Book erhältlich.)

GOLDMANN
Lesen erleben

Unsere Leseempfehlung

576 Seiten
Auch als Hörbuch und
E-Book erhältlich

672 Seiten
Auch als Hörbuch und
E-Book erhältlich

608 Seiten
Auch als Hörbuch und
E-Book erhältlich

Richard David Precht erklärt in seiner auf drei Bände an-
gelegten Geschichte der Philosophie die großen Fragen,
die sich die Menschen durch die Jahrhunderte gestellt
haben.
Im ersten Teil beschreibt er die Entwicklung des abendländischen Denkens von der Antike bis zum Mittelalter.
Im zweiten Teil entführt der Autor den Leser tief in die
Gedankenwelt der Renaissance und der Aufklärung.
Spannend und anschaulich vermittelt er die zentralen
Konzepte und Ideen der abendländischen Philosophie
und bettet sie ein in die wirtschaftlichen, sozialen und
politischen Hintergründen ihrer Zeit. Tauchen Sie ein in
die schier unerschöpfliche Fülle des Denkens!

www.goldmann-verlag.de
www.facebook.com/goldmannverlag

(G) GOLDMANN
Lesen erleben